TensorFlow

实战Google深度学习框架

郑泽宇（才云科技联合创始人） 梁博文 顾思宇 著

（第2版）

電子工業出版社·

Publishing House of Electronics Industry

北京·BEIJING

内 容 简 介

TensorFlow 是谷歌 2015 年开源的主流深度学习框架，目前已得到广泛应用。本书为 TensorFlow 入门参考书，旨在帮助读者以快速、有效的方式上手 TensorFlow 和深度学习。书中省略了烦琐的数学模型推导，从实际应用问题出发，通过具体的 TensorFlow 示例介绍如何使用深度学习解决实际问题。书中包含深度学习的入门知识和大量实践经验，是走进这个前沿、热门的人工智能领域的优选参考书。

第 2 版将书中所有示例代码从 TensorFlow 0.9.0 升级到了 TensorFlow 1.4.0。在升级 API 的同时，第 2 版也补充了更多只有 TensorFlow 1.4.0 才支持的功能。另外，第 2 版还新增两章分别介绍 TensorFlow 高层封装和深度学习在自然语言领域应用的内容。

本书适用于想要使用深度学习或 TensorFlow 的数据科学家、工程师，希望了解深度学习的大数据平台工程师，对人工智能、深度学习感兴趣的计算机相关从业人员及在校学生等。

图书在版编目（CIP）数据

TensorFlow：实战 Google 深度学习框架 / 郑泽宇，梁博文，顾思宇著. —2 版. —北京：电子工业出版社，2018.2
ISBN 978-7-121-33066-7

Ⅰ．①T⋯　Ⅱ．①郑⋯ ②梁⋯ ③顾⋯　Ⅲ．①人工智能－算法－研究　Ⅳ．①TP18

中国版本图书馆 CIP 数据核字（2017）第 285250 号

责任编辑：张春雨
印　　刷：三河市良远印务有限公司
装　　订：三河市良远印务有限公司
出版发行：电子工业出版社
　　　　　北京市海淀区万寿路 173 信箱　　邮编：100036
开　　本：787×980　　1/16　　印张：22.75　　字数：490 千字
版　　次：2017 年 3 月第 1 版
　　　　　2018 年 2 月第 2 版
印　　次：2018 年 2 月第 1 次印刷
定　　价：89.00 元

凡所购买电子工业出版社图书有缺损问题，请向购买书店调换。若书店售缺，请与本社发行部联系，联系及邮购电话：（010）88254888，88258888。
质量投诉请发邮件至 zlts@phei.com.cn，盗版侵权举报请发邮件至 dbqq@phei.com.cn。
本书咨询联系方式：（010）51260888-819，faq@phei.com.cn。

推 荐 序 1

　　"互联网+"的大潮催生了诸如"互联网+外卖"、"互联网+打车"、"互联网+家政"等众多商业模式的创新和创业佳话。而当"互联网+"已被写入教科书并成为传统行业都在积极践行的发展道路时,过去一年科技界的聚光灯却被人工智能和深度学习所创造的一个个奇迹所占据。从 AlphaGo 肆虐围棋界,到人工智能创业大军的崛起,都预示着我们即将步入"AI+"的时代:"AI+教育"、"AI+媒体"、"AI+医学"、"AI+配送"、"AI+农业",等等,将会层出不穷。

　　AI 在近期的爆发离不开数据"质"和"量"的提升,离不开高性能计算平台的发展,更离不开算法的进步,而深度学习则成为了推动算法进步中的一个主力军。TensorFlow 作为谷歌开源的深度学习框架,包含了谷歌过去 10 年间对于人工智能的探索和成功的商业应用。谷歌的自动驾驶、搜索、购物、广告、云计算等产品,都无时无刻不在利用类似TensorFlow 的深度学习算法将数据的价值最大化,从而创造巨大的商业价值。

　　TensorFlow 作为一个开源框架,在极短时间内迅速圈粉并已成为 github.com 上耀眼的明星。然而,掌握深度学习需要较强的理论功底,用好 TensorFlow 又需要足够的实践和解析。开源项目和代码本身固然重要,但更重要的是使用者的经验和领域知识,以及如何将底层技术或工具采用最佳实践和模式来解决现实问题。我与作者共事多年,浏览本书后深深体会到该作品是作者在谷歌多年分布式深度学习实践经验和其理论才学的浓缩,也相信这本从入门到高级实践的读物能够为每个读者带来一个精神盛宴,并帮助计算机技术从业者在各自的业务领域打开新的思路、插上新的翅膀。

张鑫

杭州才云科技有限公司联合创始人 CEO、美国卡耐基梅隆大学计算机博士

推 荐 序 2

深度学习带来的技术革命波及甚广，学术界同样早已从中受益，将深度学习广泛应用到各个学科领域。深度学习源自"古老"的神经网络技术，既标志着传统神经网络的卷土重来，也借由 AlphaGo 碾压人类围棋一役，开启了 AI 爆炸式发展的大幕。机器学习为人工智能指明道路，而深度学习则让机器学习真正落地。作为高等教育工作者，让学生了解和跟上最新技术发展的意义不言而喻。而深度学习的重要性，从近来国内外互联网巨擘对未来的展望中可见端倪——在深度学习照耀下的人工智能技术，毫无疑问是下一个时代的主角和支柱。

然而，目前深度学习的相关资料，尤其是像 TensorFlow 这种引领未来趋势的新技术的学习资料，普遍存在明显缺憾。

其一，中文资料非常少，而且信息零散、不成系统。这篇文章里讲一个算法，那个博客里介绍一个应用，很难让学生形成一个完整的、全局的概念体系。

其二，已有的深度学习资料大多偏重理论，对概率、统计等数学功底有很高的要求，不易激发学生的兴趣。

而这些现存问题，也正是我对泽宇这部著作寄予厚望的原因——这是一本非常适合高校学生走近深度学习的入门读物。因为它从实际问题出发，可以激发读者的兴趣，让读者可以快速而直观地享受到解决问题的成就感。同时，此书理论与实践并重，既介绍了深度学习的基本概念，为更加深入地研究深度学习奠定基础；又给出了具体的 TensorFlow 样例代码，让读者可以将学习成果直接运用到实践中。

我非常相信也衷心希望，有志参与深度学习未来大潮的莘莘学子，能凭借此书更快速、更扎实地开启深度学习之旅，并通过 TensorFlow 来实现深度学习常用算法，从而登堂入室，最终成为 AI 的真正驾驭者。

张铭

北京大学信息科学技术学院教授

序

    2017 年初，我曾为本书第 1 版写过一篇"推荐序"。后来郑泽宇邀请我共同完成第 2 版的写作，我从读者变成了作者，又有了许多新的感受。因此我想借着重新写序的机会，跟读者分享一下写作第 2 版的心路点滴。我在自然语言处理领域工作多年，这次负责撰写第 9 章自然语言处理的相关内容，本以为会是得心应手，然而事实上，写作的过程远比我想象中困难得多。最困难的地方在于，写作进行的时候无法及时得到读者的反馈，不能把握读者的心声——理论部分介绍多少比较合适？关于语料预处理的内容会不会令读者感到枯燥？模型的实现应该使用基本模块来搭建还是直接调用 TensorFlow 中的库？注意力机制有那么多变体，到底应该介绍哪一个才符合读者的期望？这些都是我在写作过程中反复思考的问题。最后书中呈现的内容，大致是我认真揣测读者的心思后，想到的在特定领域搭建应用时所要用到的最精简的知识。希望这些知识能为读者进一步学习和实践打下良好的基础。

    TensorFlow 的库非常丰富。除了基础的网络结构之外，很多最新的研究成果都会被迅速提交到 TensorFlow 的库中。而为了提供最大的灵活度，每一个结构又常常提供许多配置参数。如果将这些库、参数都一一列出，那么本书无异于一本枯燥的 API 说明文档，这是我们不希望看到的。因此我们本着只介绍 API 中最实用、最核心部分的原则，希望能帮助读者快速上手。同时我们鼓励读者多多查阅官方文档，也许你想实现的某个功能已经包含在 TensorFlow 官方库中了。

    在这里，我想感谢郑泽宇的邀请，让我全心投入，感受到了写书的乐趣与不易，于我自己也是一个巨大的提升。还要感谢我的同事高勤和江鹏在写作过程中为我提供的宝贵意见。同时，衷心感谢在本书第 1 版的官方网站上留言的热心读者们，你们的建议成就了更好的第 2 版内容。希望读者们继续多提建议，包括希望看到哪些内容可以更详细、更深入，哪些内容可以精简，以及未来版本可以加入哪些内容等。读者们的支持永远是我们持续改进的动力！

梁博文

2017 年 12 月

前　言

　　"深度学习"这个词在过去的一年之中已经轰炸了媒体、技术博客甚至朋友圈。这也许正是你会读到本书的原因之一。数十年来，人工智能技术虽不断发展，但像深度学习这样在学术界和工业界皆具颠覆性的技术实在是十年难遇。可惜的是，理解和灵活运用深度学习并不容易，尤其是其复杂的数学模型，让不少感兴趣的同学很快"从入门到放弃"。在本书第 1 版前，很难找到从实战出发的深度学习和 TensorFlow 参考书，这也是笔者在工作之余熬夜撰写这本书的动力。笔者本人作为一枚标准码农、创业党，希望这本书能够帮助码农和准码农们绕过深度学习复杂的数据公式，快速上手深度学习，解决工作、学习中的实际问题。

　　2016 年初，笔者和小伙伴们从美国谷歌辞职，回到祖国并在杭州联合创办了才云科技（Caicloud.io），为企业提供人工智能平台和解决方案。回国之初，很多企业对于 TensorFlow 都显示出了浓厚的兴趣，然而在深度交流之后，发现 TensorFlow 虽然是一款非常容易上手的工具，但是深度学习的技术并不是每一家企业都能掌握的。为了让更多的人和企业可以享受到深度学习技术带来的福利，笔者与电子工业出版社的张春雨编辑一拍即合，开始了本书的撰写工作。

　　使用 TensorFlow 实现深度学习是本书介绍的重点。本书将从 TensorFlow 的安装开始，依次介绍 TensorFlow 的基本概念、使用 TensorFlow 实现全连接深层神经网络、卷积神经网络和循环神经网络等深度学习算法，以及 TensorFlow 并行化输入数据处理流程、TensorBoard 可视化工具、TensorFlow 高层封装、带 GPU 的分布式 TensorFlow 使用方法。在介绍使用 TensorFlow 实现不同深度学习算法的同时，也介绍了这些算法背后的理论，并列举了这些算法可以解决的具体问题。本书避开了枯燥复杂的数学公式，从实际问题出发，在实践中介绍深度学习的概念和 TensorFlow 的用法。

　　本书第 1 版出版之后，笔者收到了广大读者的踊跃来信。信中既充分肯定了第 1 版对他们学习 TensorFlow 和深度学习的帮助，又提出了对更新 TensorFlow 版本和其他新内容的期待，这正是笔者开始撰写第 2 版的强大动力。第 1 版中大部分示例都是与计算机视觉相关的，为了更好地介绍与自然语言处理相关的内容，笔者特别邀请了在 Google 翻译组工作了 5 年的梁博文来撰写这部分内容。第 2 版中将有专门的一个章节介绍语言模型、Seq2Seq模型、注意力（attention）模型等自然语言应用。

TensorFlow 是一个飞速发展的工具。第 1 版在写作时的最新版本为 0.9.0，然而到第 1版出版时，谷歌已经推出了 TensorFlow 的第一个正式版 1.0.0。相比第 1 版中使用的TensorFlow 0.9.0，TensorFlow 1.0.0 以后的版本对 API 也进行了大量调整，之前的大量示例代码已经无法正常运行。第 2 版在更新示例 API 版本的同时，对 TensorFlow 0.9.0 之后推出的重要新功能也进行了详细介绍，希望能够帮助读者更好地使用 TensorFlow。

为了让广大读者更好地理解和使用书中的示例代码，我们为大家提供了一个完全公开的 GitHub 代码库来维护 TensorFlow 不同版本的示例程序。该代码库的网址为https://github.com/caicloud/tensorflow-tutorial。笔者衷心地希望各位读者能够从本书中获益，这也是对我们最大的支持和鼓励。对于书中出现的任何错误或者不准确的地方，欢迎大家批评指正，并发送邮件至 zeyu@caicloud.io。

读者也可以登录博文视点官网 http://www.broadview.com.cn，下载本书代码或提交勘误信息。一旦勘误信息被作者或编辑确认，即可获得博文视点奖励积分，用于兑换电子书。读者可以随时浏览图书页面，查看已发布的勘误信息。

致谢

在此我要特别感谢为此书做出贡献的每一个人。

首先，我要感谢所有的读者。在第 1 版出版之后，我收到了大量的读者来信。这些信中表达了对本书内容的喜爱，同时也给出了非常多的宝贵建议。广大读者的支持和鼓励正是我完成第 2 版的最大动力。在此，我再次感谢每一位读者，希望第 2 版中更多的干货值得大家投入宝贵的精力去阅读。

其次，我要感谢加入第 2 版写作的作者梁博文。在繁重的 Google 日常工作的同时，梁博文经常深夜撰写自然语言处理的相关内容并调试示例代码，非常辛苦。正是因为梁博文的辛勤付出，才让第 2 版中的内容更加全面。

最后，我要再次感谢在第 1 版写作过程中给予过我大力支持的所有人。没有他们的支持也就没有这本书的诞生——

在紧张的创业之余，才云科技 CEO 张鑫给了我极大的支持和鼓励，让我有足够的时间投入到此书第 1 版的撰写工作中。

我也要感谢我的妻子温苗苗以及我的父母、岳父岳母，没有他们一直以来的支持和帮助，我不可能完成此书的写作。每当遇到困难的时候，长辈们的鼓励是我前进的最大动力。

最后，我还要感谢所有为本书付出心血的电子工业出版社的编辑们。无论在本书的定位，还是在具体的文字推敲、编辑加工、版式设计上，张春雨、刘佳禾和孙奇俏都给予了巨大的帮助。

郑泽宇

2017 年 12 月

读者服务

轻松注册成为博文视点社区用户（www.broadview.com.cn），扫码直达本书页面。

- **下载资源**：本书如提供示例代码及资源文件，均可在 下载资源 处下载。
- **提交勘误**：您对书中内容的修改意见可在 提交勘误 处提交，若被采纳，将获赠博文视点社区积分（在您购买电子书时，积分可用来抵扣相应金额）。
- **交流互动**：在页面下方 读者评论 处留下您的疑问或观点，与我们和其他读者一同学习交流。

页面入口：*http://www.broadview.com.cn/33066*

目　　录

第 1 章　深度学习简介

在人工智能的普及和推广上，AlphaGo 系列做出了巨大贡献。从 2016 年年初 AlphaGo 战胜李世石，到 2016 年年底 Master 取得 60 连胜，再到最近 AlphaGo Zero 诞生，人工智能这个概念被推上了历史的新高度。谷歌（Google）、脸书（Facebook）、百度、阿里巴巴等一系列国内外大公司纷纷对外公开宣布了人工智能将作为他们下一个战略重心。在类似 AlphaGo、无人驾驶汽车等最新技术的背后，深度学习是推动这些技术发展的核心力量。"深度学习"是本书的核心概念。通过阅读本章，读者将从多个角度了解这一概念。人工智能、机器学习与深度学习这几个关键词时常出现在媒体新闻中，并错误地被认为是等同的概念。1.1 节将介绍人工智能、机器学习以及深度学习的概念，并着重解析它们之间的关系。这一节将从不同领域需要解决的问题入手，依次介绍这些领域的基本概念以及解决领域内问题的主要思路。在介绍完深度学习的基本概念之后，1.2 节将完整地介绍深度学习发展史。虽然"深度学习"这个名词是在最近几年才提出来的，但深度学习基于的神经网络算法却早在 20 世纪 40 年代就出现了。这一节将会介绍神经网络发展过程中的重大事件，并介绍深度学习研究领域的发展历程。

接着，1.3 节将从计算机视觉、语音识别、自然语言处理和人机博弈 4 个不同的方向介绍目前深度学习的应用。从 2012 年深度学习被成功应用于图像识别上以来，研究人员一直在扩展它的应用范围和影响力。这一节既会介绍在不同方向上深度学习在学术界取得的成就，也会介绍工业界成功应用深度学习的案例。最后，1.4 节将引出本书的重点——TensorFlow。TensorFlow 是谷歌开源的一个计算框架，该计算框架可以很好地实现各种深度学习算法。这一节将简单介绍 TensorFlow 的特性以及它目前的应用场景。也将对比不同的开源深度学习工具，并通过具体的数字来说明 TensorFlow 相比其他工具的优势以及作者将 TensorFlow 作为本书介绍对象的原因。

1.1　人工智能、机器学习与深度学习[①]

　　从计算机发明之初，人们就希望它能够帮助甚至代替人类完成重复性劳作。利用巨大的存储空间和超高的运算速度，计算机已经可以非常轻易地完成一些对于人类非常困难，但对计算机相对简单的问题。比如，统计一本书中不同单词出现的次数，存储一座图书馆中所有的藏书，或是计算非常复杂的数学公式，都可以轻松通过计算机解决。然而，一些人类通过直觉可以很快解决的问题，目前却很难通过计算机解决。这些问题包括自然语言理解、图像识别、语音识别等。而它们就是人工智能需要解决的问题。

　　计算机要像人类一样完成更多智能的工作，需要掌握关于这个世界海量的知识。比如要实现汽车自动驾驶，计算机至少需要能够判断哪里是路，哪里是障碍物。这个对人类非常直观的东西，对计算机却是相当困难的。路有水泥的、沥青的，也有石子的甚至土路。这些不同材质铺成的路在计算机看来差距非常大。如何让计算机掌握这些人类看起来非常直观的常识，对于人工智能的发展是一个巨大的挑战。很多早期的人工智能系统只能成功应用于相对特定的环境（specific domain），在这些特定环境下，计算机需要了解的知识很容易被严格并且完整地定义。例如，IBM 的深蓝（Deep Blue）在 1997 年打败了国际象棋冠军卡斯帕罗夫。设计出下象棋软件是人工智能史上的重大成就，但其主要挑战不在于让计算机掌握国际象棋中的规则。国际象棋是一个特定的环境，在这个环境中，计算机只需要了解每一颗棋子规定的行动范围和行动方法即可。虽然计算机早在 1997 年就可以击败国际象棋的世界冠军，但是直到 20 年后的今天，让计算机实现大部分成年人都可以完成的汽车驾驶却依旧十分困难。

　　为了使计算机掌握更多开放环境（open domain）下的知识，研究人员进行了很多尝试。其中一个影响力非常大的领域是知识图库（Ontology[②]）。WordNet 是在开放环境中建立的一个较大且有影响力的知识图库。WordNet 是由普林斯顿大学（Princeton University）的 George Armitage Miller 教授和 Christiane Fellbaum 教授带领开发的，它将 155 287 个单词整理为 117 659 个近义词集（synsets）。基于这些近义词集，WordNet 进一步定义了近义词集之间的关系。比如同义词集"狗"属于同义词集"犬科动物"，它们之间存在种属关系（hypernyms/hyponyms）。[③]除了 WordNet，也有不少研究人员尝试将 Wikipedia 中的知识整理成知识图库。谷歌的知识图库中包含大量来自于 Wikipedia 的信息。

---

① 本节部分内容参见：Goodfellow I, Bengio Y, Courville A. *Deep learning* [M]. The MIT Press,2016.

② 知识图库 Ontology 有时又被称为 Knowledge Graph。Knowledge Graph 更多的是指代谷歌内部建立的知识图库，而 Ontology 更多指代的是知识图库这个学术领域。

③ 更多关于 WordNet 的信息可以参考其官方网站：https://wordnet.princeton.edu/。

虽然使用知识图库可以让计算机很好地掌握人工定义的知识，但建立知识图库一方面需要花费大量的人力物力，另一方面可以通过知识图库方式明确定义的知识有限，不是所有的知识都可以明确地定义成计算机可以理解的固定格式。很大一部分无法明确定义的知识，就是人类的经验。比如我们需要判断一封邮件是否为垃圾邮件，会综合考虑邮件发出的地址、邮件的标题、邮件的内容以及邮件收件人的长度，等等。这是收到无数垃圾邮件骚扰之后总结出来的经验。这个经验很难以固定的方式表达出来，而且不同人对垃圾邮件的判断也会不一样。如何让计算机可以和人类一样从历史的经验中获取新的知识呢？这就是机器学习需要解决的问题。

卡内基梅隆大学（Carnegie Mellon University）的 Tom Michael Mitchell 教授在 1997 年出版的书籍 *Machine Learning*[①] 中对机器学习进行过非常专业的定义，这个定义在学术界内被多次引用。在这本书中对机器学习的定义为"如果一个程序可以在任务 T 上，随着经验 E 的增加，效果 P 也可以随之增加，则称这个程序可以从经验中学习"。通过垃圾邮件分类的问题来解释机器学习的定义。在垃圾邮件分类问题中，"一个程序"指的是需要用到的机器学习算法，比如逻辑回归算法；"任务 T"是指区分垃圾邮件的任务；"经验 E"为已经区分过是否为垃圾邮件的历史邮件，在监督式机器学习问题中，这也被称之为训练数据；"效果 P"为机器学习算法在区分是否为垃圾邮件任务上的正确率。

在使用逻辑回归算法解决垃圾邮件分类问题时，会先从每一封邮件中抽取对分类结果可能有影响的因素，比如说上文提到的发邮件的地址、邮件的标题及收件人的长度，等等。每一个因素被称之为一个特征（feature）。逻辑回归算法可以从训练数据中计算出每个特征和预测结果的相关度。比如在垃圾邮件分类问题中，可能会发现如果一个邮件的收件人越多，那么邮件为垃圾邮件的概率也就越高。在对一封未知的邮件做判断时，逻辑回归算法会根据从这封邮件中抽取得到的每一个特征以及这些特征和垃圾邮件的相关度来判断这封邮件是否为垃圾邮件。

在大部分情况下，在训练数据达到一定数量之前，越多的训练数据可以使逻辑回归算法对未知邮件做出的判断越精准。也就是说逻辑回归算法可以根据训练数据（经验 E）提高在垃圾邮件分类问题（任务 T）上的正确率（效果 P）。之所以说在大部分情况下，是因为逻辑回归算法的效果除了依赖于训练数据，也依赖于从数据中提取的特征。假设从邮件中抽取的特征只有邮件发送的时间，那么即使有再多的训练数据，逻辑回归算法也无法很好地利用。这是因为邮件发送的时间和邮件是否为垃圾邮件之间的关联不大，而逻辑回归算法无法从数据中习得更好的特征表达。这也是很多传统机器学习算法的一个共同的问题。

---

① Mitchell T M, Carbonell J G, Michalski R S. *Machine Learning* [M]. McGraw-Hill, 2003.

　　类似从邮件中提取特征，如何数字化地表达现实世界中的实体，一直是计算机科学中一个非常重要的问题。如果将图书馆中的图书名称储存为结构化的数据，比如储存在 Excel 表格中，那么可以非常容易地通过书名查询一本书是否在图书馆中。如果图书的书名都储存在非结构化的图片中，那么要完成书名查找任务的难度将大大增加。类似的道理，如何从实体中提取特征，对于很多传统机器学习算法的性能有巨大影响。图 1-1 展示了一个简单的例子。如果通过笛卡儿坐标系（cartesian coordinates）来表示数据，那么不同颜色的结点无法被一条直线划分。如果将这些点映射到极角坐标系（polar coordinates），那么使用直线划分就很容易了。同样的数据使用不同的表达方式会极大地影响解决问题的难度。一旦解决了数据表达和特征提取，很多人工智能任务也就解决了 90%。

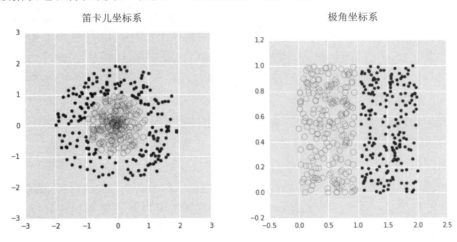

图 1-1　不同数据表达方式对使用直线划分不同颜色结点问题难度的影响

　　然而，对许多机器学习问题来说，特征提取不是一件简单的事情。在一些复杂问题上，要通过人工的方式设计有效的特征集合，需要很多的时间和精力，有时甚至需要整个领域数十年的研究投入。例如，假设想从很多照片中识别汽车。现在已知的是汽车有轮子，所以希望在图片中抽取"图片中是否出现了轮子"这个特征。但实际上，要从图片的像素中描述一个轮子的模式是非常难的。虽然车轮的形状很简单，但在实际图片中，车轮上可能会有来自车身的阴影、金属车轴的反光，周围物品也可能会部分遮挡车轮。实际图片中各种不确定的因素让我们很难直接抽取这样的特征。

　　既然人工的方式无法很好地抽取实体中的特征，那么是否有自动的方式呢？答案是肯定的。深度学习解决的核心问题之一就是自动地将简单的特征组合成更加复杂的特征，并使用这些组合特征解决问题。深度学习是机器学习的一个分支，它除了可以学习特征和任务之间的关联，还能自动从简单特征中提取更加复杂的特征。图 1-2 中展示了深度学习和传统机器学习在流程上的差异。如图 1-2 所示，深度学习算法可以从数据中学习更加复杂的特征表达，使得最后一步权重学习变得更加简单且有效。在图 1-3 中，展示了通过深度学习解决图像分类问题的具体样例。深度学习可以一层一层地将简单特征逐步转化成更加复杂的特征，从而使得不同类别的图像更加可分。比如图 1-3 中展示了深度学习算法可以从图像的像素特征中逐渐组合出线条、边、角、简单形状、复杂形状等更加有效的复杂特征。

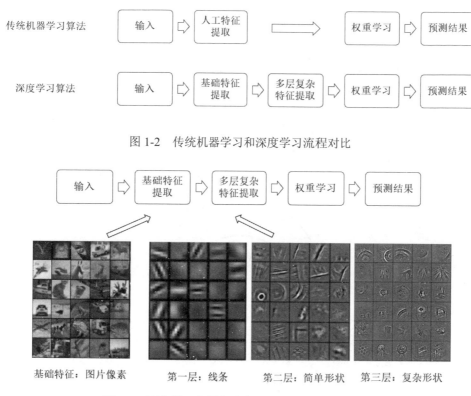

图 1-2　传统机器学习和深度学习流程对比

图 1-3　深度学习在图像分类问题上的算法流程样例

　　早期的深度学习受到了神经科学的启发，它们之间有着非常密切的联系。科学家们在神经科学上的发现使得我们相信深度学习可以胜任很多人工智能的任务。神经科学家发现，如果将小白鼠的视觉神经连接到听觉中枢，一段时间之后小白鼠可以习得使用听觉中枢"看"世界。这说明虽然哺乳动物大脑分为了很多区域，但这些区域的学习机制却是相似的。在这一假想得到验证之前，机器学习的研究者们通常会为不同的任务设计不同的算法。而且直到今天，学术机构的机器学习领域也被分为了自然语言处理、计算机视觉和语音识别等不同的实验室。因为深度学习的通用性，深度学习的研究者往往可以跨越多个研究方向甚至同时活跃于所有的研究方向。下面的 1.3 节将具体介绍深度学习在不同方向的应用。

虽然深度学习领域的研究人员相比其他机器学习领域更多地受到了大脑工作原理的启发，而且媒体界也经常强调深度学习算法和大脑工作原理的相似性，但现代深度学习的发展并不拘泥于模拟人脑神经元和人脑的工作机理。模拟人类大脑也不再是深度学习研究的主导方向。我们不应该认为深度学习是在试图模仿人类大脑。目前科学家对人类大脑学习机制的理解还不足以为当下的深度学习模型提供指导。

现代的深度学习已经超越了神经科学观点，它可以更广泛地适用于各种并不是由神经网络启发而来的机器学习框架。值得注意的是，有一个领域的研究者试图从算法层理解大脑的工作机制，它不同于深度学习的领域，被称为"计算神经学"（computational neuroscience）。深度学习领域主要关注如何搭建智能的计算机系统，解决人工智能中遇到的问题。计算神经学则主要关注如何建立更准确的模型来模拟人类大脑的工作。

总的来说，人工智能、机器学习和深度学习是非常相关的几个领域。图 1-4 总结了它们之间的关系。人工智能是一类非常广泛的问题，机器学习是解决这类问题的一个重要手段。深度学习则是机器学习的一个分支。在很多人工智能问题上，深度学习的方法突破了传统机器学习方法的瓶颈，推动了人工智能领域的发展。

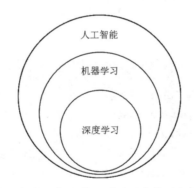

图 1-4　人工智能、机器学习以及深度学习之间的关系图

1.2　深度学习的发展历程

很多读者可能会认为深度学习是一门新技术，所以听到"深度学习的历史"也许会有些惊讶。事实上，目前大家所熟知的"深度学习"基本上是深层神经网络的一个代名词，而神经网络技术可以追溯到 1943 年。深度学习之所以看起来像是一门新技术，一个很重要的原因是它在 21 世纪初期并不流行。神经网络的发展史大致可以分为三个阶段，在本节中，我们将简单介绍神经网络发展历史上的这三个阶段。

早期的神经网络模型类似于仿生机器学习，它试图模仿大脑的学习机理。最早的神经网络数学模型是由 Warren McCulloch 教授和 Walter Pitts 教授于 1943 年在论文 *A logical calculus of the ideas immanent in nervous activity*[①]中提出的。在论文中，Warren McCulloch 教授和 Walter Pitts 教授模拟人类大脑神经元的结构提出了 McCulloch-Pitts Neuron 的计算结构。图 1-5 对比了人类神经元结构和 McCulloch-Pitts Neuron 结构。McCulloch-Pitts Neuron 结构大致模拟了人类神经元的工作原理，它们都有一些输入，然后将输入进行一些变换后得到输出结果。虽然人类神经元处理输入信号的原理目前对我们来说还不是完全清晰，但 McCulloch-Pitts Neuron 结构使用了简单的线性加权和的方式来模拟这个变换。将 n 个输入值提供给 McCulloch-Pitts Neuron 结构后，McCulloch-Pitts Neuron 结构会通过 n 个权重 w_1，w_2，$\cdots$，w_n 来计算这 n 个输入的加权和，然后用这个加权和经过一个阈值函数得到一个 0 或 1 的输出。

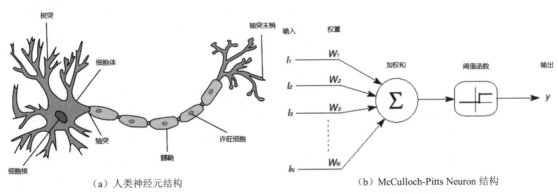

（a）人类神经元结构　　　　　　　　　（b）McCulloch-Pitts Neuron 结构

图 1-5　人类神经元结构和 McCulloch-Pitts Neuron 结构对比图

举一个具体的例子来说明 McCulloch-Pitts Neuron 结构是如何解决实际问题的。假设需要解决的问题是判断邮件是否为垃圾邮件，那么首先可以将从邮件里提取的 n 个特征值作为输入传入 McCulloch-Pitts Neuron 结构。McCulloch-Pitts Neuron 结构经过加权和及阈值函数处理可以得到一个 0 或者 1 的输出。如果这个输出为 0，那么相应的邮件为垃圾邮件；相反，如果这个输出为 1，那么相应的邮件不是垃圾邮件。

为了使这种方法可以精确地判断垃圾邮件，我们需要对 McCulloch-Pitts Neuron 结构中的权重进行特殊的设置。手动设置这些权重自然是一种选择，但通过人类经验设置权重的方式既麻烦又很难达到最优的效果。为了让计算机能够更加自动且更加合理地设置权重大小，Frank Rosenblatt 教授于 1958 年提出了感知机模型（perceptron）。感知机是首个可以根据样例数据来学习特征权重的模型。虽然 McCulloch-Pitts Neuron 结构和感知机模型极大地

① McCulloch W, Pitts W. *A Logical Calculus of the Ideas Immanent in Nervous Activity* [J]. Bulletin of Mathematical Biophysics Vol 5, 1943.

影响了现代机器学习，但是它们也存在非常大的局限性。

1969 年由 Marvin Minsky 教授和 Seymour Papert 教授出版的 *Perceptrons: An Introduction to Computational Geometry* 一书中，证明了感知机模型只能解决线性可分问题，在第 4 章中更加详细地介绍了线性模型、线性可分问题，并明确指出了感知机无法解决异或问题。而且书中也指出在当时的计算能力下，实现多层的神经网络是不可能的事情。这些局限性导致了整个学术界对生物启发的机器学习模型的抨击。在书中，Marvin Minsky 教授和 Seymour Papert 教授甚至做出了"基于感知机的研究注定将失败"的结论。这导致了神经网络的第一次重大低潮期，在之后的十多年内，基于神经网络的研究几乎处于停滞状态。

直到 20 世纪 80 年代末，第二波神经网络研究因分布式知识表达（distributed representation）和神经网络反向传播算法的提出而兴起。分布式的知识表达的核心思想是现实世界中的知识和概念应该通过多个神经元（neuron）来表达，而模型中的每一个神经元也应该参与表达多个概念。例如，假设要设计一个系统来识别不同颜色不同型号的汽车，那么可以有两种方法。第一种方法是设计一个模型使得模型中每一个神经元对应一种颜色和汽车型号的组合，比如"白色的小轿车"。如果有 n 种颜色，m 种型号，那么这样的表达方式需要 $n \times m$ 个神经元。另一种方法是使用一些神经元专门表达颜色，比如"白色"，另外一些神经元专门表达汽车型号，比如"小轿车"。这样"白色的小轿车"的概念可以通过这两个神经元的组合来表达。这种方式只需要 $n + m$ 个神经元就可以表达所有概念。而且即使在训练数据中没有出现概念"红色的卡车"，只要模型能够习得"红色"和"卡车"的概念，就可以推广到概念"红色的卡车"。分布式知识表达大大加强了模型的表达能力，让神经网络从宽度的方向走向了深度的方向。这为之后的深度学习奠定了基础。在本书第 4 章中将通过具体的样例来说明深层的神经网络是可以很好地解决类似异或问题等线性不可分问题的。

除了解决了线性不可分问题，在 20 世纪 80 年代末，研究人员在降低训练神经网络的计算复杂度上也取得了突破性成就。David Everett Rumelhart 教授、Geoffrey Everest Hinton 教授和 Ronald J. Williams 教授于 1986 年在《自然》杂志上发表的 *Learning Representations by Back-propagating errors* 文章中首次提出了反向传播的算法（back propagation），此算法大幅降低了训练神经网络所需要的时间。直到今天，反向传播算法仍然是训练神经网络的主要方法。在神经网络训练算法改进的同时，计算机的飞速发展也使得 20 世纪 80 年代末的计算能力相比 70 年代有了突飞猛进的增长。于是神经网络在 20 世纪 80 年代末到 90 年代初又迎来了发展的高峰期。如今使用得比较多的一些神经网络结构，比如卷积神经网络和循环神经网络，在这段时间都得到了很好的发展。Sepp Hochreiter 教授和 Jürgen Schmidhuber 教授于 1991 年提出的 LSTM 模型（long short-term memory）可以有效地对较长的序列进行建模，比如一句话或者一段文章。直到今天，LSTM 都是解决很多自然语言处理、机器翻译、语音识别、时序预测等问题最有效的方法。在第 8 章中将更加详细地介绍循环神经网络和 LSTM 模型。

然而，在神经网络发展的同时，传统的机器学习算法也有了突破性的进展，并在 90 年代末逐步超越了神经网络，成为当时机器学习领域最常用的方法。以手写体识别为例，在 1998 年，使用支持向量机（support vector machine）的算法可以把错误率降低到 0.8%。这样的精确度是当时的神经网络无法达到的。导致这种情况主要有两个原因。首先，虽然训练神经网络的算法得到了改进，但在当时的计算资源下，要训练深层的神经网络仍然是非常困难的。其次，当时的数据量比较小，无法满足训练深层神经网络的需求。

随着计算机性能的进一步提高，以及云计算、GPU 的出现，到 2010 年左右，计算量已经不再是阻碍神经网络发展的问题。与此同时，随着互联网+的发展，获取海量数据也不再困难。这让神经网络面临的几个最大的问题都得到了解决，于是神经网络的发展也迎来了新的高潮。在 2012 年 ImageNet 举办的图像分类竞赛（ImageNet Large Scale Visual Recognition Challenge，ILSVRC）中，由 Alex Krizhevsky 教授实现的深度学习系统 AlexNet 赢得了冠军。自此之后，深度学习（deep learning）作为深层神经网络的代名词被大家所熟知。深度学习的发展也开启了一个 AI 的新时代。图 1-6 展示了"deep learning"这个词十年内谷歌搜索的热度趋势。从图中可以看出，从 2012 年之后，深度学习的热度呈指数级上升，到 2016 年时，深度学习已经成为了谷歌上最热门的搜索词。在 2013 年，深度学习被麻省理工学院（MIT）评为了年度十大科技突破之一。[①]如今，深度学习已经从最初的图像识别领域扩展到了机器学习的各个领域。下面的 1.3 节将具体介绍目前深度学习在一些主要人工智能领域的应用。

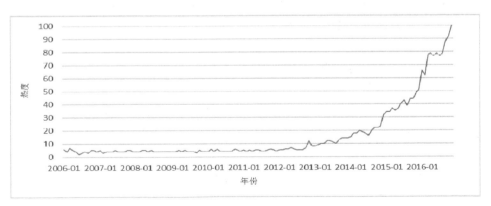

图 1-6　"deep learning"十年内在谷歌搜索的热度趋势

（此图片基于谷歌趋势：https://www.google.com/trends/，词汇的热度按 0～100 分为 100 个等级：
0 表示最低的热度，100 表示最流行的搜索词）

---

① 具体报道参见：https://www.technologyreview.com/lists/technologies/2013/。

1.3　深度学习的应用

深度学习最早兴起于图像识别，但是在短短几年的时间内，深度学习推广到了机器学习的各个领域。如今，深度学习在很多机器学习领域都有非常出色的表现，在图像识别、语音识别、音频处理、自然语言处理、机器人、生物信息处理、化学、电脑游戏、搜索引擎、网络广告投放、医学自动诊断和金融等各大领域均有应用。本节将选取几个深度学习应用比较广泛的领域进行详细的介绍。但深度学习的应用不仅限于本节所介绍的领域，在每个领域中的应用也不限于列举出的几个方面。

1.3.1　计算机视觉

计算机视觉是深度学习技术最早实现突破性成就的领域。在 1.2 节中介绍过，随着 2012 年深度学习算法 AlexNet 赢得图像分类比赛 ILSVRC 冠军，深度学习开始受到学术界广泛的关注。ILSVRC 是基于 ImageNet 图像数据集举办的图像识别技术比赛，这个比赛在计算机视觉领域有极高的影响力。

图 1-7 展示了历年 ILSVRC 比赛的情况。从图 1-7 中可以看到，在深度学习被使用之前，传统计算机视觉的方法在 ImageNet 数据集上最低的 Top5 错误率为 26%。[①]从 2010 年到 2011 年，基于传统机器学习的算法并没有带来正确率的大幅提升。在 2012 年时，Geoffrey Everest Hinton 教授的研究小组利用深度学习技术将 ImageNet 图像分类的错误率大幅降低到 16%。而且，AlexNet 深度学习模型只是一个开始，在 2013 年的比赛中，排名前 20 的算法都使用了深度学习。从 2013 年之后，ILSVRC 上基本就只有深度学习算法参赛了。

从 2012 年到 2015 年间，通过对深度学习算法的不断研究，ImageNet 图像分类的错误率以每年 4%的速度递减。这说明深度学习完全打破了传统机器学习算法在图像分类上的瓶颈，让图像分类问题得到了更好的解决。如图 1-7 所示，到 2015 年时，深度学习算法的错误率为 4%，已经成功超越了人工标注的错误率（5%），实现了计算机视觉研究领域的一个突破。

在 ImageNet 数据集上，深度学习不仅突破了图像分类的技术瓶颈，同时也突破了物体识别的技术瓶颈。物体识别的难度比图像分类更高。图像分类问题只需判断图片中包含哪一种物体。但在物体识别问题中，需要给出所包含物体的具体位置。而且一张图片中可能出现多个需要识别的物体。图 1-8 展示了 ILSVRC2013 物体识别数据集中的样例图片。每

[①] 在 ImageNet 图像分类问题上，大部分研究都使用 Top5 错误率来评价模型优劣。第 6 章中将更加详细地介绍 ImageNet 数据集。

一张图片中所有可以被识别的物体都用不同颜色的方框标注了出来。在 2013 年时，使用传统机器学习算法可以达到的 MAP（mean average precision）[1]值为 0.23。2016 年时，使用了 6 种不同深度学习模型的集成算法（ensemble algorithm）成功将 MAP 提高到了 0.66。[2]

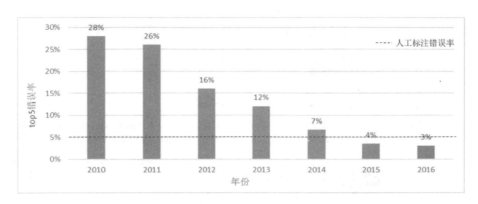

图 1-7　历年 ILSVRC 图像分类比赛最佳算法的错误率

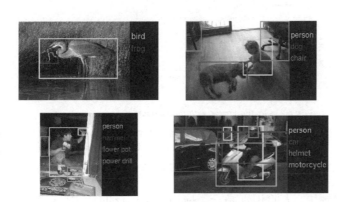

图 1-8　ILSVRC2013 物体识别数据集中的样例图片[3]

在技术革新的同时，工业界也将图像分类、物体识别应用于各种产品中了。在谷歌，图像分类、物体识别技术已经被广泛应用于谷歌无人驾驶车、YouTube、谷歌地图、谷歌图像搜索等产品中。图 1-9 中展示了使用谷歌图像搜索来辨别动物。谷歌通过图像处理技术可以归纳出图片中的主要内容并实现以图搜图的功能。这些技术在国内的百度、阿里巴巴、腾讯等科技公司也已经得到了广泛的应用。

---

① http://image-net.org/challenges/LSVRC/2013/index#task 中有更多关于 ILSVRC2013 物体识别数据集的介绍。

② 数字出自 ILSVRC 官网：http://image-net.org/challenges/LSVRC/2016/results。

③ 图片来自于 ILSVRC 官网：http://image-net.org/challenges/LSVRC/2013/。

（a）在谷歌图片搜索中上传一张哈士奇（一种狗）的图片，得到的识别结果为"husky with blue eyes（蓝色眼睛的哈士奇）"。虽然从图片中无法确认眼睛是否为蓝色，但是谷歌可以非常精确地识别出狗的品种。

（b）在谷歌图片搜索中上传一张狼的图片，得到的识别结果为"wolf public domain（狼公有领域）"。虽然这张图片和(a)中哈士奇的图片非常接近，但是谷歌可以非常精确地识别动物的种类。

图 1-9　通过谷歌图像搜索识别动物

在物体识别问题中，人脸识别是一类应用非常广泛的技术。它既可以应用于娱乐行业，也可以应用于安防、风控行业。在娱乐行业中，基于人脸识别的相机自动对焦、自动美颜基本已经成为每一款自拍软件的必备功能。在安防、风控领域，人脸识别应用更是大大提高了工作效率并节省了人力成本。比如在互联网金融行业，为了控制贷款风险，在用户注册或者贷款发放时需要验证本人信息。个人信息验证中一个很重要的步骤是验证用户提供的证件和用户是否为同一个人。通过人脸识别技术，这个过程可以被更加高效地实现。

在深度学习得到广泛应用之前，基于传统的机器学习技术并不能很好地满足人脸识别的精度要求。人脸识别的最大挑战在于不同人脸的差异较小，有时同一个人在不同光照条件、姿态或者表情下脸部的差异甚至会比不同人脸之间的差异更大。传统的机器学习算法很难抽象出足够有效的特征，使得学习模型既可以区分不同的个体，又可以区分相同个体在不同环境中的变化。深度学习技术通过从海量数据中自动习得更加有效的人脸特征表达，可以很好地解决这个问题。在人脸识别数据集 LFW[①]（Labeled Faces in the Wild）上，基于深度学习算法的系统 DeepID2 可以达到 99.47%的识别率。

在计算机视觉领域，光学字符识别（optical character recognition，OCR）也是使用深度学习较早的领域之一。所谓光学字符识别，就是使用计算机程序将计算机无法理解的图片中的字符，比如数字、字母、汉字等符号，转化为计算机可以理解的文本格式。早在 1989 年，Yann LeCun 教授发表的论文 *Backpropagation Applied to Handwritten Zip Code Recognition* 将卷积神经网络成功应用到了识别手写邮政编码的问题上，达到了接近 95%的正确率。在 MNIST 手写体数字识别数据集上，最新的深度学习算法可以达到 99.77%的正确率，这也超过了人类的表现。第 5 章将更加详细地介绍 MNIST 手写体数字识别数据集。

光学字符识别在工业界的应用也十分广泛。在 21 世纪初期，Yann LeCun 将基于卷积神经网络的手写体数字识别系统应用于银行支票的数额识别，这个系统在 2000 年左右已经处理了美国全部支票数量的 10%~20%。[②]谷歌也将数字识别技术用在了谷歌地图的开发中。谷歌实现的数字识别系统可以从谷歌街景图中识别任意长度的数字，并在 SVHN 数据集[③]上可以达到 96%的正确率。[④]到 2013 年为止，这个系统已经帮助谷歌抽取了超过 1 亿个门牌号码，大大加速了谷歌地图的制作过程并节省了巨额的人力成本。而且，光学字符识别技术在谷歌的应用也不仅限于数字识别。谷歌图书通过文字识别技术将扫描的图书数字化，从而实现图书内容的搜索功能。

1.3.2　语音识别

深度学习在语音识别领域取得的成绩也是突破性的。2009 年深度学习的概念被引入语音识别领域，并对该领域产生了巨大的影响。在短短几年时间内，深度学习的方法在 TIMIT 数据集[⑤]上将基于传统的混合高斯模型（gaussian mixture model，GMM）的错误率从 21.7%降低到了使用深度学习模型的 17.9%。如此大的提高幅度很快引起了学术界和工业界的广泛关注。从 2010 年到 2014 年间，在语音识别领域的两大学术会议 IEEE-ICASSP 和

---

① 更多关于人脸识别数据集 LFW 的信息可以参考其官方网站：http://vis-www.cs.umass.edu/lfw/。

② 数字出自 Yann LeCun 教授在 CERN 研讨会上的报告 *Deep Learning and the Future of AI*。报告资料可以参考：https://indico.cern.ch/event/510372/。

③ SVHN 数据集是斯坦福大学开源的数据集，更多关于该数据的信息可以参考其官方网站：http://ufldl.stanford.edu/housenumbers/。

④ 数字参见：Goodfellow I J, Bulatov Y, Ibarz J, et al. *Multi-digit Number Recognition from Street View Imagery using Deep Convolutional Neural Networks* [J]. Computer Science, 2013.

⑤ 更多关于 TIMIT 数据集的信息可以参考其官方网站：https://catalog.ldc.upenn.edu/ldc93s1。

Interspeech 上，深度学习的文章呈现出逐年递增的趋势。在工业界，包括谷歌、苹果、微软、IBM、百度等在内的国内外大型 IT 公司提供的语音相关产品，比如谷歌的 Google Now、苹果的 Siri、微软的 Xbox 和 Skype 等，都是基于深度学习算法的。

在 2009 年谷歌启动语音识别应用时，使用的是在学术界已经研究了 30 年的混合高斯模型。到 2012 年时，深度学习的语音识别模型已经取代了混合高斯模型，并成功将谷歌语音识别的错误率降低了 20%，这个改进幅度超过了过去很多年的总和。微软的研究人员通过大量实验得出，使用深度学习的算法比使用混合高斯模型的算法更能够从海量数据中获益。随着数据量的加大，使用深度学习模型无论在正确率的增长数值上还是在增长比率上都要优于使用混合高斯模型的算法。[①]这样的增长在语音识别的历史上是从未出现过的，而深度学习之所以能完成这样的技术突破，最主要的原因是它可以自动地从海量数据中提取更加复杂且有效的特征，而不是如高斯混合模型中需要人工提取特征。

基于深度学习的语音识别已经被应用到了各个领域，其中最被大家所熟知的应该是苹果公司推出的 Siri 系统。Siri 系统可以根据用户的语音输入完成相应的操作功能，这大大方便了用户的使用。目前，Siri 已经支持包括中文在内的 20 种不同语言。与 Siri 类似，谷歌也在安卓（Android）系统上推出了谷歌语音搜索（Google Voice Search）。另外一个成功应用语音识别的系统是微软的同声传译系统。在 2012 年的微软亚洲研究院（Microsoft Research Asia，MSRA）二十一世纪计算大会（21st Century Computing）上，微软高级副总裁 Richard Rashid 现场演示了微软开发的从英语到汉语的同声传译系统。[②]该演讲受到了非常广泛的关注，在 YouTube 网站上已经有超过一百万次的播放量。同声传译系统不仅要求计算机能够对输入的语音进行识别，它还要求计算机将识别出来的结果翻译成另外一门语言，并将翻译好的结果通过语音合成的方式输出。在没有深度学习之前，要完成同声传译系统中的任意一个部分都是非常困难的。而随着深度学习的发展，语音识别、机器翻译以及语音合成都实现了巨大的技术突破。如今，微软研发的同声传译系统已经被成功地应用到了 Skype 网络电话中。

1.3.3　自然语言处理

深度学习在自然语言处理领域的应用也同样广泛。在过去的几年中，深度学习已经在语言模型（language modeling）、机器翻译、词性标注（part-of-speech tagging）、实体识别

---

① Li D. *Achievements and Challenges of Deep Learning* [J]. Apsipa Transactions on Signal & Information Processing, 2015.

② 演讲视频地址为 http://v.youku.com/v_show/id_XNDcyOTUwNjMy.html。

（named entity recognition，NER）、情感分析（sentiment analysis）、广告推荐以及搜索排序等方向上取得了突出成就。与深度学习在计算机视觉和语音识别等领域的突破类似，深度学习在自然语言处理问题上的突破也是能够更加智能、自动地提取复杂特征。在自然语言处理领域，使用深度学习实现智能特征提取的一个非常重要的技术是单词向量（word embedding）。[①]单词向量是深度学习解决很多上述自然语言处理问题的基础。[②][③]

在自然语言处理领域，一个非常棘手的问题在于自然语言中有很多词表达了相近的意思，比如"狗"和"犬"就几乎表达了同样的意思。然而"狗"和"犬"的编码在计算机中可能差别很大，所以计算机就无法很好地理解自然语言所表达的语义。为了解决这个问题，研究人员人工建立了大量的语料库。通过这些语料库，可以大致刻画自然语言中单词之间的关系。在建立好的语料库中，WordNet[④]、ConceptNet[⑤]和 FrameNet[⑥]是其中影响力比较大的几个。然而语料库的建立需要花费很多人力物力，而且扩展能力有限。单词向量提供了一种更加灵活的方式来刻画单词的语义。

单词向量会将每一个单词表示成一个相对较低维度的向量（比如 100 维或 200 维）。对于语义相近的单词，其对应的单词向量在空间中的距离也应该接近。于是单词语义上的相似度可以通过空间中的距离来描述。单词向量不需要通过人工的方式设定，它可以从互联网上海量非标注文本中学习得到。使用斯坦福大学开源的 GloVe[⑦]单词向量可以得到与单词"frog（青蛙）"所对应的单词向量最相似的 5 个单词分别是"frogs（青蛙复数）"、"toad（蟾蜍）"、"litoria（雨滨蛙属）"、"leptodactylidae（细趾蟾科）"和"rana（中国林蛙）"。从这个样例可以看出，单词向量可以非常有效地刻画单词的语义。通过单词向量还可以进行单词之间的运算。比如用单词"king"所代表的向量减去单词"man"所代表的向量得到的结果向量和单词"queen"减去"woman"得到的结果向量相似。这说明在单词向量中，已经隐含了表达性别的概念。

通过对自然语言中单词更好地抽象与表达，深度学习在自然语言处理的很多核心问题上都有突破性的进展。机器翻译就是其中的一个例子。图 1-10 展示了谷歌翻译提供的传统

① 有些文献中也将 word embedding 翻译为"词嵌入"，本书中统一采用"单词向量"。

② Mikolov T, Sutskever I, Chen K, et al. *Distributed Representations of Words and Phrases and their Compositionality* [J]. Advances in Neural Information Processing Systems, 2013, 26.

③ Collobert R, Weston J, Bottou L, et al. *Natural Language Processing (Almost) from Scratch* [J]. Journal of Machine Learning Research, 2011.

④ 更多关于 WordNet 的资料可以参考其官方网站：https://wordnet.princeton.edu/。

⑤ 更多关于 ConceptNet 的资料可以参考其官方网站：http://conceptnet5.media.mit.edu/。

⑥ 更多关于 FrameNet 的资料可以参考其官方网站：https://framenet.icsi.berkeley.edu/fndrupal/。

⑦ 具体关于 GloVe 的介绍可以参考其官方网站：http://nlp.stanford.edu/projects/glove/。

算法和深度学习算法翻译不同语言对的质量对比图。从图 1-10 可以看出，在所有的语言对上，深度学习算法都可以大幅度提高翻译的质量。根据谷歌的实验结果，在主要的语言对上，使用深度学习可以将机器翻译算法的质量提高 55%～85%。表 1-1 对比了不同算法翻译同一句话的结果。从表中可以直观地看到深度学习算法带来翻译质量的提高。在 2016 年9 月，谷歌正式上线了基于深度学习的中译英软件。截至 2017 年 12 月，谷歌翻译产品中已经有 97 种语言是由基于深度学习的翻译算法完成的。①

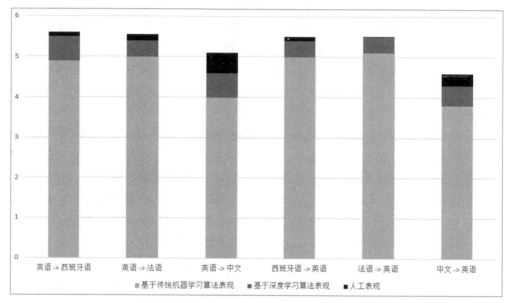

图 1-10　不同翻译算法在不同语言上的翻译质量②（其中 0 表示最低的质量，6 表示最好的质量）

表 1-1　不同翻译算法的翻译效果对比表③

中文原句	李克强此行将启动中加总理年度对话机制，与加拿大总理杜鲁多举行两国总理首次年度对话。
基于传统机器学习算法的翻译结果	Li Keqiang premier added this line to start the annual dialogue mechanism with the Canadian Prime Minister Trudeau two prime ministers held its first annual session.
基于深度学习算法的翻译结果	Li Keqiang will start the annual dialogue mechanism with Prime Minister Trudeau of Canada and hold the first annual dialogue between the two premiers.
人工翻译结果	Li Keqiang will initiate the annual dialogue mechanism between premiers of China and Canada during this visit, and hold the first annual dialogue with Premier Trudeau of Canada.

① 语言列表见谷歌翻译 API 文档：https://cloud.google.com/translate/docs/languages#languages-nmt。
② 数字出自谷歌技术博客：https://research.googleblog.com/2016/09/a-neural-network-for-machine.html。
③ 此表中数据出自谷歌技术博客：https://research.googleblog.com/2016/09/a-neural-network-for-machine.html。

情感分析是自然语言处理问题中另外一个非常经典的应用。情感分析最核心的问题就是从一段自然语言中判断作者对评价的主体是好评还是差评。情感分析在工业界有着非常广泛的应用。随着互联网的发展，用户会在各种不同的地方表达对于不同产品的看法。对于服务行业或者制造业，及时掌握用户对其服务或者产品的评价是提高用户满意度非常有效的途径。在金融行业，通过分析用户对不同产品和公司的态度可以对投资选择提供帮助。Derwent Capital Markets 于 2012 年 5 月正式上线，它是世界首家通过对社交网络 Twitter 上的推文进行情感分析来指导证券交易①的对冲基金公司。在同年 8 月的一份调查中显示，该公司的平均收益率 1.85%远远超过平均 0.76%的收益率。类似的，也有研究表明，在政治选举中，通过对 Twitter 上推文的情感分析得出的结果和通过传统的调查、投票等方法得出的结果高度一致。②在情感分析问题上，深度学习也可以大幅提高算法的准确率。在斯坦福大学开源的 Sentiment Treebank 数据集上③，使用深度学习的算法可以将语句层面的情感分析正确率从 80%提高到 85.4%。在短语层面上，使用深度学习的算法可以将正确率从 71%提高到 80.7%。④

1.3.4　人机博弈

如果说深度学习在图像识别领域上的突破掀起了学术界的研究浪潮，那么深度学习在人机博弈上的突破使得这个概念被全社会所熟悉。在北京时间 2016 年 3 月 15 日的下午，谷歌开发的围棋人工智能系统 AlphaGo 以总比分 4∶1 战胜了韩国棋手李世石，成为第一个在 19×19 棋盘上战胜人类围棋冠军的智能系统。虽然 AlphaGo 不是第一个战胜人类世界冠军的系统，但 AlphaGo 的胜利绝对是人工智能历史上的一座里程碑。在 1997 年 IBM 的智能国际象棋系统深蓝（deep blue）击败世界冠军卡斯帕罗夫时，所依赖的更多是计算机的计算资源，是通过暴力搜索（brute-force）的方式尝试更多的下棋方法从而战胜人类。然而这种方式在围棋上是完全不适用的，因为搜索围棋下子方法的复杂度为 10^{172}，而国际象棋只有 10^{46}。

---

① Bollen J, Mao H, Zeng X. *Twitter mood predicts the stock market [J]. Journal of Computational Science*, 2010.

② O'Connor B, Balasubramanyan R, Routledge B R, et al. *From Tweets to Polls: Linking Text Sentiment to Public Opinion Time Series* [C]// International Conference on Weblogs and Social Media, ICWSM 2010, Washington, Dc, Usa, May. DBLP, 2010.

③ http://nlp.stanford.edu/sentiment/中给出了更多关于 Sentiment Treebank 的信息。

④ Socher R, Perelygin A, Wu J Y, et al. Recursive deep models for semantic compositionality over a sentiment treebank[J]. 2013.

为了战胜人类围棋世界冠军，AlphaGo 需要使用更加智能的方式。深度学习技术为这种方式提供了可能。AlphaGo 主要由三个部分组成，它们分别是蒙特卡罗树搜索（Monte Carlo tree search，MCTS）、估值网络（value network）和走棋网络（policy network）。蒙特卡罗树搜索算法实现了对不同落子点的搜索，不过和之前的纯暴力搜索不同，AlphaGo 中使用的蒙特卡罗树会根据估值网络和走棋网络对落子后局势的评判结果来更加智能地寻找最佳落子点。

AlphaGo 背后真正的大脑是估值网络和走棋网络，而这两个组件都是通过深度学习实现的。走棋网络解决的问题是给定当前棋盘，预测下一步应该在哪落子。通过从大量人类围棋高手对弈的棋谱获取的训练数据，走棋网络能够以 57% 的准确率预测人类围棋高手下一步的落子点。然而，仅仅预测人类高手的落子方法是不够的，为了能够战胜人类冠军，走棋网络还通过自己跟自己对弈的方式来进一步提高落子水平。AlphaGo 的另外一个大脑是估值网络，它解决的问题是给定当前的棋盘，判断黑棋赢的概率。训练估值网络所使用的数据就是落子网络自己和自己对弈时产生的。通过蒙特卡罗树搜索的方法将走棋网络和估值网络这两个大脑有机地结合，AlphaGo 才最终以悬殊的比分战胜了人类的围棋世界冠军。

仅在一年之后，AlphaGo 的改进版 Alpha Zero 再次在围棋领域实现突破。相比于之前的 AlphaGo，其最大的改变在于：第一，AlphaGo Zero 极大程度上减少了对训练数据的需求；第二，AlphaGo Zero 将原来的两个神经网络归一成了一个。

对于第一点，从学术上看，完全不使用标注数据的算法能够战胜监督式的算法绝对是学术界的一个重大突破，不过，要将这个成果应用于实际问题还有很长的路要走。虽然 AlphaGo Zero 在训练的过程中没有使用标注数据，但是 AlphaGo Zero 系统设计中用到了人类对于围棋问题的定义，而在大部分的真实问题中，系统很难将一个问题的边界和规则完全定义清楚。比如在无人驾驶问题中，我们可以定义"撞到人"是绝对不能发生的，但"撞到稻草人"可能可以接受。正如 Andrew Ng（吴恩达）所说的，目前人工智能落地主要还是依靠监督式的学习。

AlphaGo 战胜人类世界冠军不是人机博弈的终点，相反，这只是一个开始。AlphaGo 的开发团队 DeepMind 最近又宣布了他们的下一个目标——《星际争霸 2》。[①]《星际争霸 2》是暴雪公司（Blizzard）开发的一款即时战略游戏。在游戏中，玩家需要采集资源、建造建筑、生产战斗单位来消灭对方玩家。相比围棋，《星际争霸 2》对于人工智能系统设计的难度又有指数级的提高。首先，围棋的落子方式虽然多，但也是有限的。而人工智能操作《星际争霸 2》时，在任意一个时刻，人工智能系统需要同时（几乎同时）操作多个不同单位，

---

① 具体报道参见：https://deepmind.com/blog/deepmind-and-blizzard-release-starcraft-ii-ai-research-environment/。

而且操作的方式是完全开放的，几乎没有限制，所以确定这些操作很难通过搜索完成。其次，《星际争霸 2》是一个信息不对称的系统。下围棋时对弈双方看到的棋盘都是一样的，而《星际争霸 2》中每个玩家只能看到自己的地盘，这要求人工智能系统对"局势"做出判断。第三，《星际争霸 2》是即时对战游戏，需要计算机在很短的时间内做出判断，这对人工智能系统的计算速度有很高的要求。如今暴雪公司已经正式开始了与 DeepMind 团队的合作，并将在不久之后开放专门为人工智能研究设计的《星际争霸 2》的 API。在《星际争霸 2》上，人工智能何时能战胜人类，我们将拭目以待。

1.4　深度学习工具介绍和对比

在上面的章节中已经介绍了深度学习的概念以及历史，并给出了不少成功应用深度学习的样例。然而，要将深度学习更快且更便捷地应用于新的问题中，选择一款深度学习工具是必不可少的步骤。这一节将介绍深度学习工具 TensorFlow 的主要功能和特点，并将对比 TensorFlow 和其他主流的开源深度学习工具，给出本书选择 TensorFlow 作为主要介绍对象的依据。TensorFlow 是谷歌于 2015 年 11 月 9 日正式开源的计算框架。TensorFlow 计算框架可以很好地支持深度学习的各种算法，但它的应用也不限于深度学习。因为本书的重点是介绍使用 TensorFlow 实现深度学习算法，所以本书中将略去 TensorFlow 对于其他算法的支持，感兴趣的读者可以在 TensorFlow 的官方教程 https://www.tensorflow.org/tutorials 上找到更多通过 TensorFlow 实现非深度学习算法的样例。

TensorFlow 是由 Jeff Dean 领头的谷歌大脑团队基于谷歌内部第一代深度学习系统 DistBelief 改进而来的通用计算框架。DistBelief 是谷歌 2011 年开发的内部深度学习工具，这个工具在谷歌内部已经获得了巨大的成功。基于 DistBelief 的 ImageNet 图像分类系统 Inception 模型赢得了 ImageNet2014 年的比赛（ILSVRC）。[①]通过 DistBelief，谷歌在海量的非标注 YouTube 视频中习得了"猫"的概念，并在谷歌图片中开创了图片搜索的功能。使用 DistBelief 训练的语音识别模型成功将语音识别的错误率降低了 25%。在一次 BBC 采访中，当时的谷歌首席执行官 Eric Schmidt 表示这个提高比率相当于之前十年的总和。[②]

虽然 DistBelief 已经被谷歌内部很多产品所使用，但是 DistBelief 过于依赖谷歌内部的系统架构，很难对外开源。为了将这样一个在谷歌内部已经获得了巨大成功的系统开源，

---

① 在第 6 章中将具体介绍 ILSVRC 比赛以及 Inception 模型。

② 此数字来源于：http://www.csmonitor.com/Technology/2015/0914/Google-chairman-We-re-making-real-progress-on-artificial-intelligence。

谷歌大脑团队对 DistBelief 进行了改进，并于 2015 年 11 月正式公布了基于 Apache 2.0 开源协议的计算框架 TensorFlow。相比 DistBelief，TensorFlow 的计算模型更加通用、计算速度更快、支持的计算平台更多、支持的深度学习算法更广而且系统的稳定性也更高。在本书后面的章节中，我们将重点介绍 TensorFlow 的使用，关于 TensorFlow 平台本身的技术细节可以参考谷歌的论文 *TensorFlow: Large-Scale Machine Learning on Heterogeneous Distributed Systems*。[①]

如今在谷歌内部，TensorFlow 已经得到了广泛的应用。在 2015 年 10 月 26 日，谷歌正式宣布通过 TensorFlow 实现的排序系统 RankBrain 上线。相比一些传统的排序算法，使用 RankBrain 的排序结果更能满足用户需求。在 2015 年彭博（Bloomberg）的报道中[②]，谷歌透露了在谷歌上千种排序算法中，RankBrain 是第三重要的排序算法。基于 TensorFlow 的系统 RankBrain 能在谷歌的核心网页搜索业务中占据如此重要的地位，可见 TensorFlow 在谷歌内部的重要性。包括网页搜索在内，TensorFlow 已经被成功应用到了谷歌的各款产品之中。如今，在谷歌的语音搜索、广告、图片、街景图、翻译、YouTube 等众多产品之中都可以看到基于 TensorFlow 的系统。[③]在经过半年的尝试和思考之后，谷歌的 DeepMind 团队也正式宣布其之后所有的研究都将使用 TensorFlow[④]作为实现深度学习算法的工具。

除了在谷歌内部大规模使用，TensorFlow 也受到了工业界和学术界的广泛关注。在 Google I/O 2016 大会上，Jeff Dean 提到已经有 1500 多个 GitHub 的代码库中提到了 TensorFlow，而只有 5 个是谷歌官方提供的。如今，包括优步（Uber）、Snapchat、Twitter、京东、小米等国内外科技公司也纷纷加入使用 TensorFlow 的行列。正如谷歌在 TensorFlow 开源原因中所提到的一样，TensorFlow 正在建立一个标准，使得学术界可以更方便地交流学术研究成果，工业界可以更快地将机器学习应用于生产之中。

除了 TensorFlow，目前还有一些主流的深度学习开源工具。表 1-2 中总结了这些工具的主要情况。每款工具都有各自的特点，由于篇幅所限，在本书中不再一一介绍每一个工具目前的优缺点，感兴趣的读者可以参考脚注中每种工具的官方网站给出的信息。

---

① Abadi M, Agarwal A, Barham P, et al. *TensorFlow: Large-Scale Machine Learning on Heterogeneous Distributed Systems* [J]. 2016.

② 具体报道参见：https://www.bloomberg.com/news/articles/2015-10-26/google-turning-its-lucrative-web-search-over-to-ai-machines。

③ TensorFlow 官方网站：https://www.tensorflow.org/versions/r0.9/resources/uses.html 上列出了一些使用 TensorFlow 的样例项目。

④ 具体报道参见谷歌官方技术博客：https://research.googleblog.com/2016/04/deepmind-moves-to-tensorflow.html。

表 1-2　主流的深度学习开源工具①

工具名称	主要维护人员（或团体）	支持语言	支持系统
Caffe②	加州大学伯克利分校视觉与学习中心	C++、Python、MATLAB	Linux、Mac OS X、Windows
Deeplearning4j③	Skymind	Java、Scala、Clojure	Linux、Windows、Mac OS X、Android
Microsoft Cognitive Toolkit（CNTK）④	微软研究院	Python、C++、BrainScript	Linux、Windows
MXNet⑤	分布式机器学习社区（DMLC）	C++、Python、Julia、MATLAB、Go、R、Scala	Linux、Mac OS X、Windows、Android、iOS
PaddlePaddle⑥	百度	C++、Python	Linux、Mac OS X
TensorFlow	谷歌	C++、Python	Linux、Mac OS X、Android、iOS
Theano⑦	蒙特利尔大学	Python	Linux、Mac OS X、Windows
Torch⑧	Ronan Collobert、Soumith Chintala（Fackbook）Clement Farabet（Twitter）Koray Kavukcuoglu（Google）	Lua、LuaJIT、C	Linux、Mac OS X、Windows、Android、iOS
PyTorch⑨	Adam Paszke、Sam Gross、Soumith Chintala、Gregory Chanan 等	Python	Linux、Mac OS X

　　笔者认为，不同的深度学习工具都在发展之中，比较当前的性能、功能固然是选择工具的一种方法，但更加重要的是比较不同工具的发展趋势。深度学习本身就是一个处于蓬勃发展阶段的领域，所以对深度学习工具的选择，应该更加看重工具在开源社区的活跃程度。只有社区活跃度更高的工具，才有可能跟上深度学习本身的发展速度，从而在未来不会面临被淘汰的风险。

　　图 1-11 对比了不同深度学习工具在 GitHub 上活跃程度的一些指标。图 1-11（a）中比较了不同工具在 GitHub 上受关注的程度。从图中可以看出，无论是在获得的星数（star）

① 表中工具根据字母序排列。

② Caffe 官方网站：http://caffe.berkeleyvision.org/。

③ Deeplearning4j 官方网站：https://deeplearning4j.org/。

④ Microsoft Cognitive Toolkit 官方网站：https://www.microsoft.com/en-us/research/product/cognitive-toolkit/。

⑤ MXNet 官方网站：http://mxnet.io/。

⑥ PaddlePaddle 官方网站：http://www.paddlepaddle.org/。

⑦ Theano 官方网站：http://deeplearning.net/software/theano/，自 2017 年 11 月 15 日起不再维护。

⑧ Torch 官方网站：http://torch.ch/。

⑨ PyTorch 官方网站：http://pytorch.org/。

还是在仓库被复制的次数上，TensorFlow 都要远远超过其他的深度学习工具。如果说图 1-11（a）只能代表不同深度学习工具在社区受关注程度，那么图 1-11（b）对比了不同深度学习工具社区参与度。图 1-11（b）中展示了不同深度学习工具在 GitHub 上最近一个月的活跃讨论贴和代码提交请求数量。活跃讨论帖越多，可以说明真正使用这个工具的人也就越多；提交代码请求数量越多，可以说明参与到开发这个工具的人也就越多。从图 1-11（b）中可以看出，无论从哪个指标来衡量，TensorFlow 都要远远超过大部分其他深度学习工具。大量的活跃开发者再加上谷歌的全力支持，相信 TensorFlow 在未来将有更大的潜力，这也是本书将 TensorFlow 作为介绍对象的重要依据。

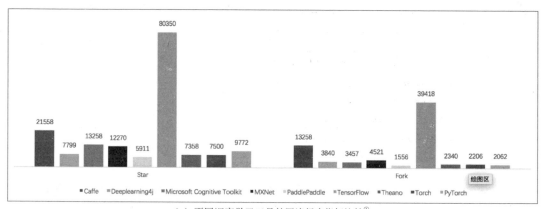

（a）不同深度学习工具社区流行度指标比较[1]

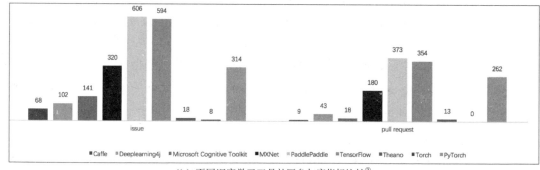

（b）不同深度学习工具社区参与度指标比较[2]

图 1-11　不同深度学习工具在 GitHub 上活跃程度对比图

---

[1] 图中数据来自于 GitHub，获取时间为 2017 年 12 月 4 日。

[2] 图中数据获取的时间为 2017 年 12 月 4 日。

小结

本章对深度学习做了全方位的介绍。首先 1.1 节介绍了人工智能、机器学习以及深度学习的概念，并解释了这些概念之间的差异。人工智能是一类非常广泛的问题，它旨在通过计算机实现类似人类的智能。机器学习是解决人工智能问题的一个重要方法。深度学习则是机器学习的一个分支，它在很多领域突破了传统机器学习的瓶颈，将人工智能推向了一个新的高潮。然而，这样一个突破性的技术并不是最近几年凭空创造的，它所基于的人工神经网络（artificial neural network，ANN）技术已经发展了大半个世纪。不过神经网络的发展并不是一帆风顺的，1.2 节完整地介绍了它发展的三个起落。

受到人类大脑结构的启发，人工神经网络的计算模型于 1943 年首次提出。之后感知机的发明使得人工神经网络成为真正可以从数据中"学习"的模型。但由于感知机的网络结构过于简单，导致无法解决线性不可分问题。再加上人工神经网络所需要的计算量太大，当时的计算机无法满足计算需求，使得人工神经网络的研究进入了第一个寒冬。到 20 世纪 80 年代，深层神经网络和反向传播算法的提出很好地解决了这些问题，让人工神经网络进入第二个快速发展期。不过，在这一时期中，以支持向量机为主的传统机器学习算法也在飞速发展。在 20 世纪 90 年代中期，在很多机器学习任务上，传统机器学习算法超越了人工神经网络的精确度，使得人工神经网络领域再次进入寒冬。直到 2012 年前后，随着云计算和海量数据的普及，人工神经网络以"深度学习"的名字再次进入大家的视野。在短短几年时间内，深度学习在很多研究领域突破了传统机器学习的瓶颈，推动了人工智能的发展。

人类大脑的结构分为了很多神经中枢，不同的神经中枢处理不同类型的输入。在很长一段时间，神经学家认为人类大脑不同的神经中枢有不同的处理逻辑。类似地，机器学习领域也一直分为计算机视觉、语音、自然语言处理等多个领域，而且不同领域使用的算法也有很大区别。然而，神经学家后来发现人类大脑不同神经中枢的学习算法是一致的。这使得人们看到了深度学习应用在多个领域理论上的可能性。在实践中，深度学习也确实突破了很多领域的技术瓶颈。1.3 节介绍了深度学习在计算机视觉、语音、自然语言处理、人机博弈等多个领域上的突破性进展。在 ImageNet 图像分类的问题上，深度学习成功将错误率从 26% 降低到了 3.5%。在语音识别问题上，谷歌通过深度学习将错误率降低了 25%，这一改进幅度是过去十年的总和。在自然语言处理上，基于深度学习的机器翻译、搜索排序、情感分析、自然语言建模等应用都已经在国内外各大科技公司内广泛使用。由谷歌 DeepMind 团队开发的围棋人机博弈系统 AlphaGo 更是激起了全社会对深度学习研究的热情。如今，深度学习已经渗透到了工业界和学术界的每一个领域。

要利用好深度学习所带来的福利，选择一款好的深度学习工具必不可少。1.4 节介绍了谷歌开源的深度学习工具 TensorFlow 的特性和在谷歌内部的应用，并将其和目前其他主流的开源深度学习工具做了比较。在谷歌内部，TensorFlow 已经被成功应用到语音搜索、广告、图片、街景图、翻译、YouTube 等众多产品之中。基于 TensorFlow 开发的 RankBrain 排序算法在谷歌上千排序算法中排在第三重要的位置，由此可见 TensorFlow 在谷歌的重要地位。而且，对于 TensorFlow 的支持不仅仅来自谷歌。1.4 节对比了不同开源深度学习工具的社区活跃度。在各种指标上，TensorFlow 的活跃程度都要远远超过大部分其他工具。所以，本书选择 TensorFlow 作为介绍的工具。在后面的章节中将具体介绍如何通过 TensorFlow 实现各种不同的深度学习算法，以及使用 TensorFlow 时的一些最佳实践。

第 2 章 TensorFlow 环境搭建

本章将介绍如何安装 TensorFlow 环境以及在安装好的环境中运行简单的 TensorFlow 样例程序。在介绍如何安装 TensorFlow 之前，2.1 节将首先介绍 TensorFlow 依赖的一些主要工具包。然后 2.2 节将介绍 TensorFlow 的不同安装方式以及这些安装方式所适用的不同场景。最后 2.3 节将给出一个用 TensorFlow 完成向量加法的样例。通过这个样例程序，读者可以测试安装好的 TensorFlow 环境，同时也可以对 TensorFlow 有一个直观的认识。

2.1 TensorFlow 的主要依赖包

本节将介绍 TensorFlow 依赖的两个最主要的工具包——Protocol Buffer 和 Bazel。虽然 TensorFlow 依赖的工具包不仅限于此节中列出来的两个，但 Protocol Buffer 和 Bazel 是笔者认为相对比较重要的，在使用 TensorFlow 的过程中很有可能会接触到。因为本书的重点是介绍 TensorFlow，所以在本节对列出来的工具包只进行大致的介绍，主要目的是为了不妨碍读者对 TensorFlow 的使用和理解。这些工具的详细介绍可以参考脚注。在以下的每个小节将介绍一个工具包的主要功能并给出简单的样例。

2.1.1 Protocol Buffer

Protocol Buffer[①]是谷歌开发的处理结构化数据的工具。何为处理结构化数据？这里我们给出一个例子。假设要记录一些用户信息，每个用户的信息包括用户的名字、ID 和 E-mail 地址。那么一个用户的信息可以表示为以下的形式。

---

① https://developers.google.com/protocol-buffers/docs/overview 中给出了更多关于 Protocol Buffer 的介绍。

```
name: 张三
id: 12345
email: zhangsan@abc.com
```

上面的用户信息就是一个结构化的数据。注意本节中介绍的结构化数据和大数据中的结构化数据的概念不同，本节中介绍的结构化数据指的是拥有多种属性的数据。比如上述的用户信息中包含名字、ID 和 E-mail 地址三种不同属性，那么它就是一个结构化数据。要将这些结构化的用户信息持久化或者进行网络传输时，就需要先将它们序列化。所谓序列化，是将结构化的数据变成数据流的格式，简单地说就是变为一个字符串。将结构化的数据序列化，并从序列化之后的数据流中还原出原来的结构化数据，统称为处理结构化数据，这就是 Protocol Buffer 解决的主要问题。

除 Protocol Buffer 之外，XML 和 JSON 是两种比较常用的结构化数据处理工具。比如将上面的用户信息使用 XML 格式表达，那么数据的格式为：

```
<user>
    <name>张三</name>
    <id>12345</id>
    <email>zhangsan@abc.com</email>
</user >
```

同样的数据，使用 JSON 的格式为：

```
{
    "name": "张三",
    "id": "12345",
    "email": "zhangsan@abc.com",
}
```

Protocol Buffer 格式的数据和 XML 或者 JSON 格式的数据有比较大的区别。首先，Protocol Buffer 序列化之后得到的数据不是可读的字符串，而是二进制流。其次，XML 或 JSON 格式的数据信息都包含在了序列化之后的数据中，不需要任何其他信息就能还原序列化之后的数据。但使用 Protocol Buffer 时需要先定义数据的格式（schema）。[①]还原一个序列化之后的数据将需要使用到这个定义好的数据格式。以下代码给出了上述用户信息样例的数据格式定义文件。因为这样的差别，Protocol Buffer 序列化出来的数据要比 XML 格式的数据小 3 到 10 倍，解析时间要快 20 到 100 倍。

```
message user{
  optional string name = 1;
  required int32 id = 2;
```

---

① https://developers.google.com/protocol-buffers/docs/encoding 中给出了 Protocol Buffer 的具体编码方式。

```
repeated string email = 3;
}
```

Protocol Buffer 定义数据格式的文件一般保存在 .proto 文件中。每一个 message 代表了一类结构化的数据，比如这里的用户信息。message 里面定义了每一个属性的类型和名字。Protocol Buffer 里属性的类型可以是像布尔型、整数型、实数型、字符型这样的基本类型，也可以是另外一个 message。这样大大增加了 Protocol Buffer 的灵活性。在 message 中，Protocol Buffer 也定义了一个属性是必需的（required）还是可选的（optional），或者是可重复的（repeated）。如果一个属性是必需的（required），那么这个 message 的所有实例都需要有这个属性[①]；如果一个属性是可选的（optional），那么这个属性的取值可以为空；如果一个属性是可重复的（repeated），那么这个属性的取值可以是一个列表。还是以用户信息为例，所有用户都需要有 ID，所以 ID 这个属性是必需的；不是所有用户都填写了姓名，所以姓名这个属性是可选的；一个用户可能有多个 E-mail 地址，所以 E-mail 地址是可重复的。

Protocol Buffer 是 TensorFlow 系统中使用到的重要工具，TensorFlow 中的数据基本都是通过 Protocol Buffer 来组织的。在后面的章节中将看到 Protocol Buffer 是如何被使用的。分布式 TensorFlow 的通信协议 gRPC 也是以 Protocol Buffer 作为基础的。

2.1.2　Bazel

Bazel[②]是从谷歌开源的自动化构建工具，谷歌内部绝大部分的应用都是通过它来编译的。相比传统的 Makefile、Ant 或者 Maven，Bazel 在速度、可伸缩性、灵活性以及对不同程序语言和平台的支持上都要更加出色。TensorFlow 本身以及谷歌给出的很多官方样例都是通过 Bazel 来编译的。本节将简单介绍 Bazel 是怎样工作的。

项目空间（workspace）是 Bazel 的一个基本概念。[③]一个项目空间可以简单地理解为一个文件夹，在这个文件夹中包含了编译一个软件所需要的源代码以及输出编译结果的软连接（symbolic link）地址。一个项目空间内可以只包含一个应用（比如 TensorFlow），这种情况在 2.2.3 节中将会用于从源码安装 TensorFlow。一个项目空间也可以包含多个应用。一个项目空间所对应的文件夹是这个项目的根目录，在这个根目录中需要有一个 WORKSPACE 文件，此文件定义了对外部资源的依赖关系。空文件同样也是一个合法的

---

① 在最新的 Protocol Buffer3 中已经不再支持 required 类型。
② http://www.bazel.io 中给出了关于 Bazel 的更多介绍。
③ http://www.bazel.io/docs/be/workspace.html 中给出了项目空间的完整文档和开发手册。

WORKSPACE 文件。

在一个项目空间内，Bazel 通过 BUILD 文件来找到需要编译的目标。[1]BUILD 文件采用一种类似于 Python 的语法来指定每一个编译目标的输入、输出以及编译方式。与 Makefile 这种比较开放式的编译工具不同，Bazel 的编译方式是事先定义好的。因为 TensorFlow 主要使用 Python 语言，所以这里都以编译 Python 程序为例。Bazel 对 Python 支持的编译方式只有三种：py_binary、py_library 和 py_test。[2]其中 py_binary 将 Python 程序编译为可执行文件，py_test 编译 Python 测试程序，py_library 将 Python 程序编译成库函数供其他 py_binary 或 py_test 调用。下面给出了一个简单的样例来说明 Bazel 是如何工作的。如下所示，在样例项目空间中有 4 个文件：WORKSPACE、BUILD、hello_main.py 和 hello_lib.py。

```
-rw-rw-r--   root root 208      BUILD
-rw-rw-r--   root root 48       hello_lib.py
-rw-rw-r--   root root 47       hello_main.py
-rw-rw-r--   root root 0        WORKSPACE
```

WORKSPACE 给出此项目的外部依赖关系。为了简单起见，这里使用一个空文件，表明这个项目没有对外部的依赖。hello_lib.py 完成打印"Hello World"的简单功能，它的代码如下：

```
def print_hello_world():
    print("Hello World")
```

hello_main.py 通过调用 hello_lib.py 中定义的函数来完成输出，它的代码如下：

```
import hello_lib
hello_lib.print_hello_world()
```

在 BUILD 文件中定义了两个编译目标：

```
py_library(
    name = "hello_lib",
    srcs = [
        "hello_lib.py",
    ]
)

py_binary(
    name = "hello_main",
    srcs = [
        "hello_main.py",
```

---

[1] http://www.bazel.io/docs/be/overview.html 中给出了 BUILD 文件的完整文档和开发手册。

[2] http://www.bazel.io/docs/test-encyclopedia.html 中给出了更多关于测试目标的介绍。

```
    ],
    deps = [
        ":hello_lib",
    ],
)
```

从这个样例中可以看出，BUILD 文件是由一系列编译目标组成的。定义编译目标的先后顺序不会影响编译的结果。在每一个编译目标的第一行要指定编译方式，在这个样例中就是 py_library 或者 py_binary。在每一个编译目标中的主体需要给出编译的具体信息。编译的具体信息是通过定义 name、srcs、deps 等属性完成的。name 是一个编译目标的名字，这个名字将被用来指代这一条编译目标。srcs 给出了编译所需要的源代码，这一项可以是一个列表。deps 给出了编译所需要的依赖关系，比如样例中 hello_main.py 需要调用 hello_lib.py 中的函数，所以 hello_main 的编译目标中将 hello_lib 作为依赖关系。在这个项目空间中运行编译操作 bazel build :hello_main 将得到类似以下的结果：

```
lrwxrwxrwx 1 root root  74 bazel-bazel -> ~/.cache/bazel/_bazel_root/0a1e386d667563a2d9ed561a4f7d1a3e/bazel/
lrwxrwxrwx 1 root root 104 bazel-bin -> ~/.cache/bazel/_bazel_root/0a1e386d667563a2d9ed561a4f7d1a3e/bazel/bazel-out/local-fastbuild/bin/
lrwxrwxrwx 1 root root 109 bazel-genfiles -> ~/.cache/bazel/_bazel_root/0a1e386d667563a2d9ed561a4f7d1a3e/bazel/bazel-out/local-fastbuild/genfiles/
lrwxrwxrwx 1 root root  84 bazel-out -> ~/.cache/bazel/_bazel_root/0a1e386d667563a2d9ed561a4f7d1a3e/bazel/bazel-out/
lrwxrwxrwx 1 root root 109 bazel-testlogs -> ~/.cache/bazel/_bazel_root/0a1e386d667563a2d9ed561a4f7d1a3e/bazel/bazel-out/local-fastbuild/testlogs/
-rw-rw-r-- 1 root root 208 BUILD
-rw-rw-r-- 1 root root  48 hello_lib.py
-rw-rw-r-- 1 root root  47 hello_main.py
-rw-rw-r-- 1 root root   0 WORKSPACE
```

从以上结果可以看到，在原来 4 个文件的基础上，Bazel 生成了其他一些文件夹。这些新生成的文件夹就是编译的结果，它们都是通过软连接的形式放在当前的项目空间里。实际的编译结果文件都会保存到~/.cache/bazel 目录下，这是可以通过 output_user_root 或者 output_base 参数来改变的。[①]在这些编译出来的结果当中，bazel-bin 目录下存放了编译产生的二进制文件以及运行该二进制文件所需要的所有依赖关系。在当前目录下运行 bazel-bin/hello_main 就会在屏幕输出"Hello World"。其他编译结果在本书中使用较少，这里不再赘述。

2.2　TensorFlow 安装

TensorFlow 提供了多种不同的安装方式，本节将逐一介绍通过 Docker 安装、通过 pip 安装以及从源码安装。

---

① http://www.bazel.io/docs/output_directories.html 中详细介绍了编译结果的目录结构。

2.2.1 使用 Docker 安装

Docker[1]是新一代的虚拟化技术，它可以将 TensorFlow 以及 TensorFlow 的所有依赖关系统一封装到 Docker 镜像当中，从而大大简化了安装过程。通过 Docker 运行应用时需要先安装 Docker。Docker 支持大部分的操作系统，下面列出了最主要的一些。

- Linux 系统：Ubuntu、CentOS、Debian、红帽企业版（Red Hat Enterprise Linux）等。
- Mac OS X：10.10.3 Yosemite 或以上。
- Windows：Windows 7 或以上。

如何安装/使用 Docker 不是本书重点，这里就不再介绍在不同操作系统下如何安装 Docker。[2]当 Docker 安装完成后，只需要使用一个打包好的 Docker 镜像。对于 TensorFlow 发布的每一个版本，谷歌都提供了 8 个官方镜像。表 2-1 给出了这些镜像的名称以及镜像中包含的内容。

表 2-1　TensorFlow 官方 Docker 镜像列表

镜像名称	是否支持 GPU	是否含有源码	Python 版本
tensorflow/tensorflow:1.4.0	否	否	Python2
tensorflow/tensorflow:1.4.0-devel	否	是	Python2
tensorflow/tensorflow:1.4.0-gpu	是	否	Python2
tensorflow/tensorflow:1.4.0-devel-gpu	是	是	Python2
tensorflow/tensorflow:1.4.0-py3	否	否	Python3
tensorflow/tensorflow:1.4.0-devel-py3	否	是	Python3
tensorflow/tensorflow:1.4.0-gpu-py3	是	否	Python3
tensorflow/tensorflow:1.4.0-devel-gpu-py3	是	是	Python3

镜像的标签（冒号后面的部分）给出了 TensorFlow 的版本。本书的所有代码将统一使用版本 1.4.0。当 Docker 安装完成之后，可以通过以下命令来启动一个 TensorFlow 容器。[3]在第一次运行的时候，Docker 会自动下载镜像。

```
$ docker run -it tensorflow/tensorflow:1.4.0
```

虽然支持 GPU 的 Docker 镜像，但是要运行这些镜像需要安装最新的 Nvidia 驱动以及

---

① https://www.docker.com/what-docker 中详细介绍了 Docker 的基本概念。

② https://docs.docker.com/engine/installation 中介绍了在不同操作系统下如何安装 Docker。

③ https://docs.docker.com/engine/reference/commandline/cli 中给出了 Docker 命令的文档。

nvidia-docker。[①]在安装运行完成 nvidia-docker 之后,可以通过以下的命令支持 GPU 的 TensorFlow 镜像。在镜像启动之后可以通过与上面类似的方式使用 TensorFlow。

```
$ nvidia-docker run -it tensorflow/tensorflow:1.4.0-gpu
```

2.2.2　使用 pip 安装

pip 是一个安装、管理 Python 软件包的工具[②],通过 pip 可以安装已经打包好的 TensorFlow 以及 TensorFlow 所需要的依赖关系。目前 TensorFlow 只提供了部分操作系统下打包好的安装文件,在其他操作系统下安装或者需要安装定制化代码的 TensorFlow 请参考 2.2.3 节。通过 pip 安装可以分为以下三步。

第一步:安装 pip

```
# 在 Ubuntu/Linux 64-bit 环境下安装。
$ sudo apt-get install python-pip python-dev

# 在 Mac OS X 环境下安装。
$ sudo easy_install pip
$ sudo easy_install --upgrade six
```

第二步:找到合适的安装包 URL

仅支持 CPU 的 TensorFlow 安装包有:

```
# Ubuntu/Linux 64-bit, Python 2.7 环境。
$ export TF_BINARY_URL=
https://storage.googleapis.com/tensorflow/linux/cpu/tensorflow-1.4.0-cp27-none-linux_x86_64.whl

# Ubuntu/Linux 64-bit, Python 3.4 环境。
$ export TF_BINARY_URL=
https://storage.googleapis.com/tensorflow/linux/cpu/tensorflow-1.4.0-cp34-cp34m-linux_x86_64.whl

# Ubuntu/Linux 64-bit, CPU only, Python 3.5 环境。
$ export TF_BINARY_URL=
https://storage.googleapis.com/tensorflow/linux/cpu/tensorflow-1.4.0-cp35-cp35m-linux_x86_64.whl
```

---

① https://github.com/NVIDIA/nvidia-docker 中介绍了 nvidia-docker 的基本原理和安装说明。

② https://pip.pypa.io 中给出 pip 的文档。

```
# Mac OS X, Python 2.7 环境。
$ export TF_BINARY_URL=
https://storage.googleapis.com/tensorflow/mac/cpu/tensorflow-1.4.0-py2-n
one-any.whl

# Mac OS X, Python 3.4 or 3.5 环境。
$ export TF_BINARY_URL=
https://storage.googleapis.com/tensorflow/mac/cpu/tensorflow-1.4.0-py3-n
one-any.whl
```

目前只有在安装了 CUDA toolkit 8.0 和 CuDNN v6 的 64 位 Ubuntu 下可以通过 pip 安装支持 GPU 的 TensorFlow，对于其他 Linux 系统或者其他 CUDA/CuDNN 版本的用户，则需要从源码进行安装来支持 GPU 使用。如何从源码进行安装将在 2.2.3 节中详述。下面给出了支持 GPU 的 TensorFlow pip 安装包的 URL：

```
# Python 2.7 环境
$ export TF_BINARY_URL=
https://storage.googleapis.com/tensorflow/linux/gpu/tensorflow_gpu-1.4.0
-cp27-none-linux_x86_64.whl

# Python 3.4 环境
$ export TF_BINARY_URL=
https://storage.googleapis.com/tensorflow/linux/gpu/tensorflow_gpu-1.4.0
-cp34-cp34m-linux_x86_64.whl

# Python 3.5 环境
$ export TF_BINARY_URL=
https://storage.googleapis.com/tensorflow/linux/gpu/tensorflow_gpu-1.4.0
-cp35-cp35m-linux_x86_64.whl
```

第三步：通过 pip 安装 TensorFlow

```
# Python 2 环境
$ sudo pip install --upgrade $TF_BINARY_URL

# Python 3 环境
$ sudo pip3 install --upgrade $TF_BINARY_URL
```

通过这三步，TensorFlow 环境就安装完成了。

2.2.3　从源代码编译安装

从源代码安装 TensorFlow 的过程主要就是将 TensorFlow 源代码编译成 pip 安装包的过

程。将 TensorFlow 的源代码编译为 pip 所使用的 wheel 文件之后，通过 2.2.2 节中介绍的 pip install 的方法就可以完成安装。在编译 TensorFlow 源代码之前需要先安装 TensorFlow 所依赖的其他工具包。不同操作系统下需要安装的工具包略微有一些差别，而且在不同操作系统下安装这些工具包的方法也不大一样，这一节将以 Ubuntu 16.04 和 Mac OS X 为例来介绍如何安装 TensorFlow 依赖的工具包。[①]

在 Ubuntu 16.04 下安装依赖的工具包

首先需要安装 2.1.2 节中介绍的编译工具 Bazel。安装 Bazel，首先要安装 JDK8。以下代码给出了安装 JDK8 的方法。

```
$ sudo apt-get install software-properties-common
$ sudo add-apt-repository ppa:webupd8team/java
$ sudo apt-get update
$ sudo apt-get install oracle-java8-installer
```

然后安装 Bazel 的其他依赖的工具包：

```
$ sudo apt-get install pkg-config zip g++ zlib1g-dev unzip
```

接着在 Bazel 的 GitHub 发布页面下载安装包（https://github.com/bazelbuild/bazel/releases/tag/0.5.4）。其中 0.5.4 为 Bazel 的版本号。如果有更新的版本，可以相应地替换上面链接中的版本号。在这个页面中下载安装包 bazel-0.5.4-jdk7-installer-linux-x86_64.sh，然后就可以通过这个安装包来安装 Bazel。以下代码实现了 Bazel 的安装过程。

```
$ chmod +x bazel-0.5.5-jdk7-installer-linux-x86_64.sh
$ ./bazel-0.5.4-jdk7-installer-linux-x86_64.sh –user[②]
$ export PATH="$PATH:$HOME/bin"
```

Bazel 安装完成后还需要通过以下代码来安装 TensorFlow 依赖的其他工具包。

```
# Python 2.7 环境
$ sudo apt-get install python-numpy python-dev python-pip python-wheel

# Python 3.x 环境
$ sudo apt-get install python3-numpy python3-dev python3-pip python3-wheel
```

如果要支持 GPU，那么还需要安装 Nvidia 的 Cuda Toolkit（版本需要大于或等于 7.0）和 cuDNN（版本需要大于或等于 v3）。而且 TensorFlow 只支持 Nvidia 计算能力（compute

---

① 其他版本的 Linux 可以参考 Ubuntu 16.04 下的安装方法。目前 Windows 下从源码安装 TensorFlow 还不是特别成熟，感兴趣的读者可以参考 Bazel on Windows（https://docs.bazel.build/versions/master/windows.html）。

② 具体下载地址参考官方网站 https://bazel.build/versions/master/docs/install.html。

capability）大于 3.0 的 GPU。比如 Nvidia Titan、Nvidia Titan X、Nvidia K20、Nvidia K40 等都满足要求。[①]

Cuda Toolkit 的安装包以及安装方法可登录 https://developer.nvidia.com/cuda-downloads 获得。在根据引导填写完操作系统相关参数之后，该网站将提供 Cuda 8.0 的安装包及详细安装方法。登录 https://developer.nvidia.com/cudnn 可下载 cuDNN 的安装包。在下载之前需要先注册，注册是完全免费的。注册完成后可以下载 cuDNN v6.0 Library for CUDA8.0 and Linux，其中 v6.0 是 Google 推荐的版本。下载完成后，需要通过以下命令把下载下来的安装包复制到 Cuda 的目录（这里假设是/usr/local/cuda）：

```
tar xvzf cudnn-8.0-linux-x64-v6.0.tgz
sudo cp cuda/include/cudnn.h /usr/local/cuda/include
sudo cp cuda/lib64/* /usr/local/cuda/lib64
sudo chmod a+r /usr/local/cuda/include/cudnn.h \
               /usr/local/cuda/lib64/libcudnn*
```

最后还需要通过以下命令安装 libcupti-dev：

```
$ sudo apt-get install libcupti-dev
```

在 Mac OS X 下安装依赖工具包

Homebrew 是 Mac OS X 下一个软件安装工具[②]，通过这个工具可以很方便地安装 Bazel、SWIG 等 TensorFlow 的依赖工具。Homebrew 自己的安装过程也很简单，以下代码给出了它的安装方法：

```
/usr/bin/ruby -e "$(curl -fsSL \
   https://raw.githubusercontent.com/Homebrew/install/master/install)"
```

安装完 Homebrew 后就可以通过 brew 来安装 Bazel 和 SWIG：

```
$ brew install bazel swig
```

然后可以通过 easy_install 来安装 Python 相关的依赖工具：

```
$ sudo easy_install -U six
$ sudo easy_install -U numpy
$ sudo easy_install wheel
$ sudo easy_install ipython
```

如果需要支持 GPU，在安装 Cuda Toolkit 和 cuDNN 之前，还需要通过 Homebrew 安装 GNU coreutils：

[①] https://developer.nvidia.com/cuda-gpus 中列出了所有 GPU 的计算能力。

[②] http://brew.sh 中介绍 Homebrew 的功能。

```
$ brew install coreutils
```

和 Ubuntu 16.04 类似，https://developer.nvidia.com/cuda-downloads 网站提供了安装最新 Cuda Toolkit 的安装包与安装方法。但在 Mac OS X 下可以通过 Homebrew Cask 来直接安装：

```
$ brew tap caskroom/cask
$ brew cask install cuda
```

Cuda Toolkit 安装完成之后需要将环境变量加入到~/.bash_profile 文件中：

```
export CUDA_HOME=/usr/local/cuda
export DYLD_LIBRARY_PATH="$DYLD_LIBRARY_PATH:$CUDA_HOME/lib"
export PATH="$CUDA_HOME/bin:$PATH"
```

登录 https://developer.nvidia.com/cudnn，该网站提供了 cuDNN 的安装包。在下载之前这个网站需要先注册，注册是完全免费的。注册完成后可以下载 cuDNN v5.1 Library for OS X，其中 v5.1 是 Google 官方推荐的版本。下载完成后需要将文件解压并放到 Cuda Toolkit 的目录下。以下代码完成了这个过程：

```
$ sudo mv include/cudnn.h /Developer/NVIDIA/CUDA-8.0/include/
$ sudo mv lib/libcudnn* /Developer/NVIDIA/CUDA-8.0/lib
$ sudo ln -s /Developer/NVIDIA/CUDA-8.0/lib/libcudnn* /usr/local/cuda/lib/
```

配置 TensorFlow 编译环境

在所有依赖的工具包都安装完成之后就可以开始从源码来安装 TensorFlow 了。无论在哪个操作系统下，要从源代码开始安装，首先需要下载源代码。通过以下命令可以下载最新的 TensorFlow 源代码：

```
$ git clone https://github.com/tensorflow/tensorflow
```

如果需要下载之前发布的版本，可以在上述命令中加入-b <branchname>参数。其中<branchname>可以是 r0.8、r1.0、r1.2 等。如果安装 r0.8 或者更老的版本，还需要在上述命令中加入--recurse-submodules 参数来拉取 TensorFlow 依赖的其他工具。源码下载完成之后，需要运行 configure 脚本来配置环境信息：

```
$ cd tensorflow
$ ./configure
Please specify the location of python. [Default is /usr/bin/python]:
/usr/bin/python2.7
Found possible Python library paths:
  /usr/local/lib/python2.7/dist-packages
  /usr/lib/python2.7/dist-packages
Please input the desired Python library path to use.  Default is
[/usr/lib/python2.7/dist-packages]
```

```
Using python library path: /usr/local/lib/python2.7/dist-packages
Do you wish to build TensorFlow with MKL support? [y/N]
No MKL support will be enabled for TensorFlow
Please specify optimization flags to use during compilation when bazel option
"--config=opt" is specified [Default is -march=native]:
Do you wish to use jemalloc as the malloc implementation? [Y/n]
jemalloc enabled
Do you wish to build TensorFlow with Google Cloud Platform support? [y/N]
No Google Cloud Platform support will be enabled for TensorFlow
Do you wish to build TensorFlow with Hadoop File System support? [y/N]
No Hadoop File System support will be enabled for TensorFlow
Do you wish to build TensorFlow with the XLA just-in-time compiler
(experimental)? [y/N]
No XLA support will be enabled for TensorFlow
Do you wish to build TensorFlow with VERBS support? [y/N]
No VERBS support will be enabled for TensorFlow
Do you wish to build TensorFlow with OpenCL support? [y/N]
No OpenCL support will be enabled for TensorFlow
Do you wish to build TensorFlow with CUDA support? [y/N] Y
CUDA support will be enabled for TensorFlow
Do you want to use clang as CUDA compiler? [y/N]
nvcc will be used as CUDA compiler
Please specify the Cuda SDK version you want to use, e.g. 7.0. [Leave empty
to default to CUDA 8.0]: 8.0
Please specify the location where CUDA 8.0 toolkit is installed. Refer to
README.md for more details. [Default is /usr/local/cuda]:
Please specify which gcc should be used by nvcc as the host compiler. [Default
is /usr/bin/gcc]:
Please specify the cuDNN version you want to use. [Leave empty to default
to cuDNN 6.0]: 6
Please specify the location where cuDNN 6 library is installed. Refer to
README.md for more details. [Default is /usr/local/cuda]:
Please specify a list of comma-separated Cuda compute capabilities you want
to build with.
You    can    find    the    compute    capability    of    your    device    at:
https://developer.nvidia.com/cuda-gpus.
Please note that each additional compute capability significantly increases
your build time and binary size.
[Default is: "3.5,5.2"]: 3.0
Do you wish to build TensorFlow with MPI support? [y/N]
MPI support will not be enabled for TensorFlow
```

当环境配置完成之后通过 Bazel 来编译 pip 的安装包，然后通过 pip 安装：

```
$ bazel build --config=opt --config=cuda \
        //tensorflow/tools/pip_package:build_ pip_package
$ bazel-bin/tensorflow/tools/pip_package/build_pip_package \
        /tmp/tensorflow_ pkg
$ sudo pip install /tmp/tensorflow_pkg/tensorflow-1.4.0-py2-none-any.whl
```

第一个命令中--config=cuda 参数为对 GPU 的支持。如果不需要支持 GPU，就不需要这个参数了。最后一行中 wheel 安装包的名字（tensorflow-1.4.0-py2-none-any.whl）和系统环境有关，使用 pip 安装之前可以先通过 ls 命令来确认安装包的名字。

2.3　TensorFlow 测试样例

通过 2.2 节中介绍的方法安装好 TensorFlow 后，在这一节中将给出一个简单的 TensorFlow 样例程序来实现两个向量求和。TensorFlow 支持 C、C++和 Python 三种语言，但是它对 Python 的支持是最全面的，所以本书中所有的样例都会使用 Python 语言。通过本节给出来的简单样例，读者可以测试安装好的 TensorFlow 环境，同时也可以对 TensorFlow 有一个直观的认识。这一节将直接使用 Python 自带的交互界面来演示这个简单样例：

```
# python
Python 2.7.6 (default, Jun 22 2015, 17:58:13)
[GCC 4.8.2] on linux2
Type "help", "copyright", "credits" or "license" for more information.
>>>
```

在进入 Python 交互界面之后，先通过 import 操作加载 TensorFlow：

```
>>> import tensorflow as tf
```

上图显示 TensorFlow 已经成功加载了。Python 可以通过重命名来使引用更加方便，在本书中都会将 "tensorflow" 简写为 "tf"。然后定义两个向量，a 和 b：

```
>>> a = tf.constant([1.0,2.0], name="a")
>>> b = tf.constant([2.0,3.0], name="b")
```

在这里将 a 和 b 定义为了两个常量（tf.constant），一个为[1.0,2.0]，另一个为[2.0,3.0]。在两个加数定义好之后，将这两个向量加起来：

```
>>> result = a + b
```

熟悉 NumPy[①]的读者会发现，在 TensorFlow 之中，向量的加法也是可以直接通过加号

[①] NumPy 是一个科学计算的 Python 工具包，http://www.numpy.org 中给出了更多关于 NumPy 的介绍。

（+）来完成的。最后输出相加得到的结果：

```
>>> sess = tf.Session()
>>> sess.run(result)
array([ 3.,  5.], dtype=float32)
```

要输出相加得到的结果，不能简单地直接输出 result，而需要先生成一个会话（session），并通过这个会话（session）来计算结果。到此，就实现了一个非常简单的 TensorFlow 模型。第 3 章将更加深入地介绍 TensorFlow 的基本概念，并将 TensorFlow 的计算模型和神经网络模型结合起来。

小结

在本章中首先介绍了 TensorFlow 主要依赖的两个工具——Protocol Buffer 和 Bazel。Protocol Buffer 是一个结构数据序列化的工具，在 TensorFlow 中大部分数据结构都是通过 Protocol Buffer 的形式存储的。Bazel 是一个谷歌开源的编译工具，在 2.2 节中讲解了如何通过 Bazel 编译 TensorFlow 的源代码。谷歌官方给出的大部分样例程序也是通过 Bazel 编译的。

在介绍完 TensorFlow 所依赖的工具之后，2.2 节讲解了 TensorFlow 的不同安装方式，以及不同安装方式适用的不同场景。2.2.1 节中介绍的 Docker 是可移植性最强的一种安装方式，它支持大部分的操作系统（比如 Windows，Linux 和 Mac OS）。但 Docker 目前对 GPU 的支持有限，而且 Docker 对本地开发环境的支持也不够友好。在本地最方便的安装方式是使用 pip。使用 pip 可以将已经打包好的安装包安装到本地。谷歌官方提供了不同版本 TensorFlow 的 pip 安装包。这种方式比较适合在本地开发 TensorFlow 的应用程序，但无法修改 TensorFlow 本身。最后一种方法就是从源码安装，这种方式最灵活，但比较烦琐。一般只有需要修改 TensorFlow 本身或者需要支持比较特殊的 GPU 时才会被用到。

在本章的最后一节中给出了一个非常简短的 TensorFlow 测试样例。这个样例程序完成了两个向量加法的功能。通过这个样例可以测试安装好的 TensorFlow 环境，同时也可以对 TensorFlow 有一个直观的感受。在第 3 章中将更加详细地介绍 TensorFlow 中的基本概念，并讲解如何通过 TensorFlow 来实现一个简单神经网络的训练过程。

第 3 章　TensorFlow 入门

在第 2 章中介绍了如何安装 TensorFlow，并且在安装好的 TensorFlow 中运行了一个简单的向量相加的样例。本章将详细地介绍 TensorFlow 基本概念。在本章的前三节中，将分别介绍 TensorFlow 的计算模型、数据模型和运行模型。通过这三个角度对 TensorFlow 的介绍，读者可以对 TensorFlow 的工作原理有一个大致的了解。在本章的最后一节中，将简单介绍神经网络的主要计算流程，并介绍如何通过 TensorFlow 实现这些计算。

3.1　TensorFlow 计算模型——计算图

计算图是 TensorFlow 中最基本的一个概念，TensorFlow 中的所有计算都会被转化为计算图上的节点。3.1.1 小节将详细介绍 TensorFlow 中计算图的基本概念，然后在 3.1.2 小节中将通过一些简单的样例程序说明 TensorFlow 计算图的使用方法。

3.1.1　计算图的概念

TensorFlow 的名字中已经说明了它最重要的两个概念——Tensor 和 Flow。Tensor 就是张量。张量这个概念在数学或者物理学中可以有不同的解释，但在本书中并不强调它本身的含义。在 TensorFlow 中，张量可以被简单地理解为多维数组，在 3.2 节中将对张量做更加详细的介绍。如果说 TensorFlow 的第一个词 Tensor 表明了它的数据结构，那么 Flow 则体现了它的计算模型。Flow 翻译成中文就是"流"，它直观地表达了张量之间通过计算相互转化的过程。TensorFlow 是一个通过计算图的形式来表述计算的编程系统。TensorFlow 中的每一个计算都是计算图上的一个节点，而节点之间的边描述了计算之间的依赖关系。

图 3-1 展示了通过 TensorBoard[①]画出来的第 2 章中两个向量相加样例的计算图。

图 3-1 通过 TensorBoard 可视化向量相加的计算图

图 3-1 中的每一个节点都是一个运算，而每一条边代表了计算之间的依赖关系。如果一个运算的输入依赖于另一个运算的输出，那么这两个运算有依赖关系。在图 3-1 中，a 和 b 这两个常量不依赖任何其他计算。[②]而 add 计算则依赖读取两个常量的取值。于是在图 3-1 中可以看到有一条从 a 到 add 的边和一条从 b 到 add 的边。在图 3-1 中，没有任何计算依赖 add 的结果，于是代表加法的节点 add 没有任何指向其他节点的边。所有 TensorFlow 的程序都可以通过类似图 3-1 所示的计算图的形式来表示，这就是 TensorFlow 的基本计算模型。

3.1.2 计算图的使用

TensorFlow 程序一般可以分为两个阶段。在第一个阶段需要定义计算图中所有的计算。比如在第 2 章的向量加法样例程序中首先定义了两个输入，然后定义了一个计算来得到它们的和。第二个阶段为执行计算，这个阶段将在 3.3 节中介绍。以下代码给出了计算定义阶段的样例。

```
import tensorflow as tf
a = tf.constant([1.0, 2.0], name="a")
b = tf.constant([2.0, 3.0], name="b")
result = a + b
```

在 Python 中一般会采用"import tensorflow as tf"的形式来载入 TensorFlow，这样可以使用"tf"来代替"tensorflow"作为模块名称，使得整个程序更加简洁。这是 TensorFlow 中非常常用的技巧，在本书后面的章节中将会全部采用这种加载方式。在这个过程中，TensorFlow 会自动将定义的计算转化为计算图上的节点。在 TensorFlow 程序中，系统会自动维护一个默认的计算图，通过 tf.get_default_graph 函数可以获取当前默认的计算图。以下代码示意了如何获取默认计算图以及如何查看一个运算所属的计算图。

---

① TensorBoard 是 TensorFlow 的可视化工具，第 11 章将详细介绍这个工具。

② 为了建模方便，TensorFlow 会将常量转化成一种永远输出固定值的运算。

```
# 通过 a.graph 可以查看张量所属的计算图。因为没有特意指定，所以这个计算图应该等于
# 当前默认的计算图。所以以下面这个操作输出值为 True。
print(a.graph is tf.get_default_graph())
```

除了使用默认的计算图，TensorFlow 支持通过 tf.Graph 函数来生成新的计算图。不同计算图上的张量和运算都不会共享。以下代码示意了如何在不同计算图上定义和使用变量。[①]

```
import tensorflow as tf

g1 = tf.Graph()
with g1.as_default():
    # 在计算图 g1 中定义变量 "v"，并设置初始值为 0。
    v = tf.get_variable(
        "v", initializer=tf.zeros_initializer(shape=[1]))

g2 = tf.Graph()
with g2.as_default():
    # 在计算图 g2 中定义变量 "v"，并设置初始值为 1。
    v = tf.get_variable(
        "v", initializer=tf.ones_initializer(shape=[1]))

# 在计算图 g1 中读取变量 "v" 的取值。
with tf.Session(graph=g1) as sess:
    tf.global_variables_initializer().run()
    with tf.variable_scope("", reuse=True):
        # 在计算图 g1 中，变量 "v" 的取值应该为 0，所以以下面这行会输出[0.]。
        print(sess.run(tf.get_variable("v")))

# 在计算图 g2 中读取变量 "v" 的取值。
with tf.Session(graph=g2) as sess:
    tf.global_variables_initializer().run()
    with tf.variable_scope("", reuse=True):
        # 在计算图 g2 中，变量 "v" 的取值应该为 1，所以以下面这行会输出[1.]。
        print(sess.run(tf.get_variable("v")))
```

以上代码产生了两个计算图，每个计算图中定义了一个名字为 "v" 的变量。在计算图 g1 中，将 v 初始化为 0；在计算图 g2 中，将 v 初始化为 1。可以看到当运行不同计算图时，变量 v 的值也是不一样的。TensorFlow 中的计算图不仅仅可以用来隔离张量和计算，它还提供了管理张量和计算的机制。计算图可以通过 tf.Graph.device 函数来指定运行计算的设备。这为 TensorFlow 使用 GPU 提供了机制。以下程序可以将加法计算跑在 GPU 上。

```
g = tf.Graph()
```

---

① 第 4 章将更加详细地介绍 TensorFlow 中变量的概念。

```
# 指定计算运行的设备。
with g.device('/gpu:0'):
    result = a + b
```

使用 GPU 的具体方法将在第 12 章详述。有效地整理 TensorFlow 程序中的资源也是计算图的一个重要功能。在一个计算图中，可以通过集合（collection）来管理不同类别的资源。比如通过 tf.add_to_collection 函数可以将资源加入一个或多个集合中，然后通过 tf.get_collection 获取一个集合里面的所有资源。这里的资源可以是张量、变量或者运行 TensorFlow 程序所需要的队列资源，等等。为了方便使用，TensorFlow 也自动管理了一些最常用的集合，表 3-1 总结了最常用的几个自动维护的集合。

表 3-1　TensorFlow 中维护的集合列表

集合名称	集合内容	使用场景
tf.GraphKeys.VARIABLES	所有变量	持久化 TensorFlow 模型
tf.GraphKeys.TRAINABLE_VARIABLES	可学习的变量（一般指神经网络中的参数）	模型训练、生成模型可视化内容
tf.GraphKeys.SUMMARIES	日志生成相关的张量	TensorFlow 计算可视化
tf.GraphKeys.QUEUE_RUNNERS	处理输入的 QueueRunner	输入处理
tf.GraphKeys.MOVING_AVERAGE_VARIABLES	所有计算了滑动平均值的变量	计算变量的滑动平均值

3.2　TensorFlow 数据模型——张量

3.1 节介绍了使用计算图的模型来描述 TensorFlow 中的计算。这一节将介绍 TensorFlow 中另外一个基础概念——张量。张量是 TensorFlow 管理数据的形式，在 3.2.1 节中将介绍张量的一些基本属性。然后在 3.2.2 节中将介绍如何通过张量来保存和获取 TensorFlow 计算的结果。

3.2.1　张量的概念

从 TensorFlow 的名字就可以看出张量（tensor）是一个很重要的概念。在 TensorFlow 程序中，所有的数据都通过张量的形式来表示。从功能的角度上看，张量可以被简单理解为多维数组。其中零阶张量表示标量（scalar），也就是一个数[①]；第一阶张量为向量（vector），也就是一个一维数组；第 n 阶张量可以理解为一个 n 维数组。但张量在 TensorFlow 中的实

---

① 张量的类型也可以是字符串，但在本书中不做过多的讨论。

现并不是直接采用数组的形式，它只是对 TensorFlow 中运算结果的引用。在张量中并没有真正保存数字，它保存的是如何得到这些数字的计算过程。还是以向量加法为例，当运行如下代码时，并不会得到加法的结果，而会得到对结果的一个引用。

```
import tensorflow as tf
# tf.constant 是一个计算，这个计算的结果为一个张量，保存在变量 a 中。
a = tf.constant([1.0, 2.0], name="a")
b = tf.constant([2.0, 3.0], name="b")
result = tf.add(a, b, name="add")
print result
'''
输出：
Tensor("add:0", shape=(2,), dtype=float32)
'''
```

从以上代码可以看出 TensorFlow 中的张量和 NumPy 中的数组不同，TensorFlow 计算的结果不是一个具体的数字，而且一个张量的结构。从上面代码的运行结果可以看出，一个张量中主要保存了三个属性：名字（name）、维度（shape）和类型（type）。

张量的第一个属性名字不仅是一个张量的唯一标识符，它同样也给出了这个张量是如何计算出来的。在 3.1.2 节中介绍了 TensorFlow 的计算都可以通过计算图的模型来建立，而计算图上的每一个节点代表了一个计算，计算的结果就保存在张量之中。所以张量和计算图上节点所代表的计算结果是对应的。这样张量的命名就可以通过"node:src_output"的形式来给出。其中 node 为节点的名称，src_output 表示当前张量来自节点的第几个输出。比如上面代码打出来的"add:0"就说明了 result 这个张量是计算节点"add"输出的第一个结果（编号从 0 开始）。

张量的第二个属性是张量的维度（shape）。这个属性描述了一个张量的维度信息。比如上面样例中 shape=(2,)说明了张量 result 是一个一维数组，这个数组的长度为 2。维度是张量一个很重要的属性，围绕张量的维度 TensorFlow 也给出了很多有用的运算，在这里先不一一列举，在后面的章节中将使用到部分运算。

张量的第三个属性是类型（type），每一个张量会有一个唯一的类型。TensorFlow 会对参与运算的所有张量进行类型的检查，当发现类型不匹配时会报错。比如运行以下程序时就会得到类型不匹配的错误：

```
import tensorflow as tf
a = tf.constant([1, 2], name="a")
b = tf.constant([2.0, 3.0], name="b")
result = a + b
```

这段程序和上面的样例基本一模一样，唯一不同的是把其中一个加数的小数点去掉了。这会使得加数 a 的类型为整数而加数 b 的类型为实数，这样程序会报类型不匹配的错误：

```
ValueError: Tensor conversion requested dtype int32 for Tensor with dtype
float32: 'Tensor("b:0", shape=(2,), dtype=float32)'
```

如果将第一个加数指定成实数类型 "a = tf.constant([1, 2], name="a", dtype=tf.float32)"，那么两个加数的类型相同就不会报错了。如果不指定类型，TensorFlow 会给出默认的类型，比如不带小数点的数会被默认为 int32，带小数点的会默认为 float32。因为使用默认类型有可能会导致潜在的类型不匹配问题，所以一般建议通过指定 dtype 来明确指出变量或者常量的类型。TensorFlow 支持 14 种不同的类型，主要包括了实数（tf.float32、tf.float64）、整数（tf.int8、tf.int16、tf.int32、tf.int64、tf.uint8）、布尔型（tf.bool）和复数（tf.complex64、tf.complex128）。

3.2.2　张量的使用

和 TensorFlow 的计算模型相比，TensorFlow 的数据模型相对比较简单。张量使用主要可以总结为两大类。

第一类用途是对中间计算结果的引用。当一个计算包含很多中间结果时，使用张量可以大大提高代码的可读性。以下为使用张量和不使用张量记录中间结果来完成向量相加的功能的代码对比。

```
# 使用张量记录中间结果
a = tf.constant([1.0, 2.0], name="a")
b = tf.constant([2.0, 3.0], name="b")
result = a + b

# 直接计算向量的和,这样可读性会比较差。
result = tf.constant([1.0, 2.0], name="a") +
         tf.constant([2.0, 3.0], name="b")
```

从上面的样例程序可以看到，a 和 b 其实就是对常量生成这个运算结果的引用，这样在做加法时就可以直接使用这两个变量，而不需要再去生成这些常量。当计算的复杂度增加时（比如在构建深层神经网络时）通过张量来引用计算的中间结果可以使代码的可阅读性大大提升。同时，通过张量来存储中间结果可以方便获取中间结果。比如在卷积神经网络[1]中，卷积层或者池化层有可能改变张量的维度，通过 result.get_shape 函数来获取结果张量的维度信息可以免去人工计算的麻烦。

使用张量的第二类情况是当计算图构造完成之后，张量可以用来获得计算结果，也就是得到真实的数字。虽然张量本身没有存储具体的数字，但是通过 3.3 节中介绍的会话，

---

① 第 6 章将介绍卷积神经网络。

就可以得到这些具体的数字。比如在上述代码中，可以使用 tf.Session().run(result) 语句得到计算结果。

3.3　TensorFlow 运行模型——会话

前面的两节介绍了 TensorFlow 是如何组织数据和运算的。本节将介绍如何使用 TensorFlow 中的会话（session）来执行定义好的运算。会话拥有并管理 TensorFlow 程序运行时的所有资源。所有计算完成之后需要关闭会话来帮助系统回收资源，否则就可能出现资源泄漏的问题。TensorFlow 中使用会话的模式一般有两种，第一种模式需要明确调用会话生成函数和关闭会话函数，这种模式的代码流程如下。

```
# 创建一个会话。
sess = tf.Session()
# 使用这个创建好的会话来得到关心的运算的结果。比如可以调用 sess.run(result)，
# 来得到 3.1 节样例中张量 result 的取值。
sess.run(...)
# 关闭会话使得本次运行中使用到的资源可以被释放。
sess.close()
```

使用这种模式时，在所有计算完成之后，需要明确调用 Session.close 函数来关闭会话并释放资源。然而，当程序因为异常而退出时，关闭会话的函数可能就不会被执行从而导致资源泄漏。为了解决异常退出时资源释放的问题，TensorFlow 可以通过 Python 的上下文管理器来使用会话。以下代码展示了如何使用这种模式。

```
# 创建一个会话，并通过 Python 中的上下文管理器来管理这个会话。
with tf.Session() as sess:
    # 使用创建好的会话来计算关心的结果。
    sess.run(...)
# 不需要再调用 "Session.close()" 函数来关闭会话，
# 当上下文退出时会话关闭和资源释放也自动完成了。
```

通过 Python 上下文管理器的机制，只要将所有的计算放在 "with" 的内部就可以。当上下文管理器退出时候会自动释放所有资源。这样既解决了因为异常退出时资源释放的问题，同时也解决了忘记调用 Session.close 函数而产生的资源泄漏。

3.1 节介绍过 TensorFlow 会自动生成一个默认的计算图，如果没有特殊指定，运算会自动加入这个计算图中。TensorFlow 中的会话也有类似的机制，但 TensorFlow 不会自动生成默认的会话，而是需要手动指定。当默认的会话被指定之后可以通过 tf.Tensor.eval 函数来计算一个张量的取值。以下代码展示了通过设定默认会话计算张量的取值。

```
sess = tf.Session()
with sess.as_default():
    print(result.eval())
```

以下代码也可以完成相同的功能。

```
sess = tf.Session()

# 以下两个命令有相同的功能。
print(sess.run(result))
print(result.eval(session=sess))
```

在交互式环境下（比如 Python 脚本或者 Jupyter 的编辑器下），通过设置默认会话的方式来获取张量的取值更加方便。所以 TensorFlow 提供了一种在交互式环境下直接构建默认会话的函数。这个函数就是 tf.InteractiveSession。使用这个函数会自动将生成的会话注册为默认会话。以下代码展示了 tf.InteractiveSession 函数的用法。

```
sess = tf.InteractiveSession()
print(result.eval())
sess.close()
```

通过 tf.InteractiveSession 函数可以省去将产生的会话注册为默认会话的过程。无论使用哪种方法都可以通过 ConfigProto Protocol Buffer[①]来配置需要生成的会话。下面给出了通过 ConfigProto 配置会话的方法：

```
config = tf.ConfigProto(allow_soft_placement=True,
                        log_device_placement=True)
sess1 = tf.InteractiveSession(config=config)
sess2 = tf.Session(config=config)
```

通过 ConfigProto 可以配置类似并行的线程数、GPU 分配策略、运算超时时间等参数。在这些参数中，最常使用的有两个。第一个是 allow_soft_placement，这是一个布尔型的参数，当它为 True 时，在以下任意一个条件成立时，GPU 上的运算可以放到 CPU 上进行：

1．运算无法在 GPU 上执行。

2．没有 GPU 资源（比如运算被指定在第二个 GPU 上运行，但是机器只有一个 GPU）。

3．运算输入包含对 CPU 计算结果的引用。

这个参数的默认值为 False，但是为了使得代码的可移植性更强，在有 GPU 的环境下这个参数一般会被设置为 True。不同的 GPU 驱动版本可能对计算的支持有略微的区别，通过将 allow_soft_placement 参数设为 True，当某些运算无法被当前 GPU 支持时，可以自动调整到 CPU 上，而不是报错。类似地，通过将这个参数设置为 True，可以让程序在拥有不同数量的 GPU 机器上顺利运行。

---

① Protocol Buffer 在第 2 章中有介绍。

第二个使用得比较多的配置参数是 log_device_placement。这也是一个布尔型的参数，当它为 True 时日志中将会记录每个节点被安排在哪个设备上以方便调试。而在生产环境中将这个参数设置为 False 可以减少日志量。

3.4　TensorFlow 实现神经网络

上面三节从不同角度介绍了 TensorFlow 的基本概念。在这一节中，将结合神经网络的功能进一步介绍如何通过 TensorFlow 来实现神经网络。首先 3.4.1 节将通过 TensorFlow 游乐场来简单介绍神经网络的主要功能以及计算流程。然后 3.4.2 节将介绍神经网络的前向传播算法（forward-propagation），并给出使用 TensorFlow 的代码实现。接着 3.4.3 节将介绍如何通过 TensorFlow 中的变量来表达神经网络的参数。在 3.4.4 节中将介绍神经网络反向传播（back-propagation）算法的原理以及 TensorFlow 对反向传播算法的支持。最后在 3.4.5 节中将给出一个完整的 TensorFlow 程序在随机的数据上训练一个简单的神经网络。

3.4.1　TensorFlow 游乐场及神经网络简介

这一节将通过 TensorFlow 游乐场来快速介绍神经网络的主要功能。TensorFlow 游乐场（http://playground.tensorflow.org）是一个通过网页浏览器就可以训练的简单神经网络并实现了可视化训练过程的工具。图 3-2 给出了 TensorFlow 游乐场默认设置的截图。

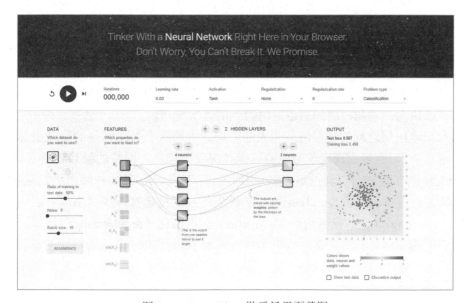

图 3-2　TensorFlow 游乐场界面截图

从图 3-2 中可以看出，TensorFlow 游乐场的左侧提供了 4 个不同的数据集来测试神经网络。默认的数据为左上角被框出来的那个。被选中的数据也会显示在图 3-2 中最右边的 "OUTPUT" 栏下。在这个数据中，可以看到一个二维平面上有黑色或者灰色的点，每一个小点代表了一个样例，而点的颜色代表了样例的标签。因为点的颜色只有两种，所以这是一个二分类的问题。在这里举一个例子来说明这个数据可以代表的实际问题。假设需要判断某工厂生产的零件是否合格，那么灰色的点可以表示所有合格的零件而黑色的表示不合格的零件。这样判断一个零件是否合格就变成了区分点的颜色。

为了将一个实际问题对应到平面上不同颜色点的划分，还需要将实际问题中的实体，比如上述例子中的零件，变成平面上的一个点。①这就是特征提取解决的问题。还是以零件为例，可以用零件的长度和质量来大致描述一个零件。这样一个物理意义上的零件就可以被转化成长度和质量这两个数字。在机器学习中，所有用于描述实体的数字的组合就是一个实体的特征向量（feature vector）。在第 1 章中介绍过，特征向量的提取对机器学习的效果至关重要，如何提取特征本书不再赘述。通过特征提取，就可以将实际问题中的实体转化为空间中的点。假设使用长度和质量作为一个零件的特征向量，那么每个零件就是二维平面上的一个点。TensorFlow 游乐场中 FEATURES 一栏对应了特征向量。在本节的样例中，可以认为 x_1 代表一个零件的长度，而 x_2 代表零件的质量。

特征向量是神经网络的输入，神经网络的主体结构显示在图 3-2 的中间位置。目前主流的神经网络都是分层的结构，第一层是输入层，代表特征向量中每一个特征的取值。比如如果一个零件的长度是 0.5，那么 x_1 的值就是 0.5。同一层的节点不会相互连接，而且每一层只和下一层连接，直到最后一层作为输出层得到计算的结果。②在二分类问题中，比如判断零件是否合格，神经网络的输出层往往只包含一个节点，而这个节点会输出一个实数值。通过这个输出值和一个事先设定的阈值，就可以得到最后的分类结果。以判断零件合格为例，可以认为当输出的数值大于 0 时，给出的判断结果是零件合格，反之则零件不合格。一般可以认为当输出值离阈值越远时得到的答案越可靠。

在输入和输出层之间的神经网络叫做隐藏层，一般一个神经网络的隐藏层越多，这个神经网络越"深"。而所谓深度学习中的这个"深度"和神经网络的层数也是密切相关的。在 TensorFlow 游乐场中可以通过点击"+"或者"–"来增加/减少神经网络隐藏层的数量。除了可以选择神经网络的深度，TensorFlow 游乐场也支持选择神经网络每一层的节点数以及学习率（learning rate）、激活函数（activation）、正则化（regularization）。如何使用这些参数将在后面的章节中讨论。在本节中都直接使用 TensorFlow 游乐场默认的设置。当所有

---

① 在真实问题中，一般会从实体中抽取更多的特征，所以一个实体会被表示为高维空间中的点。

② 有一些神经网络是可以跨层连接的，但目前大部分神经网络结构中都只是相邻两层有连接。

配置都选好之后，可以通过左上角的开始标志" 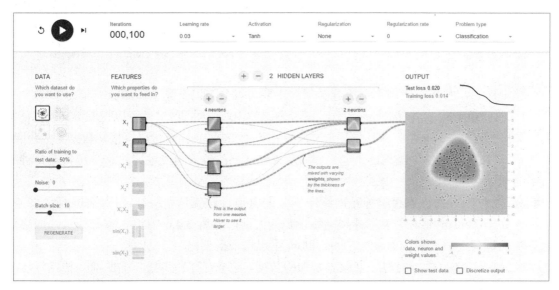 "来训练这个神经网络。图 3-3 中给出了迭代训练 100 轮之后的情况。

图 3-3　TensorFlow 游乐场训练 100 轮之后的截图

如何训练一个神经网络将在 3.4.4 节中介绍，在这里主要介绍如何解读 TensorFlow 游乐场的训练结果。在图 3-3 中，一个小格子代表神经网络中的一个节点，而边代表节点之间的连接。每一个节点和边都被涂上了或深或浅的颜色，但边上的颜色和格子中的颜色含义有略微的区别。每一条边代表了神经网络中的一个参数，它可以是任意实数。神经网络就是通过对参数的合理设置来解决分类或者回归问题的。边上的颜色体现了这个参数的取值，当边的颜色越深时，这个参数取值的绝对值越大；当边的颜色接近白色时，这个参数的取值接近于 0。[1]

每一个节点上的颜色代表了这个节点的区分平面。具体来说，如果把这个平面当成一个笛卡儿坐标系，这个平面上的每一个点就代表了（x_1，x_2）的一种取值。而这个点的颜色就体现了 x_1，x_2 在这种取值下这个节点的输出值。和边类似，当节点的输出值的绝对值越大时，颜色越深。[2]下面将具体解读输入层 x_1 所代表的节点。从图 3-3 中可以看到 x_1 这个

---

[1] 在 TensorFlow 游乐场网站上，边的颜色有黄色（文中浅色部分）和蓝色（文中深色部分）的区别，黄色越深表示负得越大，蓝色越深表示正得越大。

[2] 类似边上的颜色，TensorFlow 游乐场网站中，点上的颜色也有黄色（文中浅色部分）和蓝色（文中深色部分），和边上颜色类似，黄色越深表示负得越大，蓝色越深表示正得越大。

节点的区分平面就是 y 轴。因为这个节点的输出就是 x_1 本身的值，所以当 x_1 小于 0 时，这个节点的输出就是负数，而 x_1 大于 0 时输出的就是正数。于是 y 轴的左侧都为灰色，而右侧都为黑色。[①]图 3-3 中其他节点可以进行类似的解读。唯一特殊的是最右边 OUTPUT 栏下的输出节点。这个节点中除了显示了区分平面，还显示了训练数据，也就是希望通过神经网络区分的数据点。从图 3-3 中可以看到，经过两层的隐藏层，输出节点的区分平面已经可以完全区分不同颜色的数据点。

综上所述，使用神经网络解决分类问题主要可以分为以下 4 个步骤。

1．提取问题中实体的特征向量作为神经网络的输入。不同的实体可以提取不同的特征向量，本书中将不具体介绍。本书假设作为神经网络输入的特征向量可以直接从数据集中获取。

2．定义神经网络的结构，并定义如何从神经网络的输入得到输出。这个过程就是神经网络的前向传播算法，在 3.4.2 节中将详细介绍。

3．通过训练数据来调整神经网络中参数的取值，这就是训练神经网络的过程。3.4.3 节将先介绍 TensorFlow 中表示神经网络参数的方法，然后 3.4.4 节将大致介绍神经网络优化算法的框架，并介绍如何通过 TensorFlow 实现这个框架。

4．使用训练好的神经网络来预测未知的数据。这个过程和步骤 2 中的前向传播算法一致，本书不再赘述。

下面的几个小节将具体介绍如何使用 TensorFlow 来实现神经网络中的不同步骤。最后在 3.4.5 节将给出一个完成的程序来训练神经网络。

3.4.2 前向传播算法简介

在 3.4.1 节中简单地介绍了神经网络可以将输入的特征向量经过层层推导得到最后的输出，并通过这些输出解决分类或者回归问题。那么神经网络的输出是如何得到的？在这一节中将详细介绍解决这个问题的算法——前向传播算法。不同的神经网络结构前向传播的方式也不一样，本节将介绍最简单的全连接网络结构的前向传播算法，并且将展示如何通过 TensorFlow 实现这个算法。为了介绍神经网络的前向传播算法，需要先了解神经元的结构。神经元是构成一个神经网络的最小单元，图 3-4 显示了一个最简单的神经元结构。

从图 3-4 可以看出，一个神经元有多个输入和一个输出。每个神经元的输入既可以是其他神经元的输出，也可以是整个神经网络的输入。所谓神经网络的结构指的就是不同神经元之间的连接结构。如图 3-4 所示，一个最简单的神经元结构的输出就是所有输入的加

---

① 在 TensorFlow 游乐场中，y 轴左侧为黄色（文中浅色部分），右侧为蓝色（文中深色部分）。

权和[①]，而不同输入的权重就是神经元的参数。神经网络的优化过程就是优化神经元中参数取值的过程，在后面的章节中将具体介绍。本节将重点介绍神经网络的前向传播过程。

图 3-5 给出了一个简单的判断零件是否合格的三层全连接神经网络。之所以称之为全连接神经网络是因为相邻两层之间任意两个节点之间都有连接。这也是为了将这样的网络结构和后面章节中将要介绍的卷积层、LSTM 结构区分开来。图 3-5 中除输入层之外的所有节点都代表了一个神经元的结构。本节将通过这个样例来解释前向传播的整个过程。

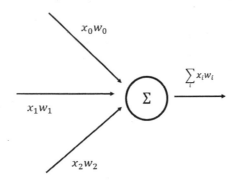

图 3-4　神经元结构示意图

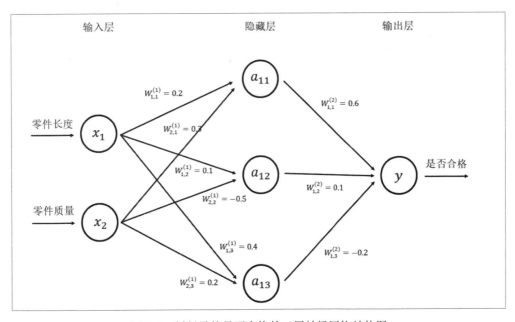

图 3-5　判断零件是否合格的三层神经网络结构图

---

① 更加复杂的神经元结构将在第 4 章中介绍。

计算神经网络的前向传播结果需要三部分信息。第一个部分是神经网络的输入，这个输入就是从实体中提取的特征向量。比如在图 3-5 中有两个输入，一个是零件的长度 x_1，一个是零件的质量 x_2。第二个部分为神经网络的连接结构。神经网络是由神经元构成的，神经网络的结构给出不同神经元之间输入输出的连接关系。神经网络中的神经元也可以称之为节点，在本书之后的章节中将统一使用节点来指代神经网络中的神经元。在图 3-5 中，a_{11} 节点有两个输入，他们分别是 x_1 和 x_2 的输出。而 a_{11} 的输出则是节点 y 的输入。最后一个部分是每个神经元中的参数。在图 3-5 中用 W 来表示神经元中的参数。W 的上标表明了神经网络的层数，比如 $W^{(1)}$ 表示第一层节点的参数，而 $W^{(2)}$ 表示第二层节点的参数。W 的下标表明了连接节点编号，比如 $W_{1,2}^{(1)}$ 表示连接 x_1 和 a_{12} 节点的边上的权重。如何优化每一条边的权重将在下面的章节中介绍，这一节假设这些权重是已知的。给定神经网络的输入、神经网络的结构以及边上权重，就可以通过前向传播算法来计算出神经网络的输出。图 3-6 展示了这个神经网络前向传播的过程。

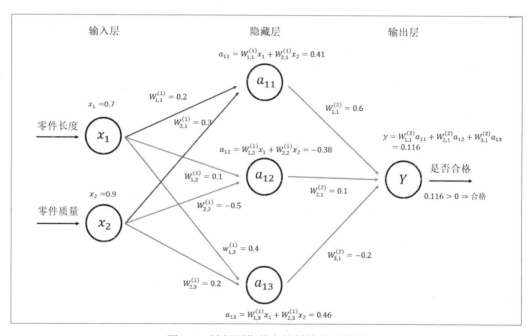

图 3-6　神经网络前向传播算法示意图

图 3-6 给出了输入层的取值 x_1=0.7 和 x_2=0.9。从输入层开始一层一层地使用向前传播算法。首先隐藏层中有三个节点，每一个节点的取值都是输入层取值的加权和。下面给出了 a_{11} 取值的详细计算过程：

$$a_{11} = W_{1,1}^{(1)}x_1 + W_{2,1}^{(1)}x_2 = 0.7 \times 0.2 + 0.9 \times 0.3 = 0.14 + 0.27 = 0.41$$

a_{12} 和 a_{13} 也可以通过类似的方法计算得到，图 3-6 中也给出了具体的计算公式。在得到第一层节点的取值之后，可以进一步推导得到输出层的取值。类似地，输出层中节点的取值就是第一层的加权和：

$$y = W_{1,1}^{(2)} a_{11} + W_{2,1}^{(2)} a_{12} + W_{3,1}^{(2)} a_{13} = 0.41 \times 0.6 + (-0.38) \times 0.1 + 0.46 \times (-0.2)$$
$$= 0.246 + (-0.038) + (0.092) = 0.116$$

因为这个输出值大于阈值 0，所以在这个样例中最后给出的答案是：这个产品是合格的。这就是整个前向传播的算法。前向传播算法可以表示为矩阵乘法。将输入 x_1, x_2 组织成一个 1×2 的矩阵 $x = [x_1, x_2]$，而 $W^{(1)}$ 组织成一个 2×3 的矩阵：

$$W^{(1)} = \begin{bmatrix} W_{1,1}^{(1)} & W_{1,2}^{(1)} & W_{1,3}^{(1)} \\ W_{2,1}^{(1)} & W_{2,2}^{(1)} & W_{2,3}^{(1)} \end{bmatrix}$$

这样通过矩阵乘法可以得到隐藏层三个节点所组成的向量取值：

$$a^{(1)} = [a_{11}, a_{12}, a_{13}] = xW^{(1)} = [x_1, x_2] \begin{bmatrix} W_{1,1}^{(1)} & W_{1,2}^{(1)} & W_{1,3}^{(1)} \\ W_{2,1}^{(1)} & W_{2,2}^{(1)} & W_{2,3}^{(1)} \end{bmatrix}$$
$$= [W_{1,1}^{(1)} x_1 + W_{2,1}^{(1)} x_2, W_{1,2}^{(1)} x_1 + W_{2,2}^{(1)} x_2, W_{1,3}^{(1)} x_1 + W_{2,3}^{(1)} x_2]$$

类似的输出层可以表示为：

$$[y] = a^{(1)} W^{(2)} = [a_{11}, a_{12}, a_{13}] \begin{bmatrix} W_{1,1}^{(2)} \\ W_{2,1}^{(2)} \\ W_{3,1}^{(2)} \end{bmatrix} = [W_{1,1}^{(1)} a_{11} + W_{2,1}^{(2)} a_{12} + W_{3,1}^{(2)} a_{13}]$$

这样就将前向传播算法通过矩阵乘法的方式表达出来了。在 TensorFlow 中矩阵乘法是非常容易实现的。以下 TensorFlow 程序实现了图 3-5 所示神经网络的前向传播过程。

```
a = tf.matmul(x, w1)
y = tf.matmul(a, w2)
```

其中 tf.matmul 实现了矩阵乘法的功能。到此为止已经详细地介绍了神经网络的前向传播算法，并且给出了 TensorFlow 程序来实现这个过程。在之后的章节中会继续介绍偏置（bias）、激活函数（activation function）等更加复杂的神经元结构。也会介绍卷积神经网络，LSTM 结构等更加复杂的神经网络结构。对于这些更加复杂的神经网络，TensorFlow 也提供了很好的支持，后面的章节中再详细介绍。

3.4.3　神经网络参数与 TensorFlow 变量

神经网络中的参数是神经网络实现分类或者回归问题中重要的部分。本节将更加具体地介绍 TensorFlow 是如何组织、保存以及使用神经网络中的参数的。在 TensorFlow 中，变量（tf.Variable）的作用就是保存和更新神经网络中的参数。和其他编程语言类似，TensorFlow 中的变量也需要指定初始值。因为在神经网络中，给参数赋予随机初始值最为常见，所以一般也使用随机数给 TensorFlow 中的变量初始化。下面一段代码给出了一种在 TensorFlow 中声明一个 2×3 的矩阵变量的方法：

```
weights = tf.Variable(tf.random_normal([2, 3], stddev=2))
```

这段代码调用了 TensorFlow 变量的声明函数 tf.Variable。在变量声明函数中给出了初始化这个变量的方法。TensorFlow 中变量的初始值可以设置成随机数、常数或者是通过其他变量的初始值计算得到。在上面的样例中，tf.random_normal([2, 3], stddev=2)会产生一个 2×3 的矩阵，矩阵中的元素是均值为 0，标准差为 2 的随机数。tf.random_normal 函数可以通过参数 mean 来指定平均值，在没有指定时默认为 0。通过满足正态分布的随机数来初始化神经网络中的参数是一个非常常用的方法。除了正态分布的随机数，TensorFlow 还提供了一些其他的随机数生成器，表 3-2 列出了 TensorFlow 目前支持的所有随机数生成器。

表 3-2　TensorFlow 随机数生成函数

函数名称	随机数分布	主要参数
tf.random_normal	正态分布	平均值、标准差、取值类型
tf.truncated_normal	正态分布，但如果随机出来的值偏离平均值超过 2 个标准差，那么这个数将会被重新随机	平均值、标准差、取值类型
tf.random_uniform	均匀分布	最小、最大取值，取值类型
tf.random_gamma	Gamma 分布	形状参数 alpha、尺度参数 beta、取值类型

TensorFlow 也支持通过常数来初始化一个变量。表 3-3 给出了 TensorFlow 中常用的常量声明方法。

表 3-3　TensorFlow 常数生成函数

函数名称	功能	样例
tf.zeros	产生全 0 的数组	tf.zeros([2, 3], int32) -> [[0, 0, 0], [0, 0, 0]]
tf.ones	产生全 1 的数组	tf.ones([2, 3], int32) -> [[1, 1, 1], [1, 1, 1]]
tf.fill	产生一个全部为给定数字的数组	tf.fill([2, 3], 9) -> [[9, 9, 9], [9, 9, 9]]
tf.constant	产生一个给定值的常量	tf.constant([1, 2, 3]) -> [1,2,3]

在神经网络中，偏置项（bias）通常会使用常数来设置初始值。以下代码给出了一个样例。

```
biases = tf.Variable(tf.zeros([3]))
```

以上代码将会生成一个初始值全部为 0 且长度为 3 的变量。除了使用随机数或者常数，TensorFlow 也支持通过其他变量的初始值来初始化新的变量。以下代码给出了具体的方法。

```
w2 = tf.Variable(weights.initialized_value())
w3 = tf.Variable(weights.initialized_value() * 2.0)
```

以上代码中，w2 的初始值被设置成了与 weights 变量相同。w3 的初始值则是 weights 初始值的两倍。在 TensorFlow 中，一个变量的值在被使用之前，这个变量的初始化过程需要被明确地调用。以下样例介绍了如何通过变量实现神经网络的参数并实现前向传播的过程。

```
import tensorflow as tf

# 声明 w1、w2 两个变量。这里还通过 seed 参数设定了随机种子，
# 这样可以保证每次运行得到的结果是一样的。
w1 = tf.Variable(tf.random_normal((2, 3), stddev=1, seed=1))
w2 = tf.Variable(tf.random_normal((3, 1), stddev=1, seed=1))

# 暂时将输入的特征向量定义为一个常量。注意这里 x 是一个 1×2 的矩阵。
x = tf.constant([[0.7, 0.9]])

# 通过 3.4.2 节描述的前向传播算法获得神经网络的输出。
a = tf.matmul(x, w1)
y = tf.matmul(a, w2)

sess = tf.Session()
# 与 3.4.2 中的计算不同，这里不能直接通过 sess.run(y) 来获取 y 的取值，
# 因为 w1 和 w2 都还没有运行初始化过程。以下两行分别初始化了 w1 和 w2 两个变量。
sess.run(w1.initializer)  # 初始化 w1。
sess.run(w2.initializer)  # 初始化 w2。
# 输出[[3.95757794]]。
print(sess.run(y))
sess.close()
```

以上程序实现了神经网络的前向传播过程。从这段代码可以看到，当声明了变量 w1、w2 之后，可以通过 w1 和 w2 来定义神经网络的前向传播过程并得到中间结果 a 和最后答案 y。定义 w1、w2、a 和 y 的过程对应了 3.1.2 节中介绍的 TensorFlow 程序的第一步。这一步定义了 TensorFlow 计算图中所有的计算，但这些被定义的计算在这一步中并不真正地运行。当需要运行这些计算并得到具体数字时，需要进入 TensorFlow 程序的第二步。

在 TensorFlow 程序的第二步会声明一个会话（session），并通过会话计算结果。在上面的样例中，当会话定义完成之后就可以开始真正运行定义好的计算了。但在计算 y 之前，

需要将所有用到的变量初始化。也就是说，虽然在变量定义时给出了变量初始化的方法，但这个方法并没有被真正运行。所以在计算 y 之前，需要通过运行 w1.initializer 和 w2.initializer 来给变量赋值。虽然直接调用每个变量的初始化过程是一个可行的方案，但是当变量数目增多，或者变量之间存在依赖关系时，单个调用的方案就比较麻烦了。为了解决这个问题，TensorFlow 提供了一种更加便捷的方式来完成变量初始化过程。以下程序展示了通过 tf.global_variables_initializer 函数实现初始化所有变量的过程。

```
init_op = tf.global_variables_initializer()
sess.run(init_op)
```

通过 tf.global_variables_initializer 函数，就不需要将变量一个一个初始化了。这个函数也会自动处理变量之间的依赖关系。下面的章节都将使用这个函数来完成变量的初始化过程。

在 3.2 节中介绍过 TensorFlow 的核心概念是张量（tensor），所有的数据都是通过张量的形式来组织的，那么本节介绍的变量和张量是什么关系呢？在 TensorFlow 中，变量的声明函数 tf.Variable 是一个运算。这个运算的输出结果就是一个张量，这个张量也就是本节中介绍的变量。所以变量只是一种特殊的张量。下面将进一步介绍 tf.Variable 操作在 TensorFlow 中底层是如何实现的。图 3-7 给出了神经网络前向传播样例程序的 TensorFlow 计算图的一个部分，这个部分显示了和变量 w1 相关的操作。

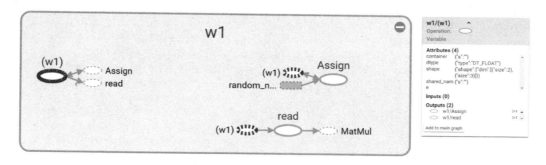

图 3-7　神经网络前向传播样例中变量 w1 相关部分的计算图可视化结果[①]

在图 3-7 上黑色的椭圆代表了变量 w1，可以看到 w1 是一个 Variable 运算。在这张图的下方可以看到 w1 通过一个 read 操作将值提供给了一个乘法运算，这个乘法操作就是 tf.matmul(x, w1)。初始化变量 w1 的操作是通过 Assign 操作完成的。在图 3-7 上可以看到

---

① 此图是通过 TensorBoard 可视化工具绘制的，将在第 11 章中详细介绍 TensorBoard。

Assign 这个节点的输入为随机数生成函数的输出，而且输出赋给了变量 w1。这样就完成了变量初始化的过程。

3.1.2 节介绍了 TensorFlow 中集合（collection）的概念，所有的变量都会被自动地加入到 GraphKeys.VARIABLES 这个集合中。通过 tf.global_variables()函数可以拿到当前计算图上所有的变量。拿到计算图上所有的变量有助于持久化整个计算图的运行状态，在第 5 章中将更加详细地介绍。当构建机器学习模型时，比如神经网络，可以通过变量声明函数中的 trainable 参数来区分需要优化的参数（比如神经网络中的参数）和其他参数（比如迭代的轮数）。如果声明变量时参数 trainable 为 True，那么这个变量将会被加入到 GraphKeys.TRAINABLE_VARIABLES 集合。在 TensorFlow 中可以通过 tf.trainable_variables 函数得到所有需要优化的参数。TensorFlow 中提供的神经网络优化算法会将 GraphKeys.TRAINABLE_VARIABLES 集合中的变量作为默认的优化对象。

类似张量，维度（shape）和类型（type）也是变量最重要的两个属性。和大部分程序语言类似，变量的类型是不可改变的。一个变量在构建之后，它的类型就不能再改变了。比如在上面给出的前向传播样例中，w1 的类型为 random_normal 结果的默认类型 tf.float32，那么它将不能被赋予其他类型的值。以下代码将会报出类型不匹配的错误。

```
w1 = tf.Variable(tf.random_normal([2, 3], stddev=1), name="w1")
w2 = tf.Variable(tf.random_normal([2, 3], dtype=tf.float64, stddev=1),
                 name="w2")
w1.assign(w2)

'''
程序将报错:
TypeError: Input 'value' of 'Assign' Op has type float64 that does not match
type float32 of argument 'ref'.
'''
```

维度是变量另一个重要的属性。和类型不大一样的是，维度在程序运行中是有可能改变的，但是需要通过设置参数 validate_shape=False。下面给出了一段示范代码。

```
w1 = tf.Variable(tf.random_normal([2, 3], stddev=1), name="w1")
w2 = tf.Variable(tf.random_normal([2, 2], stddev=1), name="w2")
# 下面这句会报维度不匹配的错误:
# ValueError: Dimension 1 in both shapes must be equal, but are 3 and 2
# for 'Assign_1' (op: 'Assign') with input shapes: [2,3], [2,2].
tf.assign(w1, w2)
# 这一句可以被成功执行。
tf.assign(w1, w2, validate_shape=False)
```

虽然 TensorFlow 支持更改变量的维度，但是这种用法在实践中比较罕见。

3.4.4　通过 TensorFlow 训练神经网络模型

3.4.3 节介绍了如何通过 TensorFlow 变量来表示神经网络中的参数，并给出了一个样例程序来完成神经网络的前向传播过程。在这个样例程序中，所有变量的取值都是随机的。在使用神经网络解决实际的分类或者回归问题时（比如判断一个零件是否合格）需要更好地设置参数取值。这一节将简单介绍使用监督学习的方式来更合理地设置参数取值，同时也将给出 TensorFlow 程序来完成这个过程。设置神经网络参数的过程就是神经网络的训练过程。只有经过有效训练的神经网络模型才可以真正地解决分类或者回归问题。图 3-8 对比了训练之前和训练之后神经网络模型的分类效果。从图中可以看出，模型在训练之前是完全无法区分黑色点和灰色点的，但经过训练之后区分效果已经很好了。

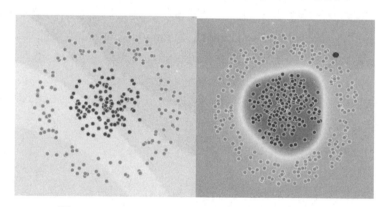

图 3-8　TensorFlow 游乐场训练前和训练后效果对比

使用监督学习的方式设置神经网络参数需要有一个标注好的训练数据集。以判断零件是否合格为例，这个标注好的训练数据集就是收集的一批合格零件和一批不合格零件。在图 3-8 中，图上黑色点和灰色点代表的就是训练数据集，而平面上或深或浅的颜色表示了神经网络模型做出的判断。如 3.4.1 节所介绍的，一个地方的颜色越深，那么表示神经网络模型对它的判断越有信心。[①]左侧的图片显示的是一个神经网络在训练之前的分类效果，这时所有变量的取值都是随机数。可以看到这个平面上的颜色都很浅，而且完全区分不出灰色点和黑色点。右侧图片显示了经过训练后的神经网络的情况。可以看到图上黑色点和灰

---

① 在 TensorFlow 游乐场有两种颜色，一种黄色（文中浅色部分），一种蓝色（文中深色部分）。任意一种颜色越深，都代表判断的信心越大。

色点可以很清晰地被区分开来，而且除了中间有一圈是浅色的，其他地方神经网络都可以给出非常确定的答案。

　　监督学习最重要的思想就是，在已知答案的标注数据集上，模型给出的预测结果要尽量接近真实的答案。通过调整神经网络中的参数对训练数据进行拟合，可以使得模型对未知的样本提供预测的能力。图 3-8 中右侧图片中右上角的深色点就很有可能和灰色点有相同的标签。如果灰色点代表不合格的零件，那么这个深色点所代表的零件应该也不合格。

　　在神经网络优化算法中，最常用的方法是反向传播算法（backpropagation）。反向传播算法的具体工作原理将在下面的 4.3 节中详述。本节将主要介绍训练神经网络的整体流程以及 TensorFlow 对于这个流程的支持。图 3-9 展示了使用反向传播算法训练神经网络的流程图。

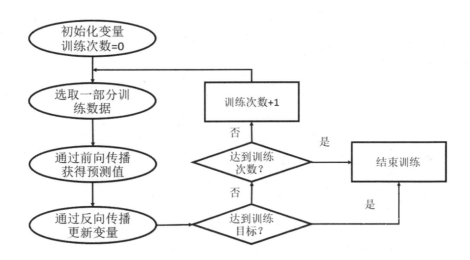

图 3-9　神经网络反向传播优化流程图

　　从图 3-9 中可以看出，反向传播算法实现了一个迭代的过程。在每次迭代的开始，首先需要选取一小部分训练数据，这一小部分数据叫做一个 batch。然后，这个 batch 的样例会通过前向传播算法得到神经网络模型的预测结果。因为训练数据都是有正确答案标注的，所以可以计算出当前神经网络模型的预测答案与正确答案之间的差距。最后，基于预测值和真实值之间的差距，反向传播算法会相应更新神经网络参数的取值，使得在这个 batch 上神经网络模型的预测结果和真实答案更加接近。

　　通过 TensorFlow 实现反向传播算法的第一步是使用 TensorFlow 表达一个 batch 的数据。在 3.4.3 节中尝试过使用常量来表达过一个样例：

```
x = tf.constant([[0.7, 0.9]])
```

　　但如果每轮迭代中选取的数据都要通过常量来表示，那么 TensorFlow 的计算图将会太大。因为每生成一个常量，TensorFlow 都会在计算图中增加一个节点。一般来说，一个神经网络的训练过程会需要经过几百万轮甚至几亿轮的迭代，这样计算图就会非常大，而且利用率很低。为了避免这个问题，TensorFlow 提供了 placeholder 机制用于提供输入数据。placeholder 相当于定义了一个位置，这个位置中的数据在程序运行时再指定。这样在程序中就不需要生成大量常量来提供输入数据，而只需要将数据通过 placeholder 传入 TensorFlow 计算图。在 placeholder 定义时，这个位置上的数据类型是需要指定的。和其他张量一样，placeholder 的类型也是不可以改变的。placeholder 中数据的维度信息可以根据提供的数据推导得出，所以不一定要给出。下面给出了通过 placeholder 实现前向传播算法的代码。

```
import tensorflow as tf

w1 = tf.Variable(tf.random_normal([2, 3], stddev=1))
w2 = tf.Variable(tf.random_normal([3, 1], stddev=1))

# 定义 placeholder 作为存放输入数据的地方。这里维度也不一定要定义。
# 但如果维度是确定的，那么给出维度可以降低出错的概率。
x = tf.placeholder(tf.float32, shape=(1, 2), name="input")
a = tf.matmul(x, w1)
y = tf.matmul(a, w2)

sess = tf.Session()
init_op = tf.global_variables_initializer()
sess.run(init_op)

# 下面一行将报错：InvalidArgumentError: You must feed a value for placeholder
# tensor 'input_1' with dtype float and shape [1,2]
print(sess.run(y))

# 下面一行将会得到和 3.4.2 节中一样的输出结果：[[3.95757794]]
print(sess.run(y, feed_dict={x: [[0.7,0.9]]}))
```

　　在这段程序中替换了原来通过常量定义的输入 x。在新的程序中计算前向传播结果时，需要提供一个 feed_dict 来指定 x 的取值。feed_dict 是一个字典（map），在字典中需要给出每个用到的 placeholder 的取值。如果某个需要的 placeholder 没有被指定取值，那么程序在运行时将会报错。

　　以上程序只计算了一个样例的前向传播结果，但如图 3-9 所示，在训练神经网络时需要每次提供一个 batch 的训练样例。对于这样的需求，placeholder 也可以很好地支持。在上面的样例程序中，如果将输入的 1×2 矩阵改为 $n \times 2$ 的矩阵，那么就可以得到 n 个样例的前向传播结果了。其中 $n \times 2$ 的矩阵的每一行为一个样例数据。这样前向传播的结果为 $n \times 1$ 的矩阵，这个矩阵的每一行就代表了一个样例的前向传播结果。以下代码给出了一个示例。

```
x = tf.placeholder(tf.float32, shape=(3, 2), name="input")
… # 中间部分和上面的样例程序一样。

# 因为 x 在定义时指定了 n 为 3，所以在运行前向传播过程时需要提供 3 个样例数据。
print(sess.run(y, feed_dict={x: [[0.7,0.9], [0.1,0.4], [0.5,0.8]]}))

'''
输出结果为：
[[ 3.95757794]
 [ 1.15376544]
 [ 3.16749191]]
'''
```

以上样例展示了一次性计算多个样例的前向传播结果。在运行时，需要将三个样例 [0.7,0.9]、[0.1,0.4] 和 [0.5,0.8] 组成一个 3×2 的矩阵传入 placeholder。计算得到的结果为 3×1 的矩阵。其中第一行 3.95757794 为样例 [0.7,0.9] 的前向传播结果；1.15376544 为样例 [0.1,0.4] 的前向传播结果；3.16749191 为样例 [0.5,0.8] 的前向传播结果。

在得到一个 batch 的前向传播结果之后，需要定义一个损失函数来刻画当前的预测值和真实答案之间的差距。然后通过反向传播算法来调整神经网络参数的取值使得差距可以被缩小。损失函数和反向传播算法将在第 4 章中更加详细地介绍。以下代码定义了一个简单的损失函数，并通过 TensorFlow 定义了反向传播的算法。

```
# 使用 sigmoid 函数将 y 转换为 0～1 之间的数值。转换后 y 代表预测是正样本的概率，1-y 代表
# 预测是负样本的概率。
y=tf.sigmoid(y)
# 定义损失函数来刻画预测值与真实值得差距。
cross_entropy = -tf.reduce_mean(
    y_ * tf.log(tf.clip_by_value(y, 1e-10, 1.0))
    +(1-y)*tf.log(tf.clip_by_value(1-y, 1e-10, 1.0)))
# 定义学习率，在第 4 章中将更加具体的介绍学习率。
learning_rate = 0.001
# 定义反向传播算法来优化神经网络中的参数。
train_step =\
    tf.train.AdamOptimizer(learning_rate).minimize(cross_entropy)
```

在以上代码中，cross_entropy 定义了真实值和预测值之间的交叉熵[1]（cross entropy），这是分类问题中一个常用的损失函数。第二行 train_step 定义了反向传播的优化方法。目前 TensorFlow 支持 10 种不同的优化器，读者可以根据具体的应用选择不同的优化算法。比较常用的优化方法有三种：tf.train.GradientDescentOptimizer、tf.train.AdamOptimizer 和 tf.train.MomentumOptimizer。在定义了反向传播算法之后，通过运行 sess.run(train_step)就可以对所有在 GraphKeys.TRAINABLE_VARIABLES 集合中的变量[2]进行优化，使得在当前 batch 下损失函数更小。下面的 3.4.5 节将给出一个完整的训练神经网络样例程序。

3.4.5　完整神经网络样例程序

本节将在一个模拟数据集上训练神经网络。下面给出了一个完整的程序来训练神经网络解决二分类问题。

```python
import tensorflow as tf

# NumPy 是一个科学计算的工具包，这里通过 NumPy 工具包生成模拟数据集。
from numpy.random import RandomState

# 定义训练数据 batch 的大小。
batch_size = 8

# 定义神经网络的参数，这里还是沿用 3.4.2 小节中给出的神经网络结构。
w1 = tf.Variable(tf.random_normal([2, 3], stddev=1, seed=1))
w2 = tf.Variable(tf.random_normal([3, 1], stddev=1, seed=1))

# 在 shape 的一个维度上使用 None 可以方便使用不同的 batch 大小。在训练时需要把数据分
# 成比较小的 batch，但是在测试时，可以一次性使用全部的数据。当数据集比较小时这样比较
# 方便测试，但数据集比较大时，将大量数据放入一个 batch 可能会导致内存溢出。
x = tf.placeholder(tf.float32, shape=(None, 2), name='x-input')
y_ = tf.placeholder(tf.float32, shape=(None, 1), name='y-input')

# 定义神经网络前向传播的过程。
a = tf.matmul(x, w1)
y = tf.matmul(a, w2)

# 定义损失函数和反向传播的算法。
y=tf.sigmoid(y)
```

---

[1] 在第 4 章中将更加具体地介绍交叉熵损失函数。

[2] TensorFlow 计算图中集合的概念在 3.1.2 小节有介绍。

```
cross_entropy = -tf.reduce_mean(
    y_ * tf.log(tf.clip_by_value(y, 1e-10, 1.0))
    +(1-y)*tf.log(tf.clip_by_value(1-y, 1e-10, 1.0)))
train_step = tf.train.AdamOptimizer(0.001).minimize(cross_entropy)

# 通过随机数生成一个模拟数据集。
rdm = RandomState(1)
dataset_size = 128
X = rdm.rand(dataset_size, 2)
# 定义规则来给出样本的标签。在这里所有 x1+x2<1 的样例都被认为是正样本（比如零件合格），
# 而其他为负样本（比如零件不合格）。和 TensorFlow 游乐场中的表示法不大一样的地方是，
# 在这里使用 0 来表示负样本，1 来表示正样本。大部分解决分类问题的神经网络都会采用
# 0 和 1 的表示方法。
Y = [[int(x1+x2 < 1)] for (x1, x2) in X]

# 创建一个会话来运行 TensorFlow 程序。
with tf.Session() as sess:
    init_op = tf.global_variables_initializer()
    # 初始化变量。
    sess.run(init_op)

    print sess.run(w1)
    print sess.run(w2)
    '''
    在训练之前神经网络参数的值：
    w1 = [[-0.81131822, 1.48459876, 0.06532937]
          [-2.44270396, 0.0992484, 0.59122431]]
    w2 = [[-0.81131822], [1.48459876], [0.06532937]]
    '''

    # 设定训练的轮数。
    STEPS = 5000
    for i in range(STEPS):
        # 每次选取 batch_size 个样本进行训练。
        start = (i * batch_size) % dataset_size
        end =  min(start+batch_size, dataset_size)

        # 通过选取的样本训练神经网络并更新参数。
        sess.run(train_step,
                feed_dict={x: X[start:end], y_: Y[start:end]})
        if i % 1000 == 0:
            # 每隔一段时间计算在所有数据上的交叉熵并输出。
            total_cross_entropy = sess.run(
                cross_entropy, feed_dict={x: X, y_: Y})
```

```
        print("After %d training step(s), cross entropy on all data is %g" %
              (i, total_cross_entropy))
'''
输出结果：
After 0 training step(s), cross entropy on all data is 1.89805
After 1000 training step(s), cross entropy on all data is 0.655075
After 2000 training step(s), cross entropy on all data is 0.626172
After 3000 training step(s), cross entropy on all data is 0.615096
After 4000 training step(s), cross entropy on all data is 0.610309

通过这个结果可以发现随着训练的进行，交叉熵是逐渐变小的。交叉熵越小说明
预测的结果和真实的结果差距越小。
'''

print sess.run(w1)
print sess.run(w2)
'''
在训练之后神经网络参数的值：
w1 = [[0.02476984, 0.5694868, 1.69219422]
      [-2.19773483, -0.23668921, 1.11438966]]
w2 = [[-0.45544702], [0.49110931], [-0.9811033]]

可以发现这两个参数的取值已经发生了变化，这个变化就是训练的结果。
它使得这个神经网络能更好地拟合提供的训练数据。
'''
```

以上程序实现了训练神经网络的全部过程。从这段程序可以总结出训练神经网络的过程可以分为以下三个步骤：

1．定义神经网络的结构和前向传播的输出结果。

2．定义损失函数以及选择反向传播优化的算法。

3．生成会话（tf.Session）并且在训练数据上反复运行反向传播优化算法。

无论神经网络的结构如何变化，这三个步骤是不变的。

小结

本章首先介绍了 TensorFlow 里最基本的三个概念——计算图（tf.Graph）、张量（tf.Tensor）和会话（tf.Session）。在 3.1 节中，介绍了 TensorFlow 中计算图的概念。计算图是 TensorFlow 的计算模型，所有 TensorFlow 的程序都会通过计算图的形式表示。计算图上的每一个节点都是一个运算，而计算图上的边则表示了运算之间的数据传递关系。计算图

上还保存了运行每个运算的设备信息（比如是通过 CPU 上还是 GPU 运行）以及运算之间的依赖关系。计算图提供了管理不同集合的功能，并且 TensorFlow 会自动维护 5 个不同的默认集合。3.2 节介绍了张量的概念。张量是 TensorFlow 的数据模型，TensorFlow 中所有运算的输入、输出都是张量。张量本身并不存储任何数据，它只是对运算结果的引用。通过张量，可以更好地组织 TensorFlow 程序。接着 3.3 节介绍了 TensorFlow 中的会话。会话是 TensorFlow 的运算模型，它管理了一个 TensorFlow 程序拥有的系统资源，所有的运算都要通过会话执行。

　　本章的最后一节介绍了如何使用 TensorFlow 来实现神经网络的训练过程。首先 3.4.1 节结合 TensorFlow 游乐场简单介绍了神经网络的大致功能，并介绍了使用神经网络的几个主要步骤。然后在接下来的 3.4.2 到 3.4.4 节中，依次介绍了神经网络的前向传播算法、神经网络中的参数在 TensorFlow 中的表示以及神经网络的反向传播优化算法框架。综合这 3 个小节的内容，最后 3.4.5 节给出了一个完整的 TensorFlow 程序来训练神经网络。在下面的第 4 章中，将更加深入地介绍设计和优化神经网络中的细节。

第 4 章　深层神经网络

第 3 章介绍了 TensorFlow 的主要概念，并且给出了一个完整的 TensorFlow 程序来训练神经网络。在这一章中，将进一步介绍如何设计和优化神经网络，使它能够更好地对未知的样本进行预测。首先在 4.1 节中，将介绍深度学习与深层神经网络的概念，并给出一个实际的样例来说明深层神经网络可以解决部分浅层神经网络解决不了的问题。然后在 4.2 节中，将介绍如何设定神经网络的优化目标。这个优化目标也就是损失函数。这一节将分别介绍分类问题和回归问题中比较常用的几种损失函数。除了使用经典的损失函数，在这一节中将给出一个样例来讲解如何通过对损失函数的设置，使神经网络优化的目标更加接近实际问题的需求。接着，4.3 节将更加详细地介绍神经网络的反向传播算法，并且给出一个 TensorFlow 框架来实现反向传播的过程。在对神经网络优化有了进一步了解之后，最后 4.4 节将介绍在神经网络优化中经常遇到的几个问题，并且给出解决这些问题的具体方法。

4.1　深度学习与深层神经网络

维基百科对深度学习的精确定义为"一类通过多层非线性变换对高复杂性数据建模算法的合集"。[①]因为深层神经网络是实现"多层非线性变换"最常用的一种方法，所以在实际中基本上可以认为深度学习就是深层神经网络的代名词。从维基百科给出的定义可以看出，深度学习有两个非常重要的特性——多层和非线性。那么为什么要强调这两个性质？本节将给出详细的解释，并将通过具体样例来说明这两点在对复杂问题建模时是缺一不可的。4.1.1 节将先介绍线性变换存在的问题，以及为什么要在深度学习的定义中强调"复杂问题"。然后在 4.1.2 节中，将介绍如何实现去线性化，并给出 TensorFlow 程序来实现去线性化的功能。最后 4.1.3 节将介绍具体样例来说明深层网络比浅层网络可以解决更多的问题。

---

① 具体定义可以参考维基百科：https://en.wikipedia.org/wiki/Deep_learning。

4.1.1 线性模型的局限性

在线性模型中，模型的输出为输入的加权和。假设一个模型的输出 y 和输入 x_i 满足以下关系，那么这个模型就是一个线性模型。

$$y = \sum_i w_i x_i + b$$

其中 $w_i, b \in R$ 为模型的参数。被称之为线性模型是因为当模型的输入只有一个的时候，x 和 y 形成了二维坐标系上的一条直线。类似地，当模型有 n 个输入时，x 和 y 形成了 $n+1$ 维空间中的一个平面。而一个线性模型中通过输入得到输出的函数被称之为一个线性变换。上面的公式就是一个线性变换。线性模型的最大特点是任意线性模型的组合仍然还是线性模型。细心的读者可能已经注意到了，3.4.2 节中所介绍的前向传播算法实现的就是一个线性模型。在 3.4.2 节中，前向传播的计算公式为：

$$a^{(1)} = xW^{(1)}, y = a^{(1)}W^{(2)}$$

其中 x 为输入，W 为参数。整理一下以上公式可以得到整个模型的输出为：

$$y = (xW^{(1)})W^{(2)}$$

根据矩阵乘法的结合律有：

$$y = x(W^{(1)}W^{(2)}) = xW'$$

而 $W^{(1)}W^{(2)}$ 其实可以被表示为一个新的参数 W'：

$$W' = W^{(1)}W^{(2)} = \begin{bmatrix} W_{1,1}^{(1)} & W_{1,2}^{(1)} & W_{1,3}^{(1)} \\ W_{2,1}^{(1)} & W_{2,2}^{(1)} & W_{2,3}^{(1)} \end{bmatrix} \begin{bmatrix} W_{1,1}^{(2)} \\ W_{2,1}^{(2)} \\ W_{3,1}^{(2)} \end{bmatrix} = \begin{bmatrix} W_{1,1}^{(1)}W_{1,1}^{(2)} + W_{1,2}^{(1)}W_{2,1}^{(2)} + W_{1,3}^{(1)}W_{3,1}^{(2)} \\ W_{2,1}^{(1)}W_{1,1}^{(2)} + W_{2,2}^{(1)}W_{2,1}^{(2)} + W_{2,3}^{(1)}W_{3,1}^{(2)} \end{bmatrix} = \begin{bmatrix} W_1' \\ W_2' \end{bmatrix}$$

这样输入和输出的关系就可以表示为：

$$y = xW' = \begin{bmatrix} x_1 & x_2 \end{bmatrix} \begin{bmatrix} W_1' \\ W_2' \end{bmatrix} = [W_1'x_1 + W_2'x_2]$$

其中 W' 是新的参数。这个前向传播的算法完全符合线性模型的定义。从这个例子可以看到，虽然这个神经网络有两层（不算输入层），但是它和单层的神经网络并没有区别。以此类推，只通过线性变换，任意层的全连接神经网络和单层神经网络模型的表达能力没有任何区别，而且它们都是线性模型。然而线性模型能够解决的问题是有限的，这就是线性模型最大的局限性，也是为什么深度学习要强调非线性。在下面的篇幅中，将通过 TensorFlow 游乐场给出一个具体的例子来验证线性模型的局限性。

还是以判断零件是否合格为例，输入为 x_1 和 x_2，其中 x_1 代表一个零件质量和平均质量的差，x_2 代表一个零件长度和平均长度的差。假设一个零件的质量及长度离平均质量及长度越近，那么这个零件越有可能合格。于是训练数据很有可能服从图 4-1 所示的分布。

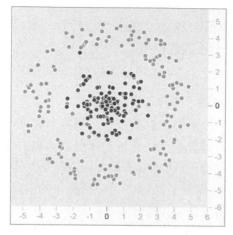

图 4-1　零件合格问题数据分布示意图

　　图 4-1 上黑色的点代表合格的零件，而灰色的点代表不合格的零件。可以看到虽然黑色和灰色的点有一些重合，但是大部分代表合格零件的黑色点都在原点(0,0)的附近，而代表不合格零件的灰点都在离原点相对远的地方。这样的分布比较接近真实问题，因为大部分真实的问题都存在大致的趋势，但是很难甚至无法完全正确地区分不同的类别。图 4-2 显示了使用 TensorFlow 游乐场训练线性模型解决这个问题的效果。

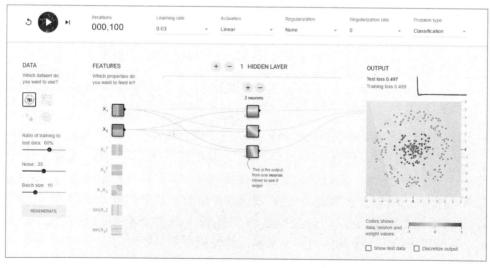

图 4-2　使用线性模型解决线性不可分问题的效果

图 4-2 使用的模型有一个隐藏层，并且在顶部激活函数[①]（Activation）那一栏中选择了线性（Linear），这和 3.4.1 节中介绍的神经网络结构是基本一致的。通过 TensorFlow 游乐场对这个模型训练 100 轮之后，在最右边那一栏可以看到训练的结果。从图 4-2 上可以看出，这个模型并不能很好地区分灰色的点和黑色的点。虽然整个平面的颜色都比较浅，但是中间还是隐约有一条分界线，这说明这个模型只能通过直线来划分平面。如果一个问题可以通过一条直线来划分，那么线性模型就可以用来解决这个问题。图 4-3 显示了一个可以通过直线划分的数据。

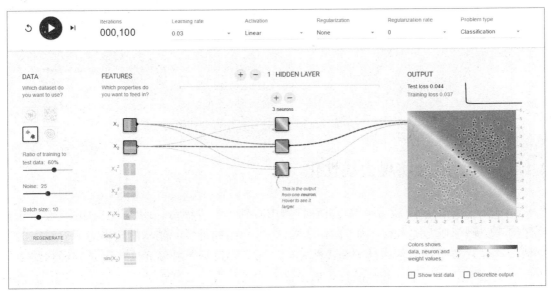

图 4-3　使用线性模型解决线性可分问题的效果

从图 4-3 中可以看出，在线性可分问题中，线性模型就能很好区分不同颜色的点。因为线性模型就能解决线性可分问题，所以在深度学习的定义中特意强调它的目的为解决更加复杂的问题。所谓复杂问题，至少是无法通过直线（或者高维空间的平面）划分的。在现实世界中，绝大部分的问题都是无法线性分割的。回到判断零件是否合格的问题，如果将激活函数换成非线性的，那么可以得到如图 4-4 所示的结果。在这个样例中使用了 ReLU 激活函数。使用其他非线性激活函数也可以得到类似的效果。从图 4-4 中可以看出，当加入非线性的元素之后，神经网络模型就可以很好地区分不同颜色的点了。

---

① 4.1.2 节将详细介绍激活函数。

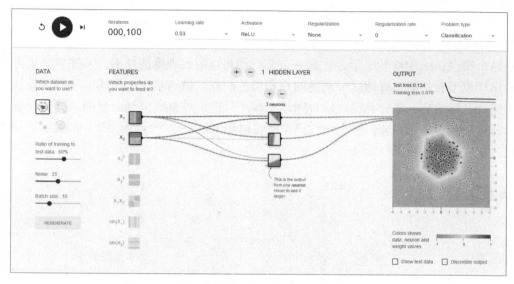

图 4-4　使用非线性模型解决线性不可分问题的效果

4.1.2　激活函数实现去线性化

4.1.1 节已经提到过激活函数，并在样例中看到了它"神奇"的作用。在这一个节中，将详细介绍激活函数是如何工作的。在 3.4.2 节中介绍的神经元结构的输出为所有输入的加权和，这导致整个神经网络是一个线性模型。如果将每一个神经元（也就是神经网络中的节点）的输出通过一个非线性函数，那么整个神经网络的模型也就不再是线性的了。这个非线性函数就是激活函数。图 4-5 显示了加入激活函数和偏置项之后的神经元结构。

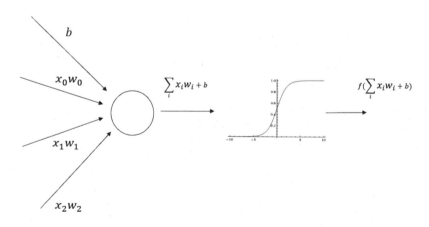

图 4-5　加入偏置项和激活函数的神经元结构示意图

以下公式给出了 3.4.2 节中神经网络结构加上激活函数和偏置项后的前向传播算法的数学定义：

$$A_1 = [a_{11}, a_{12}, a_{13}] = f(xW^{(1)} + b) = f\left([x_1, x_2]\begin{bmatrix} W_{1,1}^{(1)} & W_{1,2}^{(1)} & W_{1,3}^{(1)} \\ W_{2,1}^{(1)} & W_{2,2}^{(1)} & W_{2,3}^{(1)} \end{bmatrix} + [b_1 \quad b_2 \quad b_3]\right)$$

$$= f([W_{1,1}^{(1)}x_1 + W_{2,1}^{(1)}x_2 + b_1, W_{1,2}^{(1)}x_1 + W_{2,2}^{(1)}x_2 + b_2, W_{1,3}^{(1)}x_1 + W_{2,3}^{(1)}x_2 + b_3])$$

$$= [f(W_{1,1}^{(1)}x_1 + W_{2,1}^{(1)}x_2 + b_1), f(W_{1,2}^{(1)}x_1 + W_{2,2}^{(1)}x_2 + b_2), f(W_{1,3}^{(1)}x_1 + W_{2,3}^{(1)}x_2 + b_3)]$$

相比 3.4.2 节中的定义，上面的定义主要有两个改变。第一个改变是新的公式中增加了偏置项（bias），偏置项是神经网络中非常常用的一种结构。第二个改变就是每个节点的取值不再是单纯的加权和。每个节点的输出在加权和的基础上还做了一个非线性变换。图 4-6 显示了几种常用的非线性激活函数的函数图像。

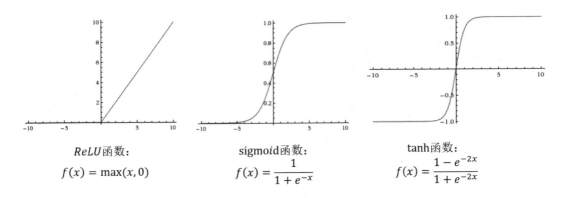

ReLU函数：
$$f(x) = \max(x, 0)$$

sigmoid函数：
$$f(x) = \frac{1}{1 + e^{-x}}$$

tanh函数：
$$f(x) = \frac{1 - e^{-2x}}{1 + e^{-2x}}$$

图 4-6 常用的神经网络激活函数的函数图像

从图 4-6 中可以看出，这些激活函数的函数图像都不是一条直线。所以通过这些激活函数，每一个节点不再是线性变换，于是整个神经网络模型也就不再是线性的了。图 4-7 给出了加入偏置项和 ReLU 激活函数之后，3.4.2 节中神经网络的结构。

从图 4-7 中可以看出，偏置项可以被表达为一个输出永远为 1 的节点。以下公式给出了这个新的神经网络模型前向传播算法的计算方法。

隐藏层推导公式：

$$a_{11} = f(W_{1,1}^{(1)}x_1 + W_{2,1}^{(1)}x_2 + b_1^{(1)}) = f(0.7 \times 0.2 + 0.9 \times 0.3 + (-0.5)) = f(-0.09) = 0$$

$$a_{12} = f(W_{1,2}^{(1)}x_1 + W_{2,2}^{(1)}x_2 + b_2^{(1)}) = f(0.7 \times 0.1 + 0.9 \times (-0.5) + 0.1) = f(-0.28) = 0$$

$$a_{13} = f(W_{1,3}^{(1)}x_1 + W_{2,3}^{(1)}x_2 + b_3^{(1)}) = f(0.7 \times 0.4 + 0.9 \times 0.2 + (-0.1)) = f(0.36) = 0.36$$

输出层推导公式：

$$Y = f\left(W_{1,1}^{(2)}a_{11} + W_{2,1}^{(2)}a_{12} + W_{3,1}^{(2)}a_{13} + b_1^{(2)}\right) = f(0 \times 0.6 + 0 \times 0.1 + 0.36 \times (-0.2) + 0.1)$$

$$= f(0 + 0 + (-0.072) + 0.1) = f(0.028) = 0.028$$

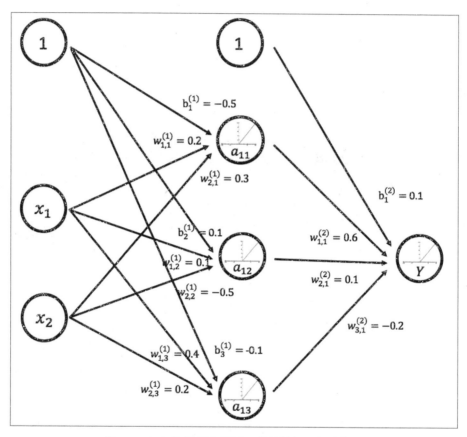

图 4-7　加入偏置项和激活函数的神经网络结构图

目前 TensorFlow 提供了 7 种不同的非线性激活函数，tf.nn.relu、tf.sigmoid 和 tf.tanh 是其中比较常用的几个。当然，TensorFlow 也支持使用自己定义的激活函数。以下代码展示了如何通过 TensorFlow 实现图 4-7 中神经网络的前向传播算法。

```
a = tf.nn.relu(tf.matmul(x, w1) + biases1)
y = tf.nn.relu(tf.matmul(a, w2) + biases2)
```

从以上代码可以看出，TensorFlow 可以很好地支持使用了激活函数和偏置项的神经网络。

4.1.3　多层网络解决异或运算

上面的两个小节详细讲解了线性变换的问题。在这一节中，将通过一个实际问题来讲解深度学习的另外一个重要性质——多层变换。在神经网络的发展史上，一个很重要的问题就是异或问题。神经网络的理论模型由 Warren McCulloch 和 Walter Pitts 在 1943 年首次提出，并在 1958 年由 Frank Rosenblatt 提出了感知机（perceptron）模型，从数学上完成了对神经网络的精确建模。感知机可以简单地理解为单层的神经网络，图 4-5 中给出的神经元结构就是感知机的网络结构。

感知机会先将输入进行加权和，然后再通过 4.1.2 节中介绍的激活函数最后得到输出。这个结构就是一个没有隐藏层的神经网络。在上个世纪 60 年代，神经网络作为对人类大脑的模拟算法受到了很多关注。然而到了 1969 年，Marvin Minsky 和 Seymour Papert 在 *Perceptrons: An Introduction to Computational Geometry* 一书中提出感知机是无法模拟异或运算的。①这里略去复杂的数学求证过程，而是通过 TensorFlow 游乐场来模拟一下通过感知机的网络结构来模拟异或运算。图 4-8 显示了通过 TensorFlow 游乐场训练 500 轮之后的情况。

图 4-8　使用单层神经网络解决异或问题的效果图

图 4-8 使用了一个能够模拟异或运算的数据集。异或运算直观来说就是如果两个输入的符号相同时（同时为正或者同时为负）则输出为 0，否则（一个正一个负）输出为 1。从

图 4-8 中可以看出，左下角（两个输入同时为负）和右上角（两个输入同时为正）的点为黑色，而另外两个象限的点为灰色，这就符合异或运算的计算规则。图 4-8 中将隐藏层的层数设置为 0，这样就模拟了感知机的模型。通过 500 轮训练之后，可以看到这个感知机模型并不能将两种不同颜色的点分开，也就是说感知机无法模拟异或运算的功能。

当加入隐藏层之后，异或问题就可以得到很好地解决。图 4-9 显示了一个有 4 个节点隐藏层的神经网络在训练 500 轮之后的效果。在图 4-9 中，除了可以看到最右边的输出节点可以很好地区分不同颜色的点，更加有意思的是，隐藏层的 4 个节点中，每个节点都有一个角是黑色的。这 4 个隐藏节点可以被认为代表了从输入特征中抽取的更高维的特征。比如第一个节点可以大致代表两个输入的逻辑与操作的结果（当两个输入都为正数时该节点输出为正数）。从这个例子中可以看到，深层神经网络实际上有组合特征提取的功能。这个特性对于解决不易提取特征向量的问题（比如图片识别、语音识别等）有很大帮助。这也是深度学习在这些问题上更加容易取得突破性进展的原因。

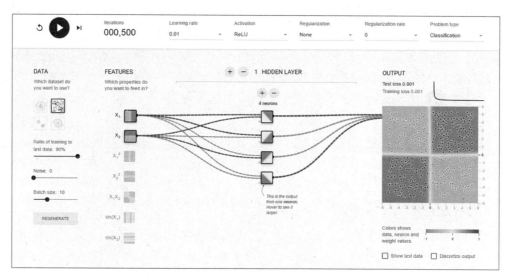

图 4-9　使用深层神经网络解决异或问题

4.2　损失函数定义

4.1 节介绍了深度学习的一些性质，并且通过这些性质讲解了如何构造一个更加有效的神经网络。本节将具体介绍如何刻画不同神经网络模型的效果。神经网络模型的效果以及优化的目标是通过损失函数（loss function）来定义的。在 4.2.1 节中，将讲解适用于分类问题和回归问题的经典损失函数，并通过 TensorFlow 实现这些损失函数。在 4.2.2 节中，将介绍如何根据具体问题定义损失函数，并通过具体样例来说明不同损失函数对训练结果的影响。

4.2.1　经典损失函数

分类问题和回归问题是监督学习的两大种类。这一节将分别介绍分类问题和回归问题中使用到的经典损失函数。分类问题希望解决的是将不同的样本分到事先定义好的类别中。比如在第 3 章中介绍的判断一个零件是否合格的问题就是一个二分类问题。在这个问题中，需要将样本（也就是零件）分到合格或是不合格两个类别中。在 4.3 节中介绍的手写体数字识别问题可以被归纳成一个十分类问题。手写体数字识别问题可以被看成将一张包含了数字的图片分类到 0~9 这 10 个数字中。

在解决判断零件是否合格的二分类问题时，在第 3 章中定义过一个有单个输出节点的神经网络。当这个节点的输出越接近 0 时，这个样本越有可能是不合格的；反之如果输出越接近 1，则这个样本越有可能是合格的。为了给出具体的分类结果，可以取 0.5 作为阈值。凡是输出大于 0.5 的样本都认为是合格的，小于 0.5 的则是不合格的。然而这样的做法并不容易直接推广到多分类的问题。虽然设置多个阈值在理论上是可能的，但在解决实际问题的过程中一般不会这么处理。

通过神经网络解决多分类问题最常用的方法是设置 n 个输出节点，其中 n 为类别的个数。对于每一个样例，神经网络可以得到的一个 n 维数组作为输出结果。数组中的每一个维度（也就是每一个输出节点）对应一个类别。在理想情况下，如果一个样本属于类别 k，那么这个类别所对应的输出节点的输出值应该为 1，而其他节点的输出都为 0。以识别数字 1 为例，神经网络模型的输出结果越接近[0,1,0,0,0,0,0,0,0,0]越好。那么如何判断一个输出向量和期望的向量有多接近呢？交叉熵（cross entropy）是常用的评判方法之一。交叉熵刻画了两个概率分布之间的距离，它是分类问题中使用比较广的一种损失函数。

交叉熵是一个信息论中的概念，它原本是用来估算平均编码长度的。在本书中不过多讨论它原本的意义，而会通过它的公式以及具体的样例来讲解它对于评估分类效果的意义。给定两个概率分布 p 和 q，通过 q 来表示 p 的交叉熵为：

$$H(p,q) = -\sum_x p(x)\log q(x)$$

注意交叉熵刻画的是两个概率分布之间的距离，然而神经网络的输出却不一定是一个概率分布。概率分布刻画了不同事件发生的概率。当事件总数有限的情况下，概率分布函数 $p(X=x)$ 满足：

$$\forall x \quad p(X=x) \in [0,1] \text{且} \sum_x p(X=x) = 1$$

也就是说，任意事件发生的概率都在 0 和 1 之间，且总有某一个事件发生（概率的和为 1）。如果将分类问题中"一个样例属于某一个类别"看成一个概率事件，那么训练数据的正确答案就符合一个概率分布。因为事件"一个样例属于不正确的类别"的概率为 0，而"一个样例属于正确的类别"的概率为 1。如何将神经网络前向传播得到的结果也变成概率分布呢？Softmax 回归就是一个非常常用的方法。

Softmax 回归本身可以作为一个学习算法来优化分类结果，但在 TensorFlow 中，Softmax 回归的参数被去掉了，它只是一层额外的处理层，将神经网络的输出变成一个概率分布。图 4-10 展示了加上了 Softmax 回归的神经网络结构图。

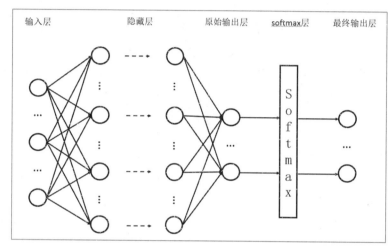

图 4-10　通过 Softmax 层将神经网络输出变成一个概率分布

假设原始的神经网络输出为 $y_1, y_2, \dots, y_n$，那么经过 Softmax 回归处理之后的输出为：

$$softmax(y)_i = y_i' = \frac{e^{yi}}{\sum_{j=1}^{n} e^{yj}}$$

从以上公式中可以看出，原始神经网络的输出被用作置信度来生成新的输出，而新的输出满足概率分布的所有要求。这个新的输出可以理解为经过神经网络的推导，一个样例为不同类别的概率分别是多大。这样就把神经网络的输出也变成了一个概率分布，从而可以通过交叉熵来计算预测的概率分布和真实答案的概率分布之间的距离了。

从交叉熵的公式中可以看到交叉熵函数不是对称的（$H(p,q) \neq H(q,p)$），它刻画的是通过概率分布 q 来表达概率分布 p 的困难程度。因为正确答案是希望得到的结果，所以当交叉熵作为神经网络的损失函数时，p 代表的是正确答案，q 代表的是预测值。交叉熵刻画的是两个概率分布的距离，也就是说交叉熵值越小，两个概率分布越接近。下面将给出两个具体样例来直观地说明通过交叉熵可以判断预测答案和真实答案之间的距离。假设有一个三分类问题，某个样例的正确答案是（1,0,0）。某模型经过 Softmax 回归之后的预测答案是（0.5,0.4,0.1），那么这个预测和正确答案之间的交叉熵为：

$$H\big((1,0,0),(0.5,0.4,0.1)\big) = -(1 \times log0.5 + 0 \times log0.4 + 0 \times log0.1) \approx 0.3$$

如果另外一个模型的预测是(0.8,0.1,0.1)，那么这个预测值和真实值之间的交叉熵是：

$$H\big((1,0,0),(0.8,0.1,0.1)\big) = -(1 \times log0.8 + 0 \times log0.1 + 0 \times log0.1) \approx 0.1$$

从直观上可以很容易地知道第二个预测答案要优于第一个。通过交叉熵计算得到的结果也是一致的（第二个交叉熵的值更小）。在 3.4.5 节中，已经通过 TensorFlow 实现过交叉熵，其代码实现如下：

```
cross_entropy = -tf.reduce_mean(
    y_ * tf.log(tf.clip_by_value(y, 1e-10, 1.0)))
```

其中 y_ 代表正确结果，y 代表预测结果。本节将更加具体地讲解这个计算过程。这一行代码包含了 4 个不同的 TensorFlow 运算。通过 tf.clip_by_value 函数可以将一个张量中的数值限制在一个范围之内，这样可以避免一些运算错误（比如 $log0$ 是无效的）。下面给出了使用 tf.clip_by_value 的简单样例。

```
v = tf.constant([[1.0, 2.0, 3.0],[4.0,5.0,6.0]])
print tf.clip_by_value(v, 2.5, 4.5).eval()
# 输出[[ 2.5 2.5 3.][ 4. 4.5 4.5]]
```

在以上样例中可以看到，小于 2.5 的数都被换成了 2.5，而大于 4.5 的数都被换成了 4.5。这样通过 tf.clip_by_value 函数就可以保证在进行 log 运算时，不会出现 $log0$ 这样的错误或者大于 1 的概率。第二个运算是 tf.log 函数，这个函数完成了对张量中所有元素依次求对数的功能。以下代码中给出一个简单的样例。

```
v = tf.constant([1.0, 2.0, 3.0])
print tf.log(v).eval()
# 输出[ 0.    0.69314718  1.09861231]
```

第三个运算是乘法，在实现交叉熵的代码中直接将两个矩阵通过"*"操作相乘。这个操作不是矩阵乘法，而是元素之间直接相乘。矩阵乘法需要使用 tf.matmul 函数来完成。下面给出了这两个操作的区别：

```
v1 = tf.constant([[1.0, 2.0], [3.0, 4.0]])
v2 = tf.constant([[5.0, 6.0], [7.0, 8.0]])

print (v1 * v2).eval()
# 输出[[ 5. 12.] [ 21. 32.]]

print tf.matmul(v1, v2).eval()
# 输出[[ 19. 22.] [ 43. 50.]]
```

v1*v2 的结果是每个位置上对应元素的乘积。比如（1,1）这个元素的值是：

$$v1[1,1] \times v2[1,1] = 1 \times 5 = 5$$

（1,2）这个元素的值是：

$$v1[1,2] \times v2[1,2] = 2 \times 6 = 12$$

以此类推。而 tf.matmul 函数完成的是矩阵乘法运算，所以（1,1）这个元素的值是：

$$v1[1,1] \times v2[1,1] + v1[1,2] \times v2[2,1] = 1 \times 5 + 2 \times 7 = 19$$

通过上面这三个运算完成了对于每一个样例中的每一个类别交叉熵 $p(x) \, log \, q(x)$ 的计算。这三步计算得到的结果是一个 n×m 的二维矩阵，其中 n 为一个 batch 中样例的数量，m 为分类的类别数量。根据交叉熵的公式，应该将每行中的 m 个结果相加得到所有样例的交叉熵，然后再对这 n 行取平均得到一个 batch 的平均交叉熵。但因为分类问题的类别数量是不变的，所以可以直接对整个矩阵做平均而并不改变计算结果的意义。这样的方式可以使整个程序更加简洁。以下代码简单展示了 tf.reduce_mean 函数的使用方法。

```
v = tf.constant([[1.0, 2.0, 3.0],[4.0,5.0,6.0]])
print tf.reduce_mean(v).eval()                         # 输出 3.5
```

因为交叉熵一般会与 softmax 回归一起使用，所以 TensorFlow 对这两个功能进行了统一封装，并提供了 tf.nn.softmax_cross_entropy_with_logits 函数。比如可以直接通过以下代码来实现使用了 softmax 回归之后的交叉熵损失函数：

```
cross_entropy = tf.nn.softmax_cross_entropy_with_logits(
    labels=y_, logits=y)
```

其中 y 代表了原始神经网络的输出结果，而 y_ 给出了标准答案。这样通过一个命令就可以得到使用了 Softmax 回归之后的交叉熵。在只有一个正确答案的分类问题中，TensorFlow 提供了 tf.nn.sparse_softmax_cross_entropy_with_logits 函数来进一步加速计算过程。在第 5 章中将提供使用这个函数的完整样例。

与分类问题不同，回归问题解决的是对具体数值的预测。比如房价预测、销量预测等都是回归问题。这些问题需要预测的不是一个事先定义好的类别，而是一个任意实数。解决回归问题的神经网络一般只有一个输出节点，这个节点的输出值就是预测值。对于回归问题，最常用的损失函数是均方误差（MSE，mean squared error）。[①]它的定义如下：

$$MSE(y, y') = \frac{\sum_{i=1}^{n}(y_i - y_i')^2}{n}$$

其中 y_i 为一个 batch 中第 i 个数据的正确答案，而 y_i' 为神经网络给出的预测值。以下代码展示了如何通过 TensorFlow 实现均方误差损失函数：

---

① 均方误差也是分类问题中常用的一种损失函数。

```
mse = tf.reduce_mean(tf.square(y_ - y))
```

其中 y 代表了神经网络的输出答案，y_代表了标准答案。类似 4.2.1 节中介绍的乘法操作，这里的减法运算 "-" 也是两个矩阵中对应元素的减法。

4.2.2　自定义损失函数

TensorFlow 不仅支持经典的损失函数，还可以优化任意的自定义损失函数。本节将介绍如何通过自定义损失函数的方法，使得神经网络优化的结果更加接近实际问题的需求。在下面的篇幅中将以预测商品销量问题为例。

在预测商品销量时，如果预测多了（预测值比真实销量大），商家损失的是生产商品的成本；而如果预测少了（预测值比真实销量小），损失的则是商品的利润。因为一般商品的成本和商品的利润不会严格相等，所以使用 4.2.1 节中介绍的均方误差损失函数就不能够很好地最大化销售利润。比如如果一个商品的成本是 1 元，但是利润是 10 元，那么少预测一个就少挣 10 元；而多预测一个才少挣 1 元。如果神经网络模型最小化的是均方误差，那么很有可能此模型就无法最大化预期的利润。为了最大化预期利润，需要将损失函数和利润直接联系起来。注意损失函数定义的是损失，所以要将利润最大化，定义的损失函数应该刻画成本或者代价。以下公式给出了一个当预测多于真实值和预测少于真实值时有不同损失系数的损失函数：

$$\text{Loss}(y, y') = \sum_{i=1}^{n} f(y_i, y_i'), \quad f(x, y) = \begin{cases} a(x-y) & x > y \\ b(y-x) & x \leqslant y \end{cases}$$

和均方误差公式类似，y_i 为一个 batch 中第 i 个数据的正确答案，y_i' 为神经网络得到的预测值，a 和 b 是常量。比如在上面介绍的销量预测问题中，a 就等于 10（正确答案多于预测答案的代价），而 b 等于 1（正确答案少于预测答案的代价）。通过对这个自定义损失函数的优化，模型提供的预测值更有可能最大化收益。在 TensorFlow 中，可以通过以下代码来实现这个损失函数。

```
loss = tf.reduce_sum(tf.where(tf.greater(v1, v2),
                              (v1 - v2) * a, (v2 - v1) * b))
```

以上代码用到了 tf.greater 和 tf.where 来实现选择操作。tf.greater 的输入是两个张量，此函数会比较这两个输入张量中每一个元素的大小，并返回比较结果。当 tf.greater 的输入张量维度不一样时，TensorFlow 会进行类似 NumPy 广播操作（broadcasting）的处理。[①]tf.where 函数有三个参数。第一个为选择条件根据，当选择条件为 True 时，tf.where 函数会选择第

---

① http://docs.scipy.org/doc/numpy/user/basics.broadcasting.html 中有关于广播操作（broadcasting）的具体讲解。

二个参数中的值，否则使用第三个参数中的值。注意 tf.where 函数判断和选择都是在元素级别进行，以下代码展示了 tf.where 函数和 tf.greater 函数的用法。

```
import tensorflow as tf
v1 = tf.constant([1.0, 2.0, 3.0, 4.0])
v2 = tf.constant([4.0, 3.0, 2.0, 1.0])

sess = tf.InteractiveSession()
print tf.greater(v1, v2).eval()
# 输出[False False  True  True]

print tf.where(tf.greater(v1, v2), v1, v2).eval()
# 输出[4.  3.  3.  4.]
sess.close()
```

在定义了损失函数之后，下面将通过一个简单的神经网络程序来讲解损失函数对模型训练结果的影响。在下面这个程序中，实现了一个拥有两个输入节点、一个输出节点，没有隐藏层的神经网络。这个程序的主体流程和 3.4.5 节中给出来的样例基本一致，但用到了上面定义的损失函数。

```
import tensorflow as tf
from numpy.random import RandomState

batch_size = 8

# 两个输入节点。
x = tf.placeholder(tf.float32, shape=(None, 2), name='x-input')
# 回归问题一般只有一个输出节点。
y_ = tf.placeholder(tf.float32, shape=(None, 1), name='y-input')

# 定义了一个单层的神经网络前向传播的过程，这里就是简单加权和。
w1 = tf.Variable(tf.random_normal([2, 1], stddev=1, seed=1))
y = tf.matmul(x, w1)

# 定义预测多了和预测少了的成本。
loss_less = 10
loss_more = 1
loss = tf.reduce_sum(tf.where(tf.greater(y, y_),
                              (y - y_) * loss_more,
                              (y_ - y) * loss_less))
train_step = tf.train.AdamOptimizer(0.001).minimize(loss)
```

```
# 通过随机数生成一个模拟数据集。
rdm = RandomState(1)
dataset_size = 128
X = rdm.rand(dataset_size, 2)
# 设置回归的正确值为两个输入的和加上一个随机量。之所以要加上一个随机量是为了
# 加入不可预测的噪音，否则不同损失函数的意义就不大了，因为不同损失函数都会在能
# 完全预测正确的时候最低。一般来说噪音为一个均值为 0 的小量，所以这里的噪音设置为
# -0.05 ~ 0.05 的随机数。
Y = [[x1 + x2 + rdm.rand()/10.0-0.05] for (x1, x2) in X]

# 训练神经网络。
with tf.Session() as sess:
    init_op = tf.global_variables_initializer()
    sess.run(init_op)
    STEPS = 5000
    for i in range(STEPS):
        start = (i * batch_size) % dataset_size
        end = min(start+batch_size, dataset_size)
        sess.run(train_step,
                 feed_dict={x: X[start:end], y_: Y[start:end]})
                 print sess.run(w1)
```

运行以上代码会得到 w_1 的值为[1.01934695, 1.04280889]，也就是说得到的预测函数是 $1.02x_1+1.04x_2$，这要比 x_1+x_2 大，因为在损失函数中指定预测少了的损失更大（loss_less>loss_more）。如果将 loss_less 的值调整为 1，loss_more 的值调整为 10，那么 w_1 的值将会是[0.95525807，0.9813394]。也就是说，在这样的设置下，模型会更加偏向于预测少一点。而如果使用均方误差作为损失函数，那么 w_1 会是[0.97437561，1.0243336]。使用这个损失函数会尽量让预测值离标准答案更近。通过这个样例可以感受到，对于相同的神经网络，不同的损失函数会对训练得到的模型产生重要影响。

4.3　神经网络优化算法

本节将更加具体地介绍如何通过反向传播算法（backpropagation）和梯度下降算法（gradient decent）调整神经网络中参数的取值。梯度下降算法主要用于优化单个参数的取值，而反向传播算法给出了一个高效的方式在所有参数上使用梯度下降算法，从而使神经网络模型在训练数据上的损失函数尽可能小。反向传播算法是训练神经网络的核心算法，它可以根据定义好的损失函数优化神经网络中参数的取值，从而使神经网络模型在训练数据集

上的损失函数达到一个较小值。神经网络模型中参数的优化过程直接决定了模型的质量，是使用神经网络时非常重要的一步。在本节中，将主要介绍神经网络优化过程的基本概念和主要思想，而略去算法的数学推导和证明。[①]本节将给出一个具体的样例来解释使用梯度下降算法优化参数取值的过程。在下面的 4.4 节中，将继续介绍的神经网络优化过程中可能遇到的问题和解决方法，掌握本节内容可以帮助读者更好地理解这些优化方法。

假设用 θ 表示神经网络中的参数，$J(\theta)$ 表示在给定的参数取值下，训练数据集上损失函数的大小，那么整个优化过程可以抽象为寻找一个参数 θ，使得 $J(\theta)$ 最小。因为目前没有一个通用的方法可以对任意损失函数直接求解最佳的参数取值，所以在实践中，梯度下降算法是最常用的神经网络优化方法。梯度下降算法会迭代式更新参数 θ，不断沿着梯度的反方向让参数朝着总损失更小的方向更新。图 4-11 展示了梯度下降算法的原理。

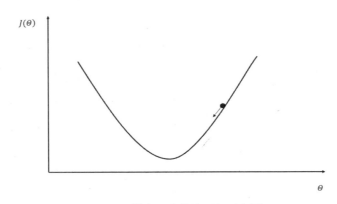

图 4-11　梯度下降算法思想示意图

图 4-11 中 x 轴表示参数 θ 的取值，y 轴表示损失函数 $J(\theta)$ 的值。图 4-11 的曲线表示了在参数 θ 取不同值时，对应损失函数 $J(\theta)$ 的大小。假设当前的参数和损失值对应图 4-11 中小圆点的位置，那么梯度下降算法会将参数向 x 轴左侧移动，从而使得小圆点朝着箭头的方向移动。参数的梯度可以通过求偏导的方式计算，对于参数 θ，其梯度为 $\frac{\partial}{\partial \theta}J(\theta)$。有了梯度，还需要定义一个学习率 η [②]（learning rate）来定义每次参数更新的幅度。从直观上理解，可以认为学习率定义的就是每次参数移动的幅度。通过参数的梯度和学习率，参数更新的公式为：

---

① 更多关于反向传播算法的细节可以参见：Rumelhart D E, Hinton G E, Williams R J. *Learning representations by back-propagating errors* [M]Neurocomputing: foundations of research. MIT Press, 1986.
② 学习率的设置将在 4.4.1 节中详细介绍。

$$\theta_{n+1} = \theta_n - \eta \frac{\partial}{\partial \theta_n} J(\theta_n)$$

下面给出了一个具体的例子来说明梯度下降算法是如何工作的。假设要通过梯度下降算法来优化参数 x，使得损失函数 $J(x)=x^2$ 的值尽量小。梯度下降算法的第一步需要随机产生一个参数 x 的初始值，然后再通过梯度和学习率来更新参数 x 的取值。在这个样例中，参数 x 的梯度为 $\nabla = \frac{\partial J(x)}{\partial x} = 2x$，那么使用梯度下降算法每次对参数 x 的更新公式为 $x_{n+1} = x_n - \eta \nabla$。假设参数的初始值为 5，学习率为 0.3，那么这个优化过程可以总结为表 4-1。

表 4-1　使用梯度下降算法优化函数 $J(x) = x^2$

轮数	当前轮参数值	梯度×学习率	更新后参数值
1	5	2×5×0.3=3	5-3=2
2	2	2×2×0.3=1.2	2-1.2=0.8
3	0.8	2×0.8×0.3=0.48	0.8-0.48=0.32
4	0.32	2×0.32×0.3=0.192	0.32-0.192=0.128
5	0.128	2×0.128×0.3=0.0768	0.128-0.0768=0.0512

从表 4-1 中可以看出，经过 5 次迭代之后，参数 x 的值变成了 0.0512，这个和参数最优值 0 已经比较接近了。虽然这里给出的是一个非常简单的样例，但是神经网络的优化过程也是可以类推的。神经网络的优化过程可以分为两个阶段，第一个阶段先通过前向传播算法计算得到预测值，并将预测值和真实值做对比得出两者之间的差距。然后在第二个阶段通过反向传播算法计算损失函数对每一个参数的梯度，再根据梯度和学习率使用梯度下降算法更新每一个参数。本书将略去反向传播算法具体的实现方法和数学证明，有兴趣的读者可以参考 David Rumelhart、Geoffrey Hinton 和 Ronald Williams 教授发表的论文 *Learning representations by back-propagating errors*。[①]

需要注意的是，梯度下降算法并不能保证被优化的函数达到全局最优解。如图 4-12 所示，图中给出的函数就有可能只能得到局部最优解而不是全局最优解。在小黑点处，损失函数的偏导为 0，于是参数就不会再进一步更新。在这个样例中，如果参数 x 的初始值落在右侧深色的区间中，那么通过梯度下降得到的结果都会落到小黑点代表的局部最优解。只有当 x 的初始值落在左侧浅色的区间时梯度下降才能给出全局最优答案。由此可见在训练神经网络时，参数的初始值会很大程度影响最后得到的结果。只有当损失函数为凸函数时，梯度下降算法才能保证达到全局最优解。

① Rumelhart D E, Hinton G E, Williams R J. *Learning representations by back-propagating errors* [M]. Neurocomputing: foundations of research. MIT Press, 1986.

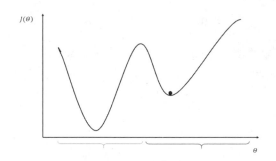

图 4-12　梯度下降算法得不到全局最小值的样例

除了不一定能达到全局最优，梯度下降算法的另外一个问题就是计算时间太长。因为要在全部训练数据上最小化损失，所以损失函数 $J(\theta)$ 是在所有训练数据上的损失和。这样在每一轮迭代中都需要计算在全部训练数据上的损失函数。在海量训练数据下，要计算所有训练数据的损失函数是非常消耗时间的。为了加速训练过程，可以使用随机梯度下降的算法（stochastic gradient descent）。这个算法优化的不是在全部训练数据上的损失函数，而是在每一轮迭代中，随机优化某一条训练数据上的损失函数。这样每一轮参数更新的速度就大大加快了。因为随机梯度下降算法每次优化的只是某一条数据上的损失函数，所以它的问题也非常明显：在某一条数据上损失函数更小并不代表在全部数据上损失函数更小，于是使用随机梯度下降优化得到的神经网络甚至可能无法达到局部最优。

为了综合梯度下降算法和随机梯度下降算法的优缺点，在实际应用中一般采用这两个算法的折中——每次计算一小部分训练数据的损失函数。这一小部分数据被称之为一个 batch。通过矩阵运算，每次在一个 batch 上优化神经网络的参数并不会比单个数据慢太多。另一方面，每次使用一个 batch 可以大大减小收敛所需的迭代次数，同时可以使收敛到的结果更加接近梯度下降的效果。以下代码给出了在 TensorFlow 中如何实现神经网络的训练过程。在本书的所有样例中，神经网络的训练都大致遵循以下过程。

```
batch_size = n

# 每次读取一小部分数据作为当前的训练数据来执行反向传播算法。
x = tf.placeholder(tf.float32, shape=(batch_size, 2), name='x-input')
y_ = tf.placeholder(tf.float32, shape=(batch_size, 1), name='y-input')

# 定义神经网络结构和优化算法。
loss = …
train_step = tf.train.AdamOptimizer(0.001).minimize(loss)

# 训练神经网络。
with tf.Session() as sess:
    # 参数初始化。
```

```
…
# 迭代的更新参数。
for i in range(STEPS):
    # 准备 batch_size 个训练数据。一般将所有训练数据随机打乱之后再选取可以得到
    # 更好的优化效果。
    current_X, current_Y = …
    sess.run(train_step, feed_dict={x: current_X, y_: current_Y})
```

4.4 神经网络进一步优化

4.3 节介绍了优化神经网络的基本算法，本节将继续介绍神经网络优化过程中可能遇到的一些问题，以及解决这些问题的常用方法。4.4.1 节将介绍通过指数衰减的方法设置梯度下降算法中的学习率。通过指数衰减的学习率既可以让模型在训练的前期快速接近较优解，又可以保证模型在训练后期不会有太大的波动，从而更加接近局部最优。然后 4.4.2 节将介绍过拟合问题。在训练复杂神经网络模型时，过拟合是一个非常常见的问题。这一节将具体介绍这个问题的影响以及解决这个问题的主要方法。最后 4.4.3 节将介绍滑动平均模型。滑动平均模型会将每一轮迭代得到的模型综合起来，从而使得最终得到的模型更加健壮（robust）。

4.4.1 学习率的设置

4.3 节介绍了在训练神经网络时，需要设置学习率（learning rate）控制参数更新的速度。本节将进一步介绍如何设置学习率。学习率决定了参数每次更新的幅度。如果幅度过大，那么可能导致参数在极优值的两侧来回移动。4.3 节介绍过优化 $J(x) = x^2$ 函数的样例。如果在优化中使用的学习率为 1，那么整个优化过程将会如表 4-2 所示。

表 4-2　当学习率过大时，梯度下降算法的运行过程

轮数	当前轮参数值	梯度×学习率	更新后参数值
1	5	2×5×1=10	5-10=-5
2	-5	2×（-5）×1=-10	-5-（-10）=5
3	5	2×5×1=10	5-10=-5

从以上样例可以看出，无论进行多少轮迭代，参数将在 5 和-5 之间摇摆，而不会收敛到一个极小值。相反，当学习率过小时，虽然能保证收敛性，但是这会大大降低优化速度。我们会需要更多轮的迭代才能达到一个比较理想的优化效果。比如当学习率为 0.001 时，迭代 5 次之后，x 的值将为 4.95。要将 x 训练到 0.05 需要大约 2300 轮；而当学习率为 0.3

时，只需要 5 轮就可以达到。综上所述，学习率既不能过大，也不能过小。为了解决设定
学习率的问题，TensorFlow 提供了一种更加灵活的学习率设置方法——指数衰减法。
tf.train.exponential_decay 函数实现了指数衰减学习率。通过这个函数，可以先使用较大的学
习率来快速得到一个比较优的解，然后随着迭代的继续逐步减小学习率，使得模型在训练后
期更加稳定。exponential_decay 函数会指数级地减小学习率，它实现了以下代码的功能：

```
decayed_learning_rate = \
    learning_rate * decay_rate ^ (global_step / decay_ steps)
```

其中 decayed_learning_rate 为每一轮优化时使用的学习率，learning_rate 为事先设定的
初始学习率，decay_rate 为衰减系数，decay_steps 为衰减速度。图 4-13 显示了随着迭代轮
数的增加，学习率逐步降低的过程。tf.train.exponential_decay 函数可以通过设置参数 staircase
选择不同的衰减方式。staircase 的默认值为 False，这时学习率随迭代轮数变化的趋势如
图 4-13 中灰色曲线所示。当 staircase 的值被设置为 Truc 时，global_step / decay_steps 会被
转化成整数。这使得学习率成为一个阶梯函数（staircase function）。图 4-13 中黑色曲线显
示了阶梯状的学习率。在这样的设置下，decay_steps 通常代表了完整的使用一遍训练数据
所需的迭代轮数。这个迭代轮数也就是总训练样本数除以每一个 batch 中的训练样本数。
这种设置的常用场景是每完整地过完一遍训练数据，学习率就减小一次。这可以使得训练
数据集中的所有数据对模型训练有相等的作用。当使用连续的指数衰减学习率时，不同的
训练数据有不同的学习率，而当学习率减小时，对应的训练数据对模型训练结果的影响也就
小了。下面给出了一段代码来示范如何在 TensorFlow 中使用 tf.train.exponential_decay 函数。

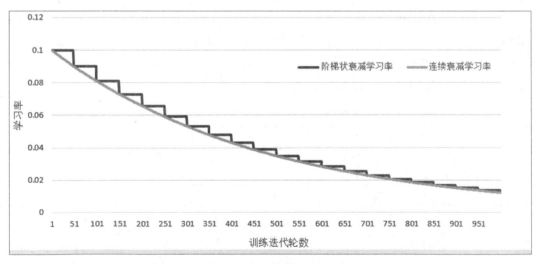

图 4-13　指数衰减学习率随着迭代轮数的变化图
（图中使用的基础学习率为 0.1，衰减率为 0.9，衰减速度为 50）

```
global_step = tf.Variable(0)

# 通过 exponential_decay 函数生成学习率。
learning_rate = tf.train.exponential_decay(
    0.1, global_step, 100, 0.96, staircase=True)

# 使用指数衰减的学习率。在 minimize 函数中传入 global_step 将自动更新
# global_step 参数，从而使得学习率也得到相应更新。
learning_step = tf.train.GradientDescentOptimizer(learning_rate)\
                    .minimize(...my loss..., global_step=global_step)
```

上面这段代码中设定了初始学习率为 0.1，因为指定了 staircase=True，所以每训练 100轮后学习率乘以 0.96。一般来说初始学习率、衰减系数和衰减速度都是根据经验设置的。而且损失函数下降的速度和迭代结束之后总损失的大小没有必然的联系。也就是说并不能通过前几轮损失函数下降的速度来比较不同神经网络的效果。

4.4.2　过拟合问题

上面的 4.2 和 4.3 节讲述了如何在训练数据上优化一个给定的损失函数。然而在真实的应用中想要的并不是让模型尽量模拟训练数据的行为，而是希望通过训练出来的模型对未知的数据给出判断。模型在训练数据上的表现并不一定代表了它在未知数据上的表现。本节将介绍的过拟合问题就是可以导致这个差距的一个很重要因素。所谓过拟合，指的是当一个模型过为复杂之后，它可以很好地"记忆"每一个训练数据中随机噪音的部分而忘记了要去"学习"训练数据中通用的趋势。举一个极端的例子，如果一个模型中的参数比训练数据的总数还多，那么只要训练数据不冲突，这个模型完全可以记住所有训练数据的结果从而使得损失函数为 0。可以直观地想象一个包含 n 个变量和 n 个等式的方程组，当方程不冲突时，这个方程组是可以通过数学的方法来求解的。然而，过度拟合训练数据中的随机噪音虽然可以得到非常小的损失函数，但是对于未知数据可能无法做出可靠的判断。

图 4-14 显示了模型训练的三种不同情况。在第一种情况下，由于模型过于简单，无法刻画问题的趋势。第二个模型是比较合理的，它既不会过于关注训练数据中的噪音，又能够比较好地刻画问题的整体趋势。第三个模型就是过拟合了，虽然第三个模型完美地划分了不同形状的点，但是这样的划分并不能很好地对未知数据做出判断，因为它过度拟合了训练数据中的噪音而忽视了问题的整体规律。比如图中浅色方框"□"更有可能和"X"属于同一类，而不是根据图上的划分和"O"属于同一类。

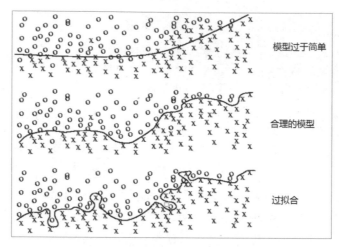

图 4-14 神经网络模型训练的三种情况

为了避免过拟合问题，一个非常常用的方法是正则化（regularization）。正则化的思想就是在损失函数中加入刻画模型复杂程度的指标。假设用于刻画模型在训练数据上表现的损失函数为 $J(\theta)$，那么在优化时不是直接优化 $J(\theta)$，而是优化 $J(\theta) + \lambda R(w)$。其中 $R(w)$ 刻画的是模型的复杂程度，而 λ 表示模型复杂损失在总损失中的比例。注意这里 θ 表示的是一个神经网络中所有的参数，它包括边上的权重 w 和偏置项 b。一般来说模型复杂度只由权重 w 决定。常用的刻画模型复杂度的函数 $R(w)$ 有两种，一种是 $L1$ 正则化，计算公式是：

$$R(w) = \|w\|_1 = \sum_i |w_i|$$

另一种是 $L2$ 正则化，计算公式是：

$$R(w) = \|w\|_2^2 = \sum_i |w_i{}^2|$$

无论是哪一种正则化方式，基本的思想都是希望通过限制权重的大小，使得模型不能任意拟合训练数据中的随机噪音。但这两种正则化的方法也有很大的区别。首先，$L1$ 正则化会让参数变得更稀疏，而 $L2$ 正则化不会。所谓参数变得更稀疏是指会有更多的参数变为 0，这样可以达到类似特征选取的功能。之所以 $L2$ 正则化不会让参数变得稀疏的原因是当参数很小时，比如 0.001，这个参数的平方基本上就可以忽略了，于是模型不会进一步将这个参数调整为 0。其次，$L1$ 正则化的计算公式不可导，而 $L2$ 正则化公式可导。因为在优化时需要计算损失函数的偏导数，所以对含有 $L2$ 正则化损失函数的优化要更加简洁。优化带 $L1$ 正则化的损失函数要更加复杂，而且优化方法也有很多种。在实践中，也可以将 $L1$ 正则化和 $L2$ 正则化同时使用：

$$R(w) = \sum_i \alpha |w_i| + (1 - \alpha) w_i^2$$

4.2 节提到过 TensorFlow 可以优化任意形式的损失函数，所以 TensorFlow 自然也可以优化带正则化的损失函数。以下代码给出了一个简单的带 L2 正则化的损失函数定义：

```
w= tf.Variable(tf.random_normal([2, 1], stddev=1, seed=1))
y = tf.matmul(x, w)

loss = tf.reduce_mean(tf.square(y_ - y)) +
        tf.contrib.layers.l2_regularizer(lambda)(w)
```

在以上程序中，loss 为定义的损失函数，它由两个部分组成。第一个部分是 4.2.1 节中介绍的均方误差损失函数，它刻画了模型在训练数据上的表现。第二个部分就是正则化，它防止模型过度模拟训练数据中的随机噪音。lambda 参数表示了正则化项的权重，也就是公式 $J(\theta) + \lambda R(w)$ 中的 λ。w 为需要计算正则化损失的参数。TensorFlow 提供了 tf.contrib.layers.l2_regularizer 函数，它可以返回一个函数，这个函数可以计算一个给定参数的 L2 正则化项的值。类似的，tf.contrib.layers.l1_regularizer 可以计算 L1 正则化项的值。以下代码给出了使用这两个函数的样例：

```
weights = tf.constant([[1.0, -2.0], [-3.0, 4.0]])
with tf.Session() as sess:
    # 输出为(|1|+|-2|+|-3|+|4|)×0.5=5。其中 0.5 为正则化项的权重。
    print sess.run(tf.contrib.layers.l1_regularizer(.5)(weights))
    # 输出为(1²+(-2)²+(-3)²+4²)/2×0.5=7.5。①
    print sess.run(tf.contrib.layers.l2_regularizer(.5)(weights))
```

在简单的神经网络中，这样的方式就可以很好地计算带正则化的损失函数了。但当神经网络的参数增多之后，这样的方式首先可能导致损失函数 loss 的定义很长，可读性差且容易出错。但更主要的是，当网络结构复杂之后定义网络结构的部分和计算损失函数的部分可能不在同一个函数中，这样通过变量这种方式计算损失函数就不方便了。为了解决这个问题，可以使用 TensorFlow 中提供的集合（collection）。集合的概念在 3.1 节中介绍过，它可以在一个计算图（tf.Graph）中保存一组实体（比如张量）。以下代码给出了通过集合计算一个 5 层神经网络带 L2 正则化的损失函数的计算方法。

```
import tensorflow as tf

# 获取一层神经网络边上的权重，并将这个权重的 L2 正则化损失加入名称为'losses'的集合中
def get_weight(shape, lambda):
    # 生成一个变量。
    var = tf.Variable(tf.random_normal(shape), dtype = tf.float32)
```

---

① TensorFlow 会将 L2 的正则化损失值除以 2 使得求导得到的结果更加简洁。

```
        # add_to_collection 函数将这个新生成变量的 L2 正则化损失项加入集合。
        # 这个函数的第一个参数'losses'是集合的名字，第二个参数是要加入这个集合的内容。
        tf.add_to_collection(
            'losses',tf.contrib.layers.l2_regularizer(lambda)(var))
        # 返回生成的变量。
        return var

x = tf.placeholder(tf.float32, shape=(None, 2))
y_ = tf.placeholder(tf.float32, shape=(None, 1))
batch_size = 8
# 定义了每一层网络中节点的个数。
layer_dimension = [2, 10, 10, 10, 1]
# 神经网络的层数。
n_layers = len(layer_dimension)

# 这个变量维护前向传播时最深层的节点，开始的时候就是输入层。
cur_layer = x
# 当前层的节点个数。
in_dimension = layer_dimension[0]

# 通过一个循环来生成 5 层全连接的神经网络结构。
for i in range(1, n_layers):
    # layer_dimension[i]为下一层的节点个数。
    out_dimension = layer_dimension[i]
    # 生成当前层中权重的变量，并将这个变量的 L2 正则化损失加入计算图上的集合。
    weight = get_weight([in_dimension, out_dimension], 0.001)
    bias = tf.Variable(tf.constant(0.1, shape=[out_dimension]))
    # 使用 ReLU 激活函数。
    cur_layer = tf.nn.relu(tf.matmul(cur_layer, weight) + bias)
    # 进入下一层之前将下一层的节点个数更新为当前层节点个数。
    in_dimension = layer_dimension[i]

# 在定义神经网络前向传播的同时已经将所有的 L2 正则化损失加入了图上的集合，
# 这里只需要计算刻画模型在训练数据上表现的损失函数。
mse_loss = tf.reduce_mean(tf.square(y_ - cur_layer))

# 将均方误差损失函数加入损失集合。
tf.add_to_collection('losses', mse_loss)

# get_collection 返回一个列表，这个列表是所有这个集合中的元素。在这个样例中，
# 这些元素就是损失函数的不同部分，将它们加起来就可以得到最终的损失函数。
loss = tf.add_n(tf.get_collection('losses'))
```

从以上代码可以看出通过使用集合的方法在网络结构比较复杂的情况下可以使代码的

可读性更高。以上代码给出的是一个只有 5 层的全连接网络，在更加复杂的网络结构中，使用这样的方式来计算损失函数将大大增强代码的可读性。

4.4.3　滑动平均模型

这一个节将介绍另外一个可以使模型在测试数据上更健壮（robust）的方法——滑动平均模型。在采用随机梯度下降算法训练神经网络时，使用滑动平均模型在很多应用中都可以在一定程度提高最终模型在测试数据上的表现。

在 TensorFlow 中提供了 tf.train.ExponentialMovingAverage 来实现滑动平均模型。在初始化 ExponentialMovingAverage 时，需要提供一个衰减率（decay）。这个衰减率将用于控制模型更新的速度。ExponentialMovingAverage 对每一个变量会维护一个影子变量（shadow variable），这个影子变量的初始值就是相应变量的初始值，而每次运行变量更新时，影子变量的值会更新为：

$$shadow\_variable = decay \times shadow\_variable + (1 - decay) \times variable$$

其中 shadow_variable 为影子变量，variable 为待更新的变量，decay 为衰减率。从公式中可以看到，decay 决定了模型更新的速度，decay 越大模型越趋于稳定。在实际应用中，decay 一般会设成非常接近 1 的数（比如 0.999 或 0.9999）。为了使得模型在训练前期可以更新得更快，ExponentialMovingAverage 还提供了 num_updates 参数来动态设置 decay 的大小。如果在 ExponentialMovingAverage 初始化时提供了 num_updates 参数，那么每次使用的衰减率将是：

$$\min\left\{decay, \frac{1 + num\_updates}{10 + num\_updates}\right\}$$

下面通过一段代码来解释 ExponentialMovingAverage 是如何被使用的。

```python
import tensorflow as tf

# 定义一个变量用于计算滑动平均，这个变量的初始值为 0。注意这里手动指定了变量的
# 类型为 tf.float32，因为所有需要计算滑动平均的变量必须是实数型。
v1 = tf.Variable(0, dtype=tf.float32)
# 这里 step 变量模拟神经网络中迭代的轮数，可以用于动态控制衰减率。
step = tf.Variable(0, trainable=False)

# 定义一个滑动平均的类（class）。初始化时给定了衰减率（0.99）和控制衰减率的变量 step。
ema = tf.train.ExponentialMovingAverage(0.99, step)
# 定义一个更新变量滑动平均的操作。这里需要给定一个列表，每次执行这个操作时
# 这个列表中的变量都会被更新。
maintain_averages_op = ema.apply([v1])
```

```
with tf.Session() as sess:
    # 初始化所有变量。
    init_op = tf.global_variables_initializer()
    sess.run(init_op)

    # 通过ema.average(v1)获取滑动平均之后变量的取值。在初始化之后变量v1的值和v1的
    # 滑动平均都为0。
    print sess.run([v1, ema.average(v1)])              # 输出[0.0, 0.0]

    # 更新变量v1的值到5。
    sess.run(tf.assign(v1, 5))
    # 更新v1的滑动平均值。衰减率为min{0.99,(1+step)/(10+step)= 0.1}=0.1,
    # 所以v1的滑动平均会被更新为0.1×0+0.9×5=4.5。
    sess.run(maintain_averages_op)
    print sess.run([v1, ema.average(v1)])              # 输出[5.0, 4.5]


    # 更新step的值为10000。
    sess.run(tf.assign(step, 10000))
    # 更新v1的值为10。
    sess.run(tf.assign(v1, 10))
    # 更新v1的滑动平均值。衰减率为min{0.99,(1+step)/(10+step) ≈ 0.999}=0.99,
    # 所以v1的滑动平均会被更新为0.99×4.5+0.01×10=4.555。
    sess.run(maintain_averages_op)
    print sess.run([v1, ema.average(v1)])
    # 输出[10.0, 4.5549998]

    # 再次更新滑动平均值，得到的新滑动平均值为0.99×4.555+0.01×10=4.60945。
    sess.run(maintain_averages_op)
    print sess.run([v1, ema.average(v1)])
    # 输出[10.0, 4.6094499]
```

以上代码给出了 ExponentialMovingAverage 的简单样例，在第 5 章中将给出在真实应用中使用滑动平均的样例。

小结

本章详细讲解了使用神经网络解决实际问题过程中的各个环节。首先 4.1 节介绍了设计神经网络结构时的两个总体原则——非线性结构和多层结构。这一节先说明了深度学习基本上就是深层神经网络的代名词。然后通过对深度学习定义中两个性质的详细讲解，指

出了非线性结构和多层结构是解决复杂问题的必要方法。这一节通过具体的例子讲解了线性模型和浅层模型的局限性。

　　然后 4.2 节介绍了如何设计损失函数。神经网络是一个优化问题，而损失函数就刻画了神经网络需要优化的目标。这一节讲解了分类问题和回归问题中比较常用的损失函数，同时也介绍了如何设计更加贴近实际问题需求的损失函数。在这一节中通过一个实际样例讲解了不同损失函数对神经网络参数优化结果的影响。

　　接着 4.3 节介绍了优化神经网络时最常用的梯度下降算法和反向传播算法。在这一节中，主要讲解了梯度下降算法的基本概念和主体思想，并给出了通过梯度下降算法优化一个简单函数 $J(x)=x^2$ 的样例。通过这个例子，读者可以对神经网络的优化过程有一个大概的、直观的了解。这一节还介绍了随机梯度下降和使用 batch 的随机梯度下降算法，并给出了使用 TensorFlow 优化神经网络的计算框架。

　　最后 4.4 节介绍了三个神经网络优化过程中可能会遇到的问题，并介绍了解决这些问题的常用方法。首先 4.4.1 节介绍了通过指数衰减的方式来设置学习率。通过这种方法，既可以加快训练初期的训练速度，同时在训练后期又不会出现损失函数在极小值周围徘徊往返的情况。然后 4.4.2 节介绍了通过正则化解决过度拟合的问题。当损失函数仅取决于在训练数据上的拟合程度时，神经网络模型有可能只是"记忆"了所有的训练数据，而无法很好地对未知数据做出判断。正则化通过在损失函数中加入对模型复杂程度的因素，可以有效避免过拟合问题。最后 4.4.3 节介绍了使用滑动平均模型让最后得到的模型在未知数据上更加健壮。

　　这一章讲解了使用神经网络模型时需要考虑的主要问题。从神经网络模型结构的设计、损失函数的设计、神经网络的优化和神经网络进一步调优 4 个方面覆盖了设计和优化神经网络过程中可能遇到的主要问题。在下面的第 5 章中，将通过一个具体的问题来验证本章中提到的神经网络优化方法。同时也将给出通过 TensorFlow 实现神经网络的最佳实践样例程序。

第 5 章　MNIST 数字识别问题

　　第 4 章介绍了训练神经网络模型时需要考虑的主要问题以及解决这些问题的常用方法。这一章将通过一个实际问题来验证第 4 章中介绍的解决方法。本章将使用的数据集是 MNIST 手写体数字识别数据集。在很多深度学习教程中，这个数据集都会被当作第一个案例。在验证神经网络优化方法的同时，本章也会介绍使用 TensorFlow 训练神经网络的最佳实践。

　　首先在 5.1 节中将介绍 MNIST 手写体数字识别数据集，并且给出 TensorFlow 程序处理 MNIST 数据。^①然后 5.2 节将对比第 4 章中提到的神经网络结构设计和参数优化的不同方法，从实际的问题中验证不同优化方法带来的性能提升。接着在 5.3 和 5.4 两节中将指出 5.2 节中 TensorFlow 程序实现神经网络的不足之处，并介绍 TensorFlow 的最佳实践来解决这些不足。其中，5.3 节将介绍 TensorFlow 变量重用的问题和变量的命名空间；5.4 节将介绍如何将一个神经网络模型持久化，使得之后可以直接使用训练好的模型。最后在 5.5 节中将整合 5.3 和 5.4 节中介绍的 TensorFlow 最佳实践，通过一个完整的 TensorFlow 程序解决 MNIST 问题。

5.1　MNIST 数据处理

　　MNIST 是一个非常有名的手写体数字识别数据集，在很多资料中，这个数据集都会被用作深度学习的入门样例。本节中将大致讲解这个数据集的基本情况，并介绍 TensorFlow 对 MNIST 数据集做的封装。TensorFlow 的封装让使用 MNIST 数据集变得更加方便。MNIST 数据集是 NIST 数据集的一个子集，它包含了 60000 张图片作为训练数据，10000 张图片作

---

① TensorFlow 提供了封装好的 MNIST 数据集处理类，在这里将直接使用这个类。关于如何处理图像数据将在第 7 章中详细介绍。

为测试数据。在 MNIST 数据集中的每一张图片都代表了 0~9 中的一个数字。图片的大小都为 28×28，且数字都会出现在图片的正中间。图 5-1 展示了一张数字图片及和它对应的像素矩阵。

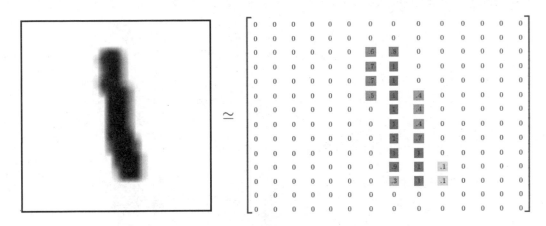

图 5-1　数字图片及其像素矩阵

在图 5-1 的左侧显示了一张数字 1 的图片，而右侧显示了这个图片所对应的像素矩阵。[①] 在 Yann LeCun 教授的网站中（http://yann.lecun.com/exdb/mnist）对 MNIST 数据集做出了详细的介绍。MNIST 数据集提供了 4 个下载文件，表 5-1 归纳了下载文件中提供的内容。

表 5-1　MNIST 数据下载地址和内容

网址	内容
http://yann.lecun.com/exdb/mnist/train-images-idx3-ubyte.gz	训练数据图片
http://yann.lecun.com/exdb/mnist/train-labels-idx1-ubyte.gz	训练数据答案
http://yann.lecun.com/exdb/mnist/t10k-images-idx3-ubyte.gz	测试数据图片
http://yann.lecun.com/exdb/mnist/t10k-labels-idx1-ubyte.gz	测试数据答案

虽然这个数据集只提供了训练和测试数据，但是为了验证模型训练的效果，一般会从训练数据中划分出一部分数据作为验证（validation）数据。在 5.2.2 节中将更加详细地介绍验证数据的作用。为了方便使用，TensorFlow 提供了一个类来处理 MNIST 数据。这个类会自动下载并转化 MNIST 数据的格式，将数据从原始的数据包中解析成训练和测试神经网络时使用的格式。下面给出了使用这个函数的样例程序。

---

① MNIST 数据集中图片的像素矩阵大小为 28×28，但为了更清楚地展示，图 5-1 右侧显示的为 14×14 矩阵。

```
from tensorflow.examples.tutorials.mnist import input_data

# 载入 MNIST 数据集，如果指定地址/path/to/MNIST_data 下没有已经下载好的数据，
# 那么 TensorFlow 会自动从表 5-1 给出的网址下载数据。
mnist = input_data.read_data_sets("/path/to/MNIST_data/", one_hot=True)

# 打印 Training data size: 55000。
print "Training data size: ", mnist.train.num_examples

# 打印 Validating data size: 5000。
print "Validating data size: ", mnist.validation.num_examples

# 打印 Testing data size: 10000。
print "Testing data size: ", mnist.test.num_examples

# 打印 Example training data: [ 0.  0.  0. …   0.380  0.376  …  0. ]。
print "Example training data: ", mnist.train.images[0]

# 打印 Example training data label:
# [ 0.  0.  0.  0.  0.  0.  0.  1.  0.  0.]
print "Example training data label: ", mnist.train.labels[0]
```

从以上代码中可以看出，通过 input_data.read_data_sets 函数生成的类会自动将 MNIST 数据集划分为 train、validation 和 test 三个数据集，其中 train 这个集合内有 55000 张图片，validation 集合内有 5000 张图片，这两个集合组成了 MNIST 本身提供的训练数据集。test 集合内有 10000 张图片，这些图片都来自于 MNIST 提供的测试数据集。处理后的每一张图片是一个长度为 784 的一维数组，这个数组中的元素对应了图片像素矩阵中的每一个数字（28×28=784）。因为神经网络的输入是一个特征向量，所以在此把一张二维图像的像素矩阵放到一个一维数组中可以方便 TensorFlow 将图片的像素矩阵提供给神经网络的输入层。像素矩阵中元素的取值范围为[0, 1]，它代表了颜色的深浅。其中 0 表示白色背景（background），1 表示黑色前景（foreground）。为了方便使用随机梯度下降，input_data.read_data_sets 函数生成的类还提供了 mnist.train.next_batch 函数，它可以从所有的训练数据中读取一小部分作为一个训练 batch。以下代码显示了如何使用这个功能。

```
batch_size = 100
xs, ys = mnist.train.next_batch(batch_size)
# 从 train 的集合中选取 batch_size 个训练数据。
print "X shape:", xs.shape
# 输出 X shape: (100, 784)。
print "Y shape:", ys.shape
# 输出 Y shape: (100, 10)。
```

5.2　神经网络模型训练及不同模型结果对比

本节将利用 MNIST 数据集实现并研究第 4 章中介绍的神经网络模型设计及优化的方法。首先，在 5.2.1 节中将给出一个完整的 TensorFlow 程序来解决 MNIST 问题。这个程序整合了第 4 章中介绍的所有优化方法，训练好的神经网络模型在 MNIST 测试数据集上可以达到 98.4%左右的正确率。然后 5.2.2 节将介绍验证数据集在训练神经网络过程中的作用。这一节将通过 5.2.1 节中得到的实验数据来证明，神经网络在验证数据集上的表现可以近似地作为评价不同神经网络模型的标准或者决定迭代轮数的依据。最后 5.2.3 节将通过 MNIST 数据集验证第 4 章中介绍的每一个优化方法。通过在 MNIST 数据集上的实验可以看到，这些优化方法都可以或多或少地提高神经网络的分类正确率。

5.2.1　TensorFlow 训练神经网络

这一节将给出一个完整的 TensorFlow 程序来解决 MNIST 手写体数字识别问题。这一节中给出的程序实现了第 4 章中介绍的神经网络结构设计和训练优化的所有方法。在给出具体的代码之前，先回顾一下第 4 章中提到的主要概念。在神经网络的结构上，深度学习一方面需要使用激活函数实现神经网络模型的去线性化，另一方面需要使用一个或多个隐藏层使得神经网络的结构更深，以解决复杂问题。在训练神经网络时，第 4 章介绍了使用带指数衰减的学习率设置、使用正则化来避免过度拟合，以及使用滑动平均模型来使得最终模型更加健壮。以下代码给出了一个在 MNIST 数据集上实现这些功能的完整的 TensorFlow 程序。

```python
import tensorflow as tf
from tensorflow.examples.tutorials.mnist import input_data

# MNIST 数据集相关的常数。
INPUT_NODE = 784        # 输入层的节点数。对于 MNIST 数据集，这个就等于图片的像素。
OUTPUT_NODE = 10        # 输出层的节点数。这个等于类别的数目。因为在 MNIST 数据集中
                        # 需要区分的是 0~9 这 10 个数字，所以这里输出层的节点数为 10。

# 配置神经网络的参数。
LAYER1_NODE = 500       # 隐藏层节点数。这里使用只有一个隐藏层的网络结构作为样例。
                        # 这个隐藏层有 500 个节点。
BATCH_SIZE = 100        # 一个训练 batch 中的训练数据个数。数字越小时，训练过程越接近
                        # 随机梯度下降；数字越大时，训练越接近梯度下降。
LEARNING_RATE_BASE = 0.8      # 基础的学习率。
LEARNING_RATE_DECAY = 0.99    # 学习率的衰减率。
```

```
REGULARIZATION_RATE = 0.0001        # 描述模型复杂度的正则化项在损失函数中的系数。
TRAINING_STEPS = 30000              # 训练轮数。
MOVING_AVERAGE_DECAY = 0.99         # 滑动平均衰减率。

# 一个辅助函数，给定神经网络的输入和所有参数，计算神经网络的前向传播结果。在这里
# 定义了一个使用 ReLU 激活函数的三层全连接神经网络。通过加入隐藏层实现了多层网络结构，
# 通过 ReLU 激活函数实现了去线性化。在这个函数中也支持传入用于计算参数平均值的类，
# 这样方便在测试时使用滑动平均模型。
def inference(input_tensor, avg_class, weights1, biases1,
              weights2, biases2):
    # 当没有提供滑动平均类时，直接使用参数当前的取值。
    if avg_class == None:
        # 计算隐藏层的前向传播结果，这里使用了 ReLU 激活函数。
        layer1 = tf.nn.relu(tf.matmul(input_tensor, weights1) + biases1)

        # 计算输出层的前向传播结果。因为在计算损失函数时会一并计算 softmax 函数，
        # 所以这里不需要加入激活函数。而且不加入 softmax 不会影响预测结果。因为预测时
        # 使用的是不同类别对应节点输出值的相对大小，有没有 softmax 层对最后分类结果的
        # 计算没有影响。于是在计算整个神经网络的前向传播时可以不加入最后的 softmax 层。
        return tf.matmul(layer1, weights2) + biases2

    else:
        # 首先使用 avg_class.average 函数来计算得出变量的滑动平均值，
        # 然后再计算相应的神经网络前向传播结果。
        layer1 = tf.nn.relu(
            tf.matmul(input_tensor, avg_class.average(weights1)) +
            avg_class.average(biases1))
        return tf.matmul(layer1, avg_class.average(weights2)) +
                avg_class. average(biases2)

# 训练模型的过程。
def train(mnist):
    x = tf.placeholder(tf.float32, [None, INPUT_NODE], name='x-input')
    y_ = tf.placeholder(tf.float32, [None, OUTPUT_NODE], name='y-input')

    # 生成隐藏层的参数。
    weights1 = tf.Variable(
        tf.truncated_normal([INPUT_NODE, LAYER1_NODE], stddev=0.1))
    biases1 = tf.Variable(tf.constant(0.1, shape=[LAYER1_NODE]))
    # 生成输出层的参数。
    weights2 = tf.Variable(
        tf.truncated_normal([LAYER1_NODE, OUTPUT_NODE], stddev=0.1))
    biases2 = tf.Variable(tf.constant(0.1, shape=[OUTPUT_NODE]))

    # 计算在当前参数下神经网络前向传播的结果。这里给出的用于计算滑动平均的类为 None，
```

```
# 所以函数不会使用参数的滑动平均值。
y = inference(x, None, weights1, biases1, weights2, biases2)

# 定义存储训练轮数的变量。这个变量不需要计算滑动平均值，所以这里指定这个变量为
# 不可训练的变量（trainable=Fasle）。在使用 TensorFlow 训练神经网络时，
# 一般会将代表训练轮数的变量指定为不可训练的参数。
global_step = tf.Variable(0, trainable=False)

# 给定滑动平均衰减率和训练轮数的变量，初始化滑动平均类。在第 4 章中介绍过给
# 定训练轮数的变量可以加快训练早期变量的更新速度。
variable_averages = tf.train.ExponentialMovingAverage(
    MOVING_AVERAGE_DECAY, global_step)

# 在所有代表神经网络参数的变量上使用滑动平均。其他辅助变量（比如 global_step）就
# 不需要了。 tf.trainable_variables 返回的就是图上集合
# GraphKeys.TRAINABLE_VARIABLES 中的元素。这个集合的元素就是所有没有指定
# trainable=False 的参数。
variables_averages_op = variable_averages.apply(
    tf.trainable_variables())

# 计算使用了滑动平均之后的前向传播结果。第 4 章中介绍过滑动平均不会改变变量本身的
# 取值，而是会维护一个影子变量来记录其滑动平均值。所以当需要使用这个滑动平均值时，
# 需要明确调用 average 函数。
average_y = inference(
    x, variable_averages, weights1, biases1, weights2, biases2)

# 计算交叉熵作为刻画预测值和真实值之间差距的损失函数。这里使用了 TensorFlow 中提
# 供的 sparse_softmax_cross_entropy_with_logits 函数来计算交叉熵。当分类
# 问题只有一个正确答案时，可以使用这个函数来加速交叉熵的计算。MNIST 问题的图片中
# 只包含了 0~9 中的一个数字，所以可以使用这个函数来计算交叉熵损失。这个函数的第一个
# 参数是神经网络不包括 softmax 层的前向传播结果，第二个是训练数据的正确答案。因为
# 标准答案是一个长度为 10 的一维数组，而该函数需要提供的是一个正确答案的数字，所以需
# 要使用 tf.argmax 函数来得到正确答案对应的类别编号。
cross_entropy = tf.nn.sparse_softmax_cross_entropy_with_logits(
    logits=y, labels=tf.argmax(y_, 1))
# 计算在当前 batch 中所有样例的交叉熵平均值。
cross_entropy_mean = tf.reduce_mean(cross_entropy)

# 计算 L2 正则化损失函数。
regularizer = tf.contrib.layers.l2_regularizer(REGULARIZATION_RATE)
# 计算模型的正则化损失。一般只计算神经网络边上权重的正则化损失，而不使用偏置项。
regularization = regularizer(weights1) + regularizer(weights2)
# 总损失等于交叉熵损失和正则化损失的和。
loss = cross_entropy_mean + regularization
# 设置指数衰减的学习率。
```

```
    learning_rate = tf.train.exponential_decay(
        LEARNING_RATE_BASE,          # 基础的学习率，随着迭代的进行，更新变量时使用的
                                     # 学习率在这个基础上递减。
        global_step,                 # 当前迭代的轮数。
        mnist.train.num_examples / BATCH_SIZE,  # 过完所有的训练数据需要的迭
                                     # 代次数。
        LEARNING_RATE_DECAY)         # 学习率衰减速度。

# 使用 tf.train.GradientDescentOptimizer 优化算法来优化损失函数。注意这里损失函数
# 包含了交叉熵损失和 L2 正则化损失。
train_step=tf.train.GradientDescentOptimizer(learning_rate)\
                .minimize(loss, global_step=global_step)

# 在训练神经网络模型时，每过一遍数据既需要通过反向传播来更新神经网络中的参数，
# 又要更新每一个参数的滑动平均值。为了一次完成多个操作，TensorFlow 提供了
# tf.control_dependencies 和 tf.group 两种机制。下面两行程序和
# train_op = tf.group(train_step, variables_averages_op)是等价的。
with tf.control_dependencies([train_step, variables_averages_op]):
    train_op = tf.no_op(name='train')

# 检验使用了滑动平均模型的神经网络前向传播结果是否正确。tf.argmax(average_y, 1)
# 计算每一个样例的预测答案。其中 average_y 是一个 batch_size * 10 的二维数组，每一行
# 表示一个样例的前向传播结果。tf.argmax 的第二个参数"1"表示选取最大值的操作仅在第一
# 个维度中进行，也就是说，只在每一行选取最大值对应的下标。于是得到的结果是一个长度为
# batch 的一维数组，这个一维数组中的值就表示了每一个样例对应的数字识别结果。tf.equal
# 判断两个张量的每一维是否相等，如果相等返回 True，否则返回 False。
correct_prediction = tf.equal(tf.argmax(average_y, 1), tf.argmax(y_,1))
# 这个运算首先将一个布尔型的数值转换为实数型，然后计算平均值。这个平均值就是模型在这
# 一组数据上的正确率。
accuracy = tf.reduce_mean(tf.cast(correct_prediction, tf.float32))

# 初始化会话并开始训练过程。
with tf.Session() as sess:
    tf.global_variables_initializer().run()
    # 准备验证数据。一般在神经网络的训练过程中会通过验证数据来大致判断停止的
    # 条件和评判训练的效果。
    validate_feed = {x: mnist.validation.images,
                     y_: mnist.validation.labels}

    # 准备测试数据。在真实的应用中，这部分数据在训练时是不可见的，这个数据只是作为模
    # 型优劣的最后评价标准。
    test_feed = {x: mnist.test.images, y_: mnist.test.labels}

    # 迭代地训练神经网络。
    for i in range(TRAINING_STEPS):
```

```
                # 每 1000 轮输出一次在验证数据集上的测试结果。
                if i % 1000 == 0:
                # 计算滑动平均模型在验证数据上的结果。因为 MNIST 数据集比较小，所以一次
                # 可以处理所有的验证数据。为了计算方便，本样例程序没有将验证数据划分为更
                # 小的 batch。当神经网络模型比较复杂或者验证数据比较大时，太大的 batch
                # 会导致计算时间过长甚至发生内存溢出的错误。
                    validate_acc = sess.run(accuracy, feed_dict=validate_feed)
                    print("After %d training step(s), validation accuracy "
                        "using average model is %g " % (i, validate_acc))

                # 产生这一轮使用的一个 batch 的训练数据，并运行训练过程。
                xs, ys = mnist.train.next_batch(BATCH_SIZE)
                sess.run(train_op, feed_dict={x: xs, y_: ys})

            # 在训练结束之后，在测试数据上检测神经网络模型的最终正确率。
            test_acc = sess.run(accuracy, feed_dict=test_feed)
            print("After %d training step(s), test accuracy using average "
                "model is %g" % (TRAINING_STEPS, test_acc))

# 主程序入口。
def main(argv=None):
    # 声明处理 MNIST 数据集的类，这个类在初始化时会自动下载数据。
    mnist = input_data.read_data_sets("/tmp/data", one_hot=True)
    train(mnist)

# TensorFlow 提供的一个主程序入口，tf.app.run 会调用上面定义的 main 函数。
if __name__ == '__main__':
    tf.app.run()
```

运行以上程序，将得到类似下面的输出结果[①]：

```
Extracting /tmp/data/train-images-idx3-ubyte.gz
Extracting /tmp/data/train-labels-idx1-ubyte.gz
Extracting /tmp/data/t10k-images-idx3-ubyte.gz
Extracting /tmp/data/t10k-labels-idx1-ubyte.gz
After 0 training step(s), validation accuracy on average model is 0.105
After 1000 training step(s), validation accuracy using average model is 0.9774
After 2000 training step(s), validation accuracy using average model is 0.9816
After 3000 training step(s), validation accuracy using average model is 0.9834
After 4000 training step(s), validation accuracy using average model is 0.9832

...

After 27000 training step(s), validation accuracy using average model is 0.984
```

---

① 因为神经网络模型训练过程中的随机因素，读者不会得到一模一样的结果。

```
After 28000 training step(s), validation accuracy using average model is 0.985
After 29000 training step(s), validation accuracy using average model is 0.985
After 29999 training step(s), validation accuracy using average model is 0.985
After 30000 training step(s), test accuracy on average model is 0.984
```

从以上结果可以看出，在训练初期，随着训练的进行，模型在验证数据集上的表现越来越好。从第 4000 轮开始，模型在验证数据集上的表现开始波动，这说明模型已经接近极小值了，所以迭代也就可以结束了。下面的 5.2.2 节将详细介绍验证数据集的作用。

5.2.2　使用验证数据集判断模型效果

在 5.2.1 节给出了使用神经网络解决 MNIST 问题的完整程序。在这个程序的开始设置了初始学习率、学习率衰减率、隐藏层节点数量、迭代轮数等 7 种不同的参数。那么如何设置这些参数的取值呢？在大部分情况下，配置神经网络的这些参数都是需要通过实验来调整的。虽然一个神经网络模型的效果最终是通过测试数据来评判的，但是我们不能直接通过模型在测试数据上的效果来选择参数。使用测试数据来选取参数可能会导致神经网络模型过度拟合测试数据，从而失去对未知数据的预判能力。因为一个神经网络模型的最终目标是对未知数据提供判断，所以为了估计模型在未知数据上的效果，需要保证测试数据在训练过程中是不可见的。只有这样才能保证通过测试数据评估出来的效果和在真实应用场景下模型对未知数据预判的效果是接近的。于是，为了评测神经网络模型在不同参数下的效果，一般会从训练数据中抽取一部分作为验证数据。使用验证数据就可以评判不同参数取值下模型的表现。除了使用验证数据集，还可以采用交叉验证（cross validation）的方式来验证模型效果。但因为神经网络训练时间本身就比较长，采用 cross validation 会花费大量时间。所以在海量数据的情况下，一般会更多地采用验证数据集的形式来评测模型的效果。

在本节中，为了说明验证数据在一定程度上可以作为模型效果的评判标准，我们将对比在不同迭代轮数的情况下，模型在验证数据和测试数据上的正确率。为了同时得到同一个模型在验证数据和测试数据上的正确率，可以在每 1000 轮的输出中加入在测试数据集上的正确率。在 5.2.1 节给出的代码中加入以下代码，就可以得到每 1000 轮迭代后，使用了滑动平均的模型在验证数据和测试数据上的正确率。

```
# 计算滑动平均模型在测试数据和验证数据上的正确率。
validate_acc = sess.run(accuracy, feed_dict=validate_feed)
test_acc = sess.run(accuracy, feed_dict=test_feed)
# 输出正确率信息。
print("After %d training step(s), validation accuracy using average "
      "model is %g, test accuracy using average model is %g" %
          (i, validate_acc, test _acc))
```

图 5-2 给出了通过上面代码得到的每 1000 轮滑动平均模型在不同数据集上的正确率曲线。图 5-2 中灰色的曲线表示随着迭代轮数的增加，模型在验证数据上的正确率；而黑色的曲线表示了在测试数据上的正确率。从图 5-2 中可以看出，虽然这两条曲线不会完全重合，但是这两条曲线的趋势基本一样，而且他们的相关系数（correlation coefficient）大于 0.9999。这意味着在 MNIST 问题上，完全可以通过模型在验证数据上的表现来判断一个模型的优劣。

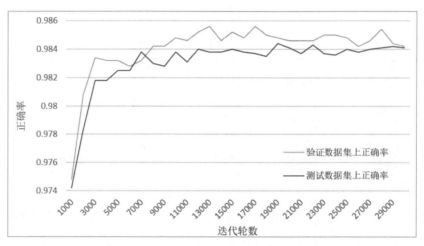

图 5-2　不同迭代轮数下滑动平均模型在验证数据集和测试数据集上的正确率

当然，以上结论是针对 MNIST 这个数据集的，对于其他问题，还需要具体问题具体分析。不同问题的数据分布不一样，如果验证数据分布不能很好地代表测试数据分布，那么模型在这两个数据集上的表现就有可能不一样。所以，验证数据的选取方法是非常重要的，一般来说选取的验证数据分布越接近测试数据分布，模型在验证数据上的表现越可以体现模型在测试数据上的表现。但通过本节中介绍的实验，至少可以说明通过神经网络在验证数据上的效果来选取模型的参数是一个可行的方案。

5.2.3　不同模型效果比较

本节将通过 MNIST 数据集来比较第 4 章中提到的不同优化方法对神经网络模型正确率的影响。本节将使用神经网络模型在 MNIST 测试数据集上的正确率作为评价不同优化方法的标准。在本节中一个模型在 MNIST 测试数据集上的正确率将简称为"正确率"。在第 4 章中提到了设计神经网络时的 5 种优化方法。在神经网络结构的设计上，需要使用激活函数和多层隐藏层。在神经网络优化时，可以使用指数衰减的学习率、加入正则化的损失函数以及滑动平均模型。在图 5-3 中，给出了在相同神经网络参数下[①]，使用不同优化方法，经过 30000 轮训练迭代后，得到的最终模型的正确率。[②]图 5-3 给出的结果中包含了使用所有优化方法训练得到的模型和不用其中某一项优化方法训练得到的模型。通过这种方式，可以有效验证每一项优化方法的效果。

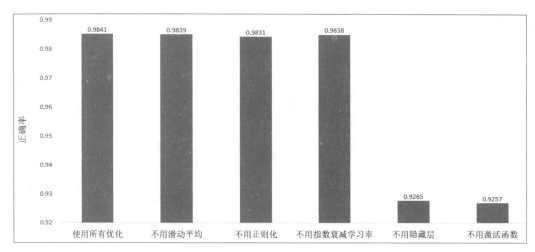

图 5-3　不同模型的正确率

从图 5-3 中可以很明显地看出，调整神经网络的结构对最终的正确率有非常大的影响。没有隐藏层或者没有激活函数时，模型的正确率只有大约 92.6%，这个数字要远远小于使用了隐藏层和激活函数时可以达到的大约 98.4%的正确率。这说明神经网络的结构对最终模型的效果有本质性的影响。第 6 章将会介绍一种更加特殊的神经网络结构——卷积神经网络。卷积神经网络可以更加有效地处理图像信息。通过卷积神经网络，可以进一步将正确率提高到大约 99.5%。

从图 5-3 上的数字中可发现使用滑动平均模型、指数衰减的学习率和使用正则化带来的正确率的提升并不是特别明显。其中使用了所有优化算法的模型和不使用滑动平均的模型以及不使用指数衰减的学习率的模型都可以达到大约 98.4%的正确率。这是因为滑动平均模型和指数衰减的学习率在一定程度上都是限制神经网络中参数更新的速度，然而在 MNIST 数据上，因为模型收敛的速度很快，所以这两种优化对最终模型的影响不大。从图 5-2 中可以看到，当模型迭代到 4000 轮时正确率就已经接近最终的正确率了。而在迭代

---

① 在本节中，不同神经网络模型使用的参数和 5.2.1 节给出的代码中的参数一致。唯一的例外是不使用激活函数的模型使用的学习率为 0.05。

② 因为神经网络的训练过程存在随机因素，本节中列出的所有结果都是 10 次运行的平均值。

的早期，是否使用滑动平均模型或者指数衰减的学习率对训练结果的影响相对较小。图 5-4
显示了不同迭代轮数时，使用了所有优化方法的模型的正确率与平均绝对梯度①的变化趋
势。图 5-5 显示了不同迭代轮数时，正确率与衰减之后的学习率的变化趋势。

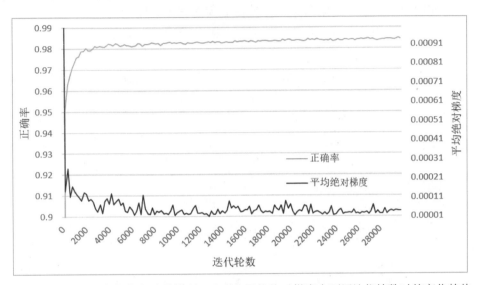

图 5-4　使用了所有优化方法的模型正确率与平均绝对梯度在不同迭代轮数时的变化趋势

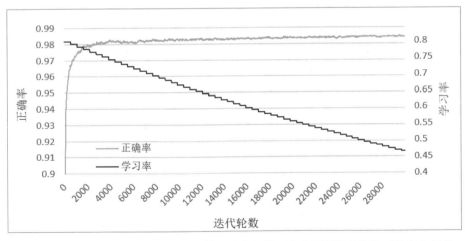

图 5-5　使用了所有优化方法的模型的正确率与学习率在不同迭代轮数时的变化趋势

　　从图 5-4 中可以看到，前 4000 轮迭代对模型的改变是最大的。在 4000 轮之后，因为
梯度本身比较小，所以参数的改变也就比较缓慢了。于是滑动平均模型或者指数衰减的学

---

① 平均绝对梯度是所有参数梯度绝对值的平均数。

习率的作用也就没有那么突出了。从图 5-5 中可以看到，学习率曲线呈现出阶梯状衰减，在前 4000 轮时，衰减之后的学习率和最初的学习率差距并不大。那么，这是否能说明这些优化方法作用不大呢？答案是否定的。当问题更加复杂时，迭代不会这么快接近收敛，这时滑动平均模型和指数衰减的学习率可以发挥更大的作用。比如在 CIFAR-10 图像分类数据集上，使用滑动平均模型可以将错误率降低 11%，而使用指数衰减的学习率可以将错误率降低 7%。

相比滑动平均模型和指数衰减学习率，使用加入正则化的损失函数给模型效果带来的提升要相对显著。使用了正则化损失函数的神经网络模型可以降低大约 6%的错误率（从 1.69%降低到 1.59%）。图 5-6 和图 5-7 显示了正则化给模型优化过程带来的影响。图 5-6 和图 5-7 对比了两个使用了不同损失函数的神经网络模型。一个模型只最小化交叉熵损失，以下代码给出了只优化交叉熵模型的模型优化函数的声明语句。

```
train_step = tf.train.GradientDescentOptimizer(learning_rate)\
             .minimize(cross_entropy_mean, global_step=global_step)
```

另一个模型优化的是交叉熵和 *L*2 正则化损失的和。以下代码给出了这个模型优化函数的声明语句。

```
loss = cross_entropy_mean + regularaztion
train_step = tf.train.GradientDescentOptimizer(learning_rate)\
             .minimize(loss, global_step=global_step)
```

在图 5-6 中灰色和黑色的实线给出了两个模型正确率的变化趋势，虚线给出了在当前训练 batch 上的交叉熵损失。

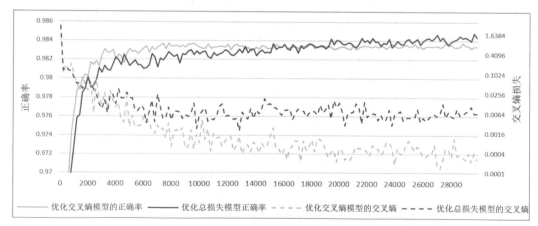

图 5-6　不同模型在不同迭代轮数时交叉熵和正确率的关系

从图 5-6 中可以看出，只优化交叉熵的模型在训练数据上的交叉熵损失（灰色虚线）

要比优化总损失的模型更小（黑色虚线）。然而在测试数据上，优化总损失的模型（黑色实线）却要好于只优化交叉熵的模型（灰色实线）。这个原因就是第 4 章中介绍的过拟合问题。只优化交叉熵的模型可以更好地拟合训练数据（交叉熵损失更小），但是却不能很好地挖掘数据中潜在的规律来判断未知的测试数据，所以在测试数据上的正确率低。

图 5-7 显示了不同模型的损失函数的变化趋势。图 5-7 的左侧显示了只优化交叉熵的模型损失函数的变化规律。可以看到随着迭代的进行，正则化损失是在不断加大的。因为 MNIST 问题相对比较简单，迭代后期的梯度很小（参考图 5-4），所以正则化损失的增长也不快。如果问题更加复杂，迭代后期的梯度更大，就会发现总损失（交叉熵损失加上正则化损失）会呈现出一个 U 字型。在图 5-7 的右侧，显示了优化总损失的模型损失函数的变化规律。从图 5-7 中可以看出，这个模型的正则化损失部分也可以随着迭代的进行越来越小，从而使得整体的损失呈现一个逐步递减的趋势。

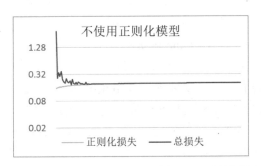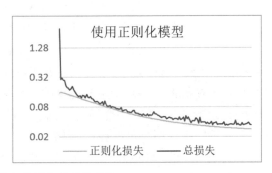

图 5-7　正则化损失值和总损失的变化趋势

总的来说，通过 MNIST 数据集有效地验证了激活函数、隐藏层可以给模型的效果带来质的飞跃。由于 MNIST 问题本身相对简单，滑动平均模型、指数衰减的学习率和正则化损失对最终正确率的提升效果不明显。但通过进一步分析实验的结果，可以得出这些优化方法确实可以解决第 4 章中提到的神经网络优化过程中的问题。当需要解决的问题和使用到的神经网络模型更加复杂时，这些优化方法将更有可能对训练效果产生更大的影响。

5.3　变量管理

在 5.2.1 节中将计算神经网络前向传播结果的过程抽象成了一个函数。通过这种方式在训练和测试的过程中可以统一调用同一个函数来得模型的前向传播结果。在 5.2.1 节中，这个函数的定义为：

```
def inference(input_tensor, avg_class, weights1, biases1, weights2, biases2):
```

从定义中可以看到，这个函数的参数中包括了神经网络中的所有参数。然而，当神经网络的结构更加复杂、参数更多时，就需要一个更好的方式来传递和管理神经网络中的参数了。TensorFlow 提供了通过变量名称来创建或者获取一个变量的机制。通过这个机制，在不同的函数中可以直接通过变量的名字来使用变量，而不需要将变量通过参数的形式到处传递。TensorFlow 中通过变量名称获取变量的机制主要是通过 tf.get_variable 和 tf.variable_scope 函数实现的。下面将分别介绍如何使用这两个函数。

第 4 章介绍了通过 tf.Variable 函数来创建一个变量。除了 tf.Variable 函数，TensorFlow 还提供了 tf.get_variable 函数来创建或者获取变量。当 tf.get_variable 用于创建变量时，它和 tf.Variable 的功能是基本等价的。以下代码给出了通过这两个函数创建同一个变量的样例。

```
# 下面这两个定义是等价的。
v = tf.get_variable("v", shape=[1],
                    initializer=tf.constant_initializer(1.0))
v = tf.Variable(tf.constant(1.0, shape=[1]), name="v")
```

从以上代码中可以看出，通过 tf.Variable 和 tf.get_variable 函数创建变量的过程基本上是一样的。tf.get_variable 函数调用时提供的维度（shape）信息以及初始化方法（initializer）的参数和 tf.Variable 函数调用时提供的初始化过程中的参数也类似。TensorFlow 中提供的 initializer 函数和 3.4.3 节中介绍的随机数以及常量生成函数大部分是一一对应的。比如，在以上样例程序中使用到的常数初始化函数 tf.constant_initializer 和常数生成函数 tf.constant 功能上就是一致的。TensorFlow 提供了 7 种不同的初始化函数，表 5-2 总结了它们的功能和主要参数。

表 5-2　TensorFlow 中的变量初始化函数

初始化函数	功能	主要参数
tf.constant_initializer	将变量初始化为给定常量	常量的取值
tf.random_normal_initializer	将变量初始化为满足正态分布的随机值	正态分布的均值和标准差
tf.truncated_normal_initializer	将变量初始化为满足正态分布的随机值，但如果随机出来的值偏离平均值超过 2 个标准差，那么这个数将会被重新随机	正态分布的均值和标准差
tf.random_uniform_initializer	将变量初始化为满足平均分布的随机值	最大、最小值
tf.uniform_unit_scaling_initializer	将变量初始化为满足平均分布但不影响输出数量级的随机值	factor(产生随机值时乘以的系数)
tf.zeros_initializer	将变量设置为全 0	变量维度
tf.ones_initializer	将变量设置为全 1	变量维度

tf.get_variable 函数与 tf.Variable 函数最大的区别在于指定变量名称的参数。对于 tf.Variable 函数，变量名称是一个可选的参数，通过 name="v" 的形式给出。但是对于

tf.get_variable 函数，变量名称是一个必填的参数。tf.get_variable 会根据这个名字去创建或者获取变量。在以上样例程序中，tf.get_variable 首先会试图去创建一个名字为 v 的参数，如果创建失败（比如已经有同名的参数），那么这个程序就会报错。这是为了避免无意识的变量复用造成的错误。比如在定义神经网络参数时，第一层网络的权重已经叫 weights 了，那么在创建第二层神经网络时，如果参数名仍然叫 weights，就会触发变量重用的错误。否则两层神经网络共用一个权重会出现一些比较难以发现的错误。如果需要通过 tf.get_variable 获取一个已经创建的变量，需要通过 tf.variable_scope 函数来生成一个上下文管理器，并明确指定在这个上下文管理器中，tf.get_variable 将直接获取已经生成的变量。下面给出了一段代码说明如何通过 tf.variable_scope 函数来控制 tf.get_variable 函数获取已经创建过的变量。

```
# 在名字为 foo 的命名空间内创建名字为 v 的变量。
with tf.variable_scope("foo"):
    v = tf.get_variable(
        "v", [1], initializer=tf.constant_initializer(1.0))

# 因为在命名空间 foo 中已经存在名字为 v 的变量，所以以下代码将会报错：
# Variable foo/v already exists, disallowed. Did you mean to set reuse=True
# in VarScope?
with tf.variable_scope("foo"):
    v = tf.get_variable("v", [1])

# 在生成上下文管理器时，将参数 reuse 设置为 True。这样 tf.get_variable 函数将直接获取
# 已经声明的变量。
with tf.variable_scope("foo", reuse=True):
    v1 = tf.get_variable("v", [1])
    print v == v1    # 输出为 True，代表 v, v1 代表的是相同的 TensorFlow 中变量。

# 将参数 reuse 设置为 True 时，tf.variable_scope 将只能获取已经创建过的变量。因为在
# 命名空间 bar 中还没有创建变量 v，所以以下代码将会报错：
# Variable bar/v does not exist, disallowed. Did you mean to set reuse=None
# in VarScope?
with tf.variable_scope("bar", reuse=True):
    v = tf.get_variable("v", [1])
```

以上样例简单地说明了通过 tf.variable_scope 函数可以控制 tf.get_variable 函数的语义。当 tf.variable_scope 函数使用参数 reuse=True 生成上下文管理器时，这个上下文管理器内所有的 tf.get_variable 函数会直接获取已经创建的变量。如果变量不存在，则 tf.get_variable 函数将报错；相反，如果 tf.variable_scope 函数使用参数 reuse=None 或者 reuse=False 创建上下文管理器，tf.get_variable 操作将创建新的变量。如果同名的变量已经存在，则

tf.get_variable 函数将报错。TensorFlow 中 tf.variable_scope 函数是可以嵌套的。下面的程序说明了当 tf.variable_scope 函数嵌套时，reuse 参数的取值是如何确定的。

```
with tf.variable_scope("root"):
    # 可以通过 tf.get_variable_scope().reuse 函数来获取当前上下文管理器中 reuse 参
    # 数的取值。
    print tf.get_variable_scope().reuse    # 输出 False，即最外层 reuse 是 False。

    with tf.variable_scope("foo", reuse=True):  # 新建一个嵌套的上下文管理器，
                                                 # 并指定 reuse 为 True。
        print tf.get_variable_scope().reuse     # 输出 True。
        with tf.variable_scope("bar"):          # 新建一个嵌套的上下文管理器但
                                                 # 不指定 reuse，这时 reuse
                                                 # 的取值会和外面一层保持一致。
            print tf.get_variable_scope().reuse # 输出 True。
    print tf.get_variable_scope().reuse         # 输出 False。退出 reuse 设置
                                                 # 为 True 的上下文之后
                                                 # reuse 的值又回到了 False。
```

tf.variable_scope 函数生成的上下文管理器也会创建一个 TensorFlow 中的命名空间，在命名空间内创建的变量名称都会带上这个命名空间名作为前缀。所以，tf.variable_scope 函数除了可以控制 tf.get_variable 执行的功能，这个函数也提供了一个管理变量命名空间的方式。以下代码显示了如何通过 tf.variable_scope 来管理变量的名称。

```
v1 = tf.get_variable("v", [1])
print v1.name      # 输出 v:0。"v" 为变量的名称，":0" 表示这个变量是生成变量这个运算
                   # 的第一个结果。

with tf.variable_scope("foo"):
    v2 = tf.get_variable("v", [1])
    print v2.name  # 输出 foo/v:0。在 tf.variable_scope 中创建的变量，名称前面会
                   # 加入命名空间的名称，并通过/来分隔命名空间的名称和变量的名称。

with tf.variable_scope("foo"):
    with tf.variable_scope("bar"):
        v3 = tf.get_variable("v", [1])
        print v3.name    # 输出 foo/bar/v:0。命名空间可以嵌套，同时变量的名称也会加
                         # 入所有命名空间的名称作为前缀。

    v4 = tf.get_variable("v1", [1])
    print v4.name    # 输出 foo/v1:0。当命名空间退出之后，变量名称也就不会再被加入
                     # 其前缀了。

# 创建一个名称为空的命名空间，并设置 reuse=True。
with tf.variable_scope("", reuse=True):
```

```
        v5 = tf.get_variable("foo/bar/v", [1])    # 可以直接通过带命名空间名称的变量名
                                                   # 来获取其他命名空间下的变量。比如这
                                                   # 里通过指定名称 foo/bar/v 来获取在
                                                   # 命名空间 foo/bar/ 中创建的变量。
        print v5 == v3                             # 输出 True。
        v6 = tf.get_variable("foo/v1", [1])
        print v6 == v4                             # 输出 True。
```

通过 tf.variable_scope 和 tf.get_variable 函数，以下代码对 5.2.1 节中定义的计算前向传播结果的函数做了一些改进。

```
def inference(input_tensor, reuse=False):
    # 定义第一层神经网络的变量和前向传播过程。
    with tf.variable_scope('layer1', reuse=reuse):
        # 根据传进来的 reuse 来判断是创建新变量还是使用已经创建好的。在第一次构造网
        # 络时需要创建新的变量，以后每次调用这个函数都直接使用 reuse=True 就不需
        # 要每次将变量传进来了。
        weights = tf.get_variable("weights", [INPUT_NODE, LAYER1_NODE],
            initializer=tf.truncated_normal_initializer(stddev=0.1))
        biases = tf.get_variable("biases", [LAYER1_NODE],
            initializer=tf.constant_initializer(0.0))
        layer1 = tf.nn.relu(tf.matmul(input_tensor, weights) + biases)

    # 类似地定义第二层神经网络的变量和前向传播过程。
    with tf.variable_scope('layer2', reuse=reuse):
        weights = tf.get_variable("weights", [LAYER1_NODE, OUTPUT_NODE],
            initializer=tf.truncated_normal_initializer(stddev=0.1))
        biases = tf.get_variable("biases", [OUTPUT_NODE],
            initializer=tf.constant_initializer(0.0))
        layer2 = tf.matmul(layer1, weights) + biases
    # 返回最后的前向传播结果。
    return layer2

x = tf.placeholder(tf.float32, [None, INPUT_NODE], name='x-input')
y = inference(x)

# 在程序中需要使用训练好的神经网络进行推导时，可以直接调用 inference(new_x, True)。
# 如果需要使用滑动平均模型可以参考 5.2.1 节中使用的代码，把计算滑动平均的类传到
# inference 函数中即可。获取或者创建变量的部分不需要改变。
new_x = ...
new_y = inference(new_x, True)
```

使用上述代码所示的方式，就不再需要将所有变量都作为参数传递到不同的函数中了。当神经网络结构更加复杂、参数更多时，使用这种变量管理方式将大大提高程序的可读性。

5.4 TensorFlow 模型持久化

在 5.2.1 节中给出的样例代码在训练完成之后就直接退出了，并没有将训练得到的模型保存下来方便下次直接使用。为了让训练结果可以复用，需要将训练得到的神经网络模型持久化。5.4.1 节将介绍通过 TensorFlow 程序来持久化一个训练好的模型，并从持久化之后的模型文件中还原被保存的模型。然后 5.4.2 节将介绍 TensorFlow 持久化的工作原理和持久化之后文件中的数据格式。

5.4.1 持久化代码实现

TensorFlow 提供了一个非常简单的 API 来保存和还原一个神经网络模型。这个 API 就是 tf.train.Saver 类。以下代码给出了保存 TensorFlow 计算图的方法。

```
import tensorflow as tf

# 声明两个变量并计算它们的和。
v1 = tf.Variable(tf.constant(1.0, shape=[1]), name="v1")
v2 = tf.Variable(tf.constant(2.0, shape=[1]), name="v2")
result = v1 + v2

init_op = tf.global_variables_initializer()
# 声明 tf.train.Saver 类用于保存模型。
saver = tf.train.Saver()

with tf.Session() as sess:
    sess.run(init_op)
    # 将模型保存到/path/to/model/model.ckpt 文件。
    saver.save(sess, "/path/to/model/model.ckpt")
```

以上代码实现了持久化一个简单的 TensorFlow 模型的功能。在这段代码中，通过 saver.save 函数将 TensorFlow 模型保存到了/path/to/model/model.ckpt 文件中。TensorFlow 模型一般会存在后缀为.ckpt 的文件中。虽然以上程序只指定了一个文件路径，但是在这个文件目录下会出现三个文件。这是因为 TensorFlow 会将计算图的结构和图上参数取值分开保存。

上面这段代码会生成的第一个文件为 model.ckpt.meta，它保存了 TensorFlow 计算图的结构。第 3 章中介绍过 TensorFlow 计算图的原理，这里可以简单理解为神经网络的网络结构。第二个文件为 model.ckpt，这个文件中保存了 TensorFlow 程序中每一个变量的取值。最后一个文件为 checkpoint 文件，这个文件中保存了一个目录下所有的模型文件列表。对这些文件中的具体内容，5.4.2 节中将详细讲述。以下代码中给出了加载这个已经保存的 TensorFlow 模型的方法。

```
import tensorflow as tf

# 使用和保存模型代码中一样的方式来声明变量。
v1 = tf.Variable(tf.constant(1.0, shape=[1]), name="v1")
v2 = tf.Variable(tf.constant(2.0, shape=[1]), name="v2")
result = v1 + v2

saver = tf.train.Saver()

with tf.Session() as sess:
    # 加载已经保存的模型，并通过已经保存的模型中变量的值来计算加法。
    saver.restore(sess, "/path/to/model/model.ckpt")
    print sess.run(result)
```

这段加载模型的代码基本上和保存模型的代码是一样的。在加载模型的程序中也是先定义了 TensorFlow 计算图上的所有运算，并声明了一个 tf.train.Saver 类。两段代码唯一不同的是，在加载模型的代码中没有运行变量的初始化过程，而是将变量的值通过已经保存的模型加载进来。如果不希望重复定义图上的运算，也可以直接加载已经持久化的图。以下代码给出了一个样例。

```
import tensorflow as tf
# 直接加载持久化的图。
saver = tf.train.import_meta_graph(
    "/path/to/model/model.ckpt/model.ckpt.meta")
with tf.Session() as sess:
    saver.restore(sess, "/path/to/model/model.ckpt")
    # 通过张量的名称来获取张量。
    print sess.run(tf.get_default_graph().get_tensor_by_name("add:0"))
    # 输出[ 3.]
```

在上面给出的程序中，默认保存和加载了 TensorFlow 计算图上定义的全部变量。但有时可能只需要保存或者加载部分变量。比如，可能有一个之前训练好的五层神经网络模型，但现在想尝试一个六层的神经网络，那么可以将前面五层神经网络中的参数直接加载到新的模型，而仅仅将最后一层神经网络重新训练。

为了保存或者加载部分变量，在声明 tf.train.Saver 类时可以提供一个列表来指定需要保存或者加载的变量。比如在加载模型的代码中使用 saver = tf.train.Saver([v1])命令来构建 tf.train.Saver 类，那么只有变量 v1 会被加载进来。如果运行修改后只加载了 v1 的代码会得到变量未初始化的错误：

```
tensorflow.python.framework.errors.FailedPreconditionError: Attempting to
use uninitialized value v2
```

因为 v2 没有被加载，所以 v2 在运行初始化之前是没有值的。除了可以选取需要被加载的变量，tf.train.Saver 类也支持在保存或者加载时给变量重命名。下面给出了一个简单的样例程序说明变量重命名是如何被使用的。

```
# 这里声明的变量名称和已经保存的模型中变量的名称不同。
v1 = tf.Variable(tf.constant(1.0, shape=[1]), name="other-v1")
v2 = tf.Variable(tf.constant(2.0, shape=[1]), name="other-v2")

# 如果直接使用 tf.train.Saver() 来加载模型会报变量找不到的错误。下面显示了报错信息：
# tensorflow.python.framework.errors.NotFoundError: Tensor name "other-v2"
# not found in checkpoint files /path/to/model/model.ckpt

# 使用一个字典（dictionary）来重命名变量可以就可以加载原来的模型了。这个字典指定了
# 原来名称为 v1 的变量现在加载到变量 v1 中（名称为 other-v1），名称为 v2 的变量
# 加载到变量 v2 中（名称为 other-v2）。
saver = tf.train.Saver({"v1": v1, "v2": v2})
```

在这个程序中，对变量 v1 和 v2 的名称进行了修改。如果直接通过 tf.train.Saver 默认的构造函数来加载保存的模型，那么程序会报变量找不到的错误。因为保存时候变量的名称和加载时变量的名称不一致。为了解决这个问题，TensorFlow 可以通过字典（dictionary）将模型保存时的变量名和需要加载的变量联系起来。

这样做主要目的之一是方便使用变量的滑动平均值。在 4.4.3 节中介绍了使用变量的滑动平均值可以让神经网络模型更加健壮（robust）。在 TensorFlow 中，每一个变量的滑动平均值是通过影子变量维护的，所以要获取变量的滑动平均值实际上就是获取这个影子变量的取值。如果在加载模型时直接将影子变量映射到变量自身，那么在使用训练好的模型时就不需要再调用函数来获取变量的滑动平均值了。这样大大方便了滑动平均模型的使用。以下代码给出了一个保存滑动平均模型的样例。

```
import tensorflow as tf

v = tf.Variable(0, dtype=tf.float32, name="v")
# 在没有申明滑动平均模型时只有一个变量 v，所以以下语句只会输出 "v:0"。
for variables in tf.global_variables():
    print variables.name

ema = tf.train.ExponentialMovingAverage(0.99)
maintain_averages_op = ema.apply(tf.global_variables())
# 在申明滑动平均模型之后，TensorFlow 会自动生成一个影子变量
# v/ExponentialMoving Average。于是以下语句会输出
```

```
# "v:0" 和 "v/ExponentialMovingAverage:0"。
for variables in tf.global_variables():
    print variables.name

saver = tf.train.Saver()
with tf.Session() as sess:
    init_op = tf.global_variables_initializer()
    sess.run(init_op)

    sess.run(tf.assign(v, 10))
    sess.run(maintain_averages_op)
    # 保存时, TensorFlow 会将 v:0 和 v/ExponentialMovingAverage:0 两个变量都存下来。
    saver.save(sess, "/path/to/model/model.ckpt")
    print sess.run([v, ema.average(v)])          # 输出[10.0, 0.099999905]
```

以下代码给出了如何通过变量重命名直接读取变量的滑动平均值。从下面程序的输出可以看出，读取的变量 v 的值实际上是上面代码中变量 v 的滑动平均值。通过这个方法，就可以使用完全一样的代码来计算滑动平均模型前向传播的结果。

```
v = tf.Variable(0, dtype=tf.float32, name="v")
# 通过变量重命名将原来变量 v 的滑动平均值直接赋值给 v。
saver = tf.train.Saver({"v/ExponentialMovingAverage": v})
with tf.Session() as sess:
    saver.restore(sess, "/path/to/model/model.ckpt")
    print sess.run(v) # 输出 0.099999905, 这个值就是原来模型中变量 v 的滑动平均值。
```

为了方便加载时重命名滑动平均变量，tf.train.ExponentialMovingAverage 类提供了 variables_to_restore 函数来生成 tf.train.Saver 类所需的变量重命名字典。以下代码给出了 variables_to_restore 函数的使用样例。

```
import tensorflow as tf

v = tf.Variable(0, dtype=tf.float32, name="v")
ema = tf.train.ExponentialMovingAverage(0.99)

# 通过使用 variables_to_restore 函数可以直接生成上面代码中提供的字典
# {"v/ExponentialMovingAverage": v}。
# 以下代码会输出:
# {'v/ExponentialMovingAverage': <tensorflow.Variable 'v:0' shape=()
# dtype=float32_ref>}
# 其中后面的 Variable 类就代表了变量 v。
print ema.variables_to_restore()

saver = tf.train.Saver(ema.variables_to_restore())
```

```
with tf.Session() as sess:
    saver.restore(sess, "/path/to/model/model.ckpt")
    print sess.run(v)  # 输出 0.099999905，即原来模型中变量 v 的滑动平均值。
```

使用 tf.train.Saver 会保存运行 TensorFlow 程序所需要的全部信息，然而有时并不需要某些信息。比如在测试或者离线预测时，只需要知道如何从神经网络的输入层经过前向传播计算得到输出层即可，而不需要类似于变量初始化、模型保存等辅助节点的信息。在第 6 章介绍迁移学习时，会遇到类似的情况。而且，将变量取值和计算图结构分成不同的文件存储有时候也不方便，于是 TensorFlow 提供了 convert_variables_ to_constants 函数，通过这个函数可以将计算图中的变量及其取值通过常量的方式保存，这样整个 TensorFlow 计算图可以统一存放在一个文件中。以下程序提供了一个样例。

```
import tensorflow as tf
from tensorflow.python.framework import graph_util

v1 = tf.Variable(tf.constant(1.0, shape=[1]), name="v1")
v2 = tf.Variable(tf.constant(2.0, shape=[1]), name="v2")
result = v1 + v2

init_op = tf.global_variables_initializer()
with tf.Session() as sess:
    sess.run(init_op)
    # 导出当前计算图的 GraphDef 部分，只需要这一部分就可以完成从输入层到输出层的计算
    # 过程。
    graph_def = tf.get_default_graph().as_graph_def()

    # 将图中的变量及其取值转化为常量，同时将图中不必要的节点去掉。在 5.4.2 节中将会看
    # 到一些系统运算也会被转化为计算图中的节点（比如变量初始化操作）。如果只关心程序中定
    # 义的某些计算时，和这些计算无关的节点就没有必要导出并保存了。在下面一行代码中，最
    # 后一个参数['add']给出了需要保存的节点名称。add 节点是上面定义的两个变量相加的
    # 操作。注意这里给出的是计算节点的名称，所以没有后面的:0。①
    output_graph_def = graph_util.convert_variables_to_constants(
        sess, graph_def, ['add'])
    # 将导出的模型存入文件。
    with tf.gfile.GFile("/path/to/model/combined_model.pb", "wb") as f:
        f.write(output_graph_def.SerializeToString())
```

通过以下程序可以直接计算定义的加法运算的结果。当只需要得到计算图中某个节点的取值时，这提供了一个更加方便的方法。第 6 章将使用这种方法来使用训练好的模型完

---

① 第 3 章中介绍过张量的名称后面有:0，表示是某个计算节点的第一个输出。而计算节点本身的名称后是没有:0 的。

成迁移学习。

```
import tensorflow as tf
from tensorflow.python.platform import gfile

with tf.Session() as sess:
  model_filename = "/path/to/model/combined_model.pb"
  # 读取保存的模型文件，并将文件解析成对应的 GraphDef Protocol Buffer。
  with gfile.FastGFile(model_filename, 'rb') as f:
      graph_def = tf.GraphDef()
      graph_def.ParseFromString(f.read())

  # 将 graph_def 中保存的图加载到当前的图中。return_elements=["add:0"]给出了返回
  # 的张量的名称。在保存的时候给出的是计算节点的名称，所以为 "add"。在加载的时候给出
  # 的是张量的名称，所以是 add:0。
  result = tf.import_graph_def(graph_def, return_elements=["add:0"])
  # 输出[3.0]
  print sess.run(result)
```

5.4.2　持久化原理及数据格式

5.4.1 节介绍了当调用 saver.save 函数时，TensorFlow 程序会自动生成 4 个文件。TensorFlow 模型的持久化就是通过这 4 个文件完成的。这一节将详细介绍这 4 个文件中保存的内容以及数据格式。在具体介绍每一个文件之前，先简单回顾一下第 3 章中介绍过的 TensorFlow 的一些基本概念。TensorFlow 是一个通过图的形式来表述计算的编程系统，TensorFlow 程序中的所有计算都会被表达为计算图上的节点。TensorFlow 通过元图（MetaGraph）来记录计算图中节点的信息以及运行计算图中节点所需要的元数据。TensorFlow 中元图是由 MetaGraphDef Protocol Buffer 定义的。[1]MetaGraphDef 中的内容就构成了 TensorFlow 持久化时的第一个文件。以下代码给出了 MetaGraphDef 类型的定义。

```
message MetaGraphDef {
  MetaInfoDef meta_info_def = 1;

  GraphDef graph_def = 2;
  SaverDef saver_def = 3;
  map<string, CollectionDef> collection_def = 4;
  map<string, SignatureDef> signature_def = 5;
  repeated AssetFileDef asset_file_def = 6;
```

---

① 2.1 节中有关于 Protocol Buffer 的具体介绍。

```
}
```

从以上代码中可以看到，元图中主要记录了 6 类信息。下面的篇幅将结合 5.4.1 节中变量相加样例的持久化结果，逐一介绍 MetaGraphDef 类型的每一个属性中存储的信息。保存MetaGraphDef 信息的文件默认以.meta 为后缀名，在 5.4.1 节的样例中，文件 model.ckpt.meta中存储的就是元图的数据。直接运行 5.4.1 节样例得到的是一个二进制文件，无法直接查看。为了方便调试，TensorFlow 提供了 export_meta_graph 函数，这个函数支持以 json 格式导出MetaGraphDef Protocol Buffer。以下代码展示了如何使用这个函数。

```
import tensorflow as tf

# 定义变量相加的计算。
v1 = tf.Variable(tf.constant(1.0, shape=[1]), name="v1")
v2 = tf.Variable(tf.constant(2.0, shape=[1]), name="v2")
result1 = v1 + v2

saver = tf.train.Saver()
# 通过 export_meta_graph 函数导出 TensorFlow 计算图的元图，并保存为 json 格式。
saver.export_meta_graph("/path/to/model.ckpt.meda.json", as_text=True)
```

通过上面给出的代码，可以将 5.4.1 节中的计算图元图以 json 的格式导出并存储在model.ckpt.meta.json 文件中。下文将结合 model.ckpt.meta.json 文件具体介绍 TensorFlow 元图中存储的信息。

meta_info_def 属性

meta_info_def 属性是通过 MetaInfoDef 定义的，它记录了 TensorFlow 计算图中的元数据以及 TensorFlow 程序中所有使用到的运算方法的信息。下面是 MetaInfoDef Protocol Buffer 的定义：

```
message MetaInfoDef {
    string meta_graph_version = 1;
    OpList stripped_op_list = 2;
    google.protobuf.Any any_info = 3;
    repeated string tags = 4;
    string tensorflow_version = 5;
    string tensorflow_git_version = 6;
}
```

TensorFlow 计算图的元数据包括了计算图的版本号（meta_graph_version 属性）以及用户指定的一些标签（tags 属性）。如果没有在 saver 中特殊指定，那么这些属性都默认为空。

在 model.ckpt.meta.json 文件中，meta_info_def 属性里只有 stripped_op_list 属性是不为空的。stripped_op_list 属性记录了 TensorFlow 计算图上使用到的所有运算方法的信息。注意 stripped_op_list 属性保存的是 TensorFlow 运算方法的信息，所以如果某一个运算在 TensorFlow 计算图中出现了多次，那么在 stripped_op_list 也只会出现一次。比如在 model.ckpt.meta.json 文件的 stripped_op_list 属性中只有一个 Variable 运算，但这个运算在程序中被使用了两次。stripped_op_list 属性的类型是 OpList。OpList 类型是一个 OpDef 类型的列表，以下代码给出了 OpDef 类型的定义：

```
message OpDef {
    string name = 1;

    repeated ArgDef input_arg = 2;
    repeated ArgDef output_arg = 3;
    repeated AttrDef attr = 4;

    OpDeprecation deprecation = 8;
    string summary = 5;
    string description = 6;
    bool is_commutative = 18;
    bool is_aggregate = 16;
    bool is_stateful = 17;
    bool allows_uninitialized_input = 19;
};
```

OpDef 类型中前 4 个属性定义了一个运算最核心的信息。OpDef 中的第一个属性 name 定义了运算的名称，这也是一个运算唯一的标识符。在 TensorFlow 计算图元图的其他属性中，比如下面将要介绍的 GraphDef 属性，将通过运算名称来引用不同的运算。OpDef 的第二和第三个属性为 input_arg 和 output_arg，它们定义了运算的输入和输出。因为输入输出都可以有多个，所以这两个属性都是列表（repeated）。第四个属性 attr 给出了其他的运算参数信息。在 model.ckpt.meta.json 文件中总共定义了 8 个运算，下面将给出比较有代表性的一个运算来辅助说明 OpDef 的数据结构。

```
op {
    name: "Add"
    input_arg {
        name: "x"
        type_attr: "T"
    }
    input_arg {
        name: "y"
        type_attr: "T"
```

```
    }
    output_arg {
        name: "z"
        type_attr: "T"
    }
    attr {
        name: "T"
        type: "type"
        allowed_values {
            list {
                type: DT_HALF
                type: DT_FLOAT
                ...
            }
        }
    }
}
```

上面给出了名称为 Add 的运算。这个运算有 2 个输入和 1 个输出，输入输出属性都指定了属性 type_attr，并且这个属性的值为 T。在 OpDef 的 attr 属性中，必须要出现名称（name）为 T 的属性。以上样例中，这个属性指定了运算输入输出允许的参数类型（allowed_values）。

MetaInfoDef 中的 tensorflow_version 和 tensorflow_git_version 属性记录了生成当前计算图的 TensorFlow 版本。

graph_def 属性

graph_def 属性主要记录了 TensorFlow 计算图上的节点信息。TensorFlow 计算图的每一个节点对应了 TensorFlow 程序中的一个运算。因为在 meta_info_def 属性中已经包含了所有运算的具体信息，所以 graph_def 属性只关注运算的连接结构。graph_def 属性是通过 GraphDef Protocol Buffer 定义的，GraphDef 主要包含了一个 NodeDef 类型的列表。以下代码给出了 GraphDef 和 NodeDef 类型中包含的信息：

```
message GraphDef {
  repeated NodeDef node = 1;
  VersionDef versions = 4;

  # 还有一些已经不用的或者还在试验中的属性，本书中不做详细介绍了。
};

message NodeDef {
  string name = 1;
```

```
  string op = 2;
  repeated string input = 3;
  string device = 4;
  map<string, AttrValue> attr = 5;
};
```

GraphDef 中的 versions 属性比较简单，它主要存储了 TensorFlow 的版本号。GraphDef 的主要信息都存在 node 属性中，它记录了 TensorFlow 计算图上所有的节点信息。和其他属性类似，NodeDef 类型中有一个名称属性 name，它是一个节点的唯一标识符。在 TensorFlow 程序中可以通过节点的名称来获取相应的节点。NodeDef 类型中的 op 属性给出了该节点使用的 TensorFlow 运算方法的名称，通过这个名称可以在 TensorFlow 计算图元图的 meta_info_def 属性中找到该运算的具体信息。

NodeDef 类型中的 input 属性是一个字符串列表，它定义了运算的输入。input 属性中每个字符串的取值格式为 node:src_output，其中 node 部分给出了一个节点的名称，src_output 部分表明了这个输入是指定节点的第几个输出。当 src_output 为 0 时，可以省略:src_output 这个部分。比如 node:0 表示名称为 node 的节点的第一个输出，它也可以被记为 node。

NodeDef 类型中的 device 属性指定了处理这个运算的设备。运行 TensorFlow 运算的设备可以是本地机器的 CPU 或者 GPU，也可以是一台远程的机器 CPU 或者 GPU。第 10 章将具体介绍如何指定运行 TensorFlow 运算的设备。当 device 属性为空时，TensorFlow 在运行时会自动选取一个最合适的设备来运行这个运算。最后 NodeDef 类型中的 attr 属性指定了和当前运算相关的配置信息。下面列举了 model.ckpt.meta.json 文件中的一些计算节点来更加具体地介绍 graph_def 属性。

```
graph_def {
 node {
   name: "v1"
   op: "VariableV2"
   attr {
     key: "_output_shapes"
     value {
       list { shape { dim { size: 1 } } }
     }
   }
   attr {
     key: "dtype"
     value {
       type: DT_FLOAT
     }
   }
   ...
```

```
}
node {
  name: "add"
  op: "Add"
  input: "v1/read"
  input: "v2/read"
  ...
}
node {
  name: "save/control_dependency"
  op: "Identity"
  ...
}

versions {
  producer: 24
}
}
```

上面给出了 model.ckpt.meta.json 文件中 graph_def 属性里比较有代表性的几个节点。第一个节点给出的是变量定义的运算。在 TensorFlow 中变量定义也是一个运算，这个运算的名称为 v1（name: "v1"），运算方法的名称为 Variable（op: "VariableV2"）。定义变量的运算可以有很多个，于是在 NodeDef 类型的 node 属性中可以有多个变量定义的节点。但定义变量的运算方法只用到了一个，于是在 MetaInfoDef 类型的 stripped_op_list 属性中只有一个名称为 VariableV2 的运算方法。除了指定计算图中节点的名称和运算方法，NodeDef 类型中还定义了运算相关的属性。在节点 v1 中，attr 属性指定了这个变量的维度以及类型。

给出的第二个节点是代表加法运算的节点。它指定了 2 个输入，一个为 v1/read，另一个为 v2/read。其中 v1/read 代表的节点可以读取变量 v1 的值。因为 v1 的值是节点 v1/read 的第一个输出，所以后面的:0 就可以省略了。v2/read 也类似的代表了变量 v2 的取值。以上样例文件中给出的最后一个名称为 save/control_dependency，该节点是系统在完成 TensorFlow 模型持久化过程中自动生成的一个运算。在样例文件的最后，属性 versions 给出了生成 model.ckpt.meta.json 文件时使用的 TensorFlow 版本号。

saver_def 属性

saver_def 属性中记录了持久化模型时需要用到的一些参数，比如保存到文件的文件名、保存操作和加载操作的名称以及保存频率、清理历史记录等。saver_def 属性的类型为 SaverDef，其定义如下。

```
message SaverDef {
  string filename_tensor_name = 1;
```

```
string save_tensor_name = 2;
string restore_op_name = 3;
int32 max_to_keep = 4;
bool sharded = 5;
float keep_checkpoint_every_n_hours = 6;

enum CheckpointFormatVersion {
  LEGACY = 0;
  V1 = 1;
  V2 = 2;
}
CheckpointFormatVersion version = 7;
}
```

下面给出了 model.ckpt.meta.json 文件中 saver_def 属性的内容。

```
saver_def {
  filename_tensor_name: "save/Const:0"
  save_tensor_name: "save/control_dependency:0"
  restore_op_name: "save/restore_all"
  max_to_keep: 5
  keep_checkpoint_every_n_hours: 10000.0
  version:V2
}
```

filename_tensor_name 属性给出了保存文件名的张量名称，这个张量就是节点 save/Const 的第一个输出。save_tensor_name 属性给出了持久化 TensorFlow 模型的运算所对应的节点名称。从以上文件中可以看出，这个节点就是在 graph_def 属性中给出的 save/control_dependency 节点。和持久化 TensorFlow 模型运算对应的是加载 TensorFlow 模型的运算，这个运算的名称由 restore_op_name 属性指定。max_to_keep 属性和 keep_checkpoint_every_n_hours 属性设定了 tf.train.Saver 类清理之前保存的模型的策略。比如当 max_to_keep 为 5 的时候，在第六次调用 saver.save 时，第一次保存的模型就会被自动删除。通过设置 keep_checkpoint_every_n_hours，每 n 小时可以在 max_to_keep 的基础上多保存一个模型。

collection_def 属性

在 TensorFlow 的计算图（tf.Graph）中可以维护不同集合，而维护这些集合的底层实现就是通过 collection_def 这个属性。collection_def 属性是一个从集合名称到集合内容的映射，其中集合名称为字符串，而集合内容为 CollectionDef Protocol Buffer。以下代码给出了 CollectionDef 类型的定义。

```
message CollectionDef {
  message NodeList {
    repeated string value = 1;
  }

  message BytesList {
    repeated bytes value = 1;
  }

  message Int64List {
    repeated int64 value = 1 [packed = true];
  }

  message FloatList {
    repeated float value = 1 [packed = true];
  }

  message AnyList {
    repeated google.protobuf.Any value = 1;
  }

  oneof kind {
    NodeList node_list = 1;
    BytesList bytes_list = 2;
    Int64List int64_list = 3;
    FloatList float_list = 4;
    AnyList any_list = 5;
  }
}
```

通过以上定义可以看出，TensorFlow 计算图上的集合主要可以维护 4 类不同的集合。NodeList 用于维护计算图上节点的集合。BytesList 可以维护字符串或者系列化之后的 Procotol Buffer 的集合。比如张量是通过 Protocol Buffer 表示的，而张量的集合是通过 BytesList 维护的，我们将在 model.ckpt.meta.json 文件中看到具体样例。Int64List 用于维护整数集合，FloatList 用于维护实数集合。下面给出了 model.ckpt.meta.json 文件中 collection_def 属性的内容。

```
collection_def {
 key: "trainable_variables"
 value {
   bytes_list {
     value: "\n\004v1:0\022\tv1/Assign\032\tv1/read:0"
     value: "\n\004v2:0\022\tv2/Assign\032\tv2/read:0"
   }
 }
```

```
}
collection_def {
 key: "variables"
 value {
  bytes_list {
    value: "\n\004v1:0\022\tv1/Assign\032\tv1/read:0"
    value: "\n\004v2:0\022\tv2/Assign\032\tv2/read:0"
  }
 }
}
```

从以上文件可以看出样例程序中维护了两个集合。一个是所有变量的集合，这个集合的名称为 variables。另外一个是可训练变量的集合，名为 trainable_variables。在样例程序中，这两个集合中的元素是一样的，都是变量 v1 和 v2。它们都是系统自动维护的。[①]

通过对 MetaGraphDef 类型中主要属性的讲解，本节已经介绍了 TensorFlow 模型持久化得到的第一个文件中的内容。除了持久化 TensorFlow 计算图的结构，持久化 TensorFlow 中变量的取值也是非常重要的一个部分。5.4.1 节中使用 tf.Saver 得到的 model.ckpt.index 和 model.ckpt.data-*****-of-*****文件就保存了所有变量的取值。其中 model.ckpt.data 文件是通过 SSTable 格式存储的，可以大致理解为就是一个（key，value）列表。TensroFlow 提供了 tf.train.NewCheckpointReader 类来查看保存的变量信息。以下代码展示了如何使用 tf.train.NewCheckpointReader 类。

```
import tensorflow as tf

# tf.train.NewCheckpointReader 可以读取 checkpoint 文件中保存的所有变量。
# 注意后面的.data 和.index 可以省去。
reader = tf.train.NewCheckpointReader('/path/to/model/model.ckpt')

# 获取所有变量列表。这个是一个从变量名到变量维度的字典。
global_variables = reader.get_variable_to_shape_map()
for variable_name in global_variables:
    # variable_name 为变量名称，global_variables[variable_name]为变量的维度。
    print variable_name, global_variables[variable_name]

# 获取名称为 v1 的变量的取值。
print "Value for variable v1 is ", reader.get_tensor("v1")

'''
这个程序将输出：
v1 [1]                                              # 变量 v1 的维度为[1]。
v2 [1]                                              # 变量 v2 的维度为[1]。
```

---

① 第 3 章中有更加详细的关于 TensorFlow 自动维护的集合的介绍。

```
Value for variable v1 is [ 1.]                    # 变量 v1 的取值为 1。
'''
```

最后一个文件的名字是固定的，叫 checkpoint。这个文件是 tf.train.Saver 类自动生成且自动维护的。在 checkpoint 文件中维护了由一个 tf.train.Saver 类持久化的所有 TensorFlow 模型文件的文件名。当某个保存的 TensorFlow 模型文件被删除时，这个模型所对应的文件名也会从 checkpoint 文件中删除。checkpoint 中内容的格式为 CheckpointState Protocol Buffer，下面给出了 CheckpointState 类型的定义。

```
message CheckpointState {
  string model_checkpoint_path = 1;
  repeated string all_model_checkpoint_paths = 2;
}
```

model_checkpoint_path 属性保存了最新的 TensorFlow 模型文件的文件名。all_model_checkpoint_paths 属性列出了当前还没有被删除的所有 TensorFlow 模型文件的文件名。下面给出了通过 5.4.1 节中样例程序生成的 checkpoint 文件。

```
model_checkpoint_path: "/path/to/model/model.ckpt"
all_model_checkpoint_paths: "/path/to/model/model.ckpt"
```

5.5 TensorFlow 最佳实践样例程序

在 5.2.1 节中已经给出了一个完整的 TensorFlow 程序来解决 MNIST 问题。然而这个程序的可扩展性并不好。如在 5.3 节中提到的，计算前向传播的函数需要将所有变量都传入，当神经网络的结构变得更加复杂、参数更多时，程序可读性会变得非常差。而且这种方式会导致程序中有大量的冗余代码，降低编程的效率。5.2.1 节给出的程序的另外一个问题是没有持久化训练好的模型。当程序退出时，训练好的模型也就被无法再使用了，这导致得到的模型无法被重用。更严重的问题是，一般神经网络模型训练的时间都比较长，少则几个小时，多则几天甚至几周。如果在训练过程中程序死机了，那么没有保存训练的中间结果会浪费大量的时间和资源。所以，在训练的过程中需要每隔一段时间保存一次模型训练的中间结果。

结合 5.3 节中介绍的变量管理机制和 5.4 节中介绍的 TensorFlow 模型持久化机制，本节中将介绍一个 TensorFlow 训练神经网络模型的最佳实践。将训练和测试分成两个独立的程序，这可以使得每一个组件更加灵活。比如训练神经网络的程序可以持续输出训练好的模型，而测试程序可以每隔一段时间检验最新模型的正确率，如果模型效果更好，则将这个模型提供给产品使用。除了将不同功能模块分开，本节还将前向传播的过程抽象成一个单独的库函数。因为神经网络的前向传播过程在训练和测试的过程中都会用到，所以通过库函数的方式使用起来既可以更加方便，又可以保证训练和测试过程中使用的前向传播方法一定是一致的。

本节将提供重构之后的程序来解决 MNIST 问题。重构之后的代码将会被拆成 3 个程序，第一个是 mnist_inference.py，它定义了前向传播的过程以及神经网络中的参数。第二个是 mnist_train.py，它定义了神经网络的训练过程。第三个是 mnist_eval.py，它定义了测试过程。以下代码给出了 mnist_inference.py 中的内容。

```python
# -*- coding: utf-8 -*-
import tensorflow as tf

# 定义神经网络结构相关的参数。
INPUT_NODE = 784
OUTPUT_NODE = 10
LAYER1_NODE = 500


# 通过 tf.get_variable 函数来获取变量。在训练神经网络时会创建这些变量；在测试时会通
# 过保存的模型加载这些变量的取值。而且更加方便的是，因为可以在变量加载时将滑动平均变量
# 重命名，所以可以直接通过同样的名字在训练时使用变量自身，而在测试时使用变量的滑动平
# 均值。在这个函数中也会将变量的正则化损失加入损失集合。
def get_weight_variable(shape, regularizer):
    weights = tf.get_variable(
        "weights", shape,
        initializer=tf.truncated_normal_initializer(stddev=0.1))

    # 当给出了正则化生成函数时，将当前变量的正则化损失加入名字为 losses 的集合。在这里
    # 使用了 add_to_collection 函数将一个张量加入一个集合，而这个集合的名称为 losses。
    # 这是自定义的集合，不在 TensorFlow 自动管理的集合列表中。
    if regularizer != None:
        tf.add_to_collection('losses', regularizer(weights))
    return weights


# 定义神经网络的前向传播过程。
def inference(input_tensor, regularizer):
    # 声明第一层神经网络的变量并完成前向传播过程。
    with tf.variable_scope('layer1'):
        # 这里通过 tf.get_variable 或 tf.Variable 没有本质区别，因为在训练或是测试中
        # 没有在同一个程序中多次调用这个函数。如果在同一个程序中多次调用，在第一次调用
        # 之后需要将 reuse 参数设置为 True。
        weights = get_weight_variable(
            [INPUT_NODE, LAYER1_NODE], regularizer)
        biases = tf.get_variable(
            "biases", [LAYER1_NODE],
```

```
            initializer=tf.constant_initializer(0.0))
        layer1 = tf.nn.relu(tf.matmul(input_tensor, weights) + biases)

    # 类似的声明第二层神经网络的变量并完成前向传播过程。
    with tf.variable_scope('layer2'):
        weights = get_weight_variable(
            [LAYER1_NODE, OUTPUT_NODE], regularizer)
        biases = tf.get_variable(
            "biases", [OUTPUT_NODE],
            initializer=tf.constant_initializer(0.0))
        layer2 = tf.matmul(layer1, weights) + biases

    # 返回最后前向传播的结果。
    return layer2
```

在这段代码中定了神经网络的前向传播算法。无论是训练时还是测试时，都可以直接调用 inference 这个函数，而不用关心具体的神经网络结构。使用定义好的前向传播过程，以下代码给出了神经网络的训练程序 mnist_train.py。

```
# -*- coding: utf-8 -*-
import os

import tensorflow as tf
from tensorflow.examples.tutorials.mnist import input_data

# 加载 mnist_inference.py 中定义的常量和前向传播的函数。
import mnist_inference

# 配置神经网络的参数。
BATCH_SIZE = 100
LEARNING_RATE_BASE = 0.8
LEARNING_RATE_DECAY = 0.99
REGULARAZTION_RATE = 0.0001
TRAINING_STEPS = 30000
MOVING_AVERAGE_DECAY = 0.99
# 模型保存的路径和文件名。
MODEL_SAVE_PATH = "/path/to/model/"
MODEL_NAME = "model.ckpt"

def train(mnist):
    # 定义输入输出 placeholder。
    x = tf.placeholder(
        tf.float32, [None, mnist_inference.INPUT_NODE], name='x-input')
    y_ = tf.placeholder(
```

```
        tf.float32, [None, mnist_inference.OUTPUT_NODE], name='y-input')

    regularizer = tf.contrib.layers.l2_regularizer(REGULARAZTION_RATE)
    # 直接使用 mnist_inference.py 中定义的前向传播过程。
    y = mnist_inference.inference(x, regularizer)
    global_step = tf.Variable(0, trainable=False)

    # 和 5.2.1 节样例中类似地定义损失函数、学习率、滑动平均操作以及训练过程。
    variable_averages = tf.train.ExponentialMovingAverage(
        MOVING_AVERAGE_DECAY, global_step)
    variables_averages_op = variable_averages.apply(
        tf.trainable_variables())
    cross_entropy = tf.nn.sparse_softmax_cross_entropy_with_logits(
        logits=y, labels=tf.argmax(y_, 1))
    cross_entropy_mean = tf.reduce_mean(cross_entropy)
    loss = cross_entropy_mean + tf.add_n(tf.get_collection('losses'))
    learning_rate = tf.train.exponential_decay(
        LEARNING_RATE_BASE,
        global_step,
        mnist.train.num_examples / BATCH_SIZE,
        LEARNING_RATE_DECAY)
    train_step = tf.train.GradientDescentOptimizer(learning_rate)\
                    .minimize(loss, global_step=global_step)
    with tf.control_dependencies([train_step, variables_averages_op]):
        train_op = tf.no_op(name='train')

    # 初始化 TensorFlow 持久化类。
    saver = tf.train.Saver()
    with tf.Session() as sess:
        tf.global_variables_initializer().run()

        # 在训练过程中不再测试模型在验证数据上的表现，验证和测试的过程将会有一个独
        # 立的程序来完成。
        for i in range(TRAINING_STEPS):
            xs, ys = mnist.train.next_batch(BATCH_SIZE)
            _, loss_value, step = sess.run([train_op, loss, global_step],
                                            feed_dict={x: xs, y_: ys})
            # 每 1000 轮保存一次模型。
            if i % 1000 == 0:
                # 输出当前的训练情况。这里只输出了模型在当前训练 batch 上的损失函
                # 数大小。通过损失函数的大小可以大概了解训练的情况。在验证数据集上的
                # 正确率信息会有一个单独的程序来生成。
                print("After %d training step(s), loss on training "
                        "batch is %g." % (step, loss_value))
```

```
                              # 保存当前的模型。注意这里给出了 global_step 参数，这样可以让每个被
                              # 保存模型的文件名末尾加上训练的轮数，比如 "model.ckpt-1000" 表示
                              # 训练 1000 轮之后得到的模型。
                              saver.save(
                                    sess, os.path.join(MODEL_SAVE_PATH, MODEL_NAME),
                                    global_step=global_step)

def main(argv=None):
    mnist = input_data.read_data_sets("/path/to/mnist_data", one_hot=True)
    train(mnist)

if __name__ == '__main__':
    tf.app.run()
```

运行以上程序，可以得到类似下面的结果。

```
~/mnist$ python mnist_train.py
Extracting /tmp/data/train-images-idx3-ubyte.gz
Extracting /tmp/data/train-labels-idx1-ubyte.gz
Extracting /tmp/data/t10k-images-idx3-ubyte.gz
Extracting /tmp/data/t10k-labels-idx1-ubyte.gz
After 1 training step(s), loss on training batch is 3.32075.
After 1001 training step(s), loss on training batch is 0.241039.
After 2001 training step(s), loss on training batch is 0.227391.
After 3001 training step(s), loss on training batch is 0.138462.
After 4001 training step(s), loss on training batch is 0.132074.
After 5001 training step(s), loss on training batch is 0.103472.
…
```

在新的训练代码中，不再将训练和测试跑在一起。训练过程中，每 1000 轮输出一次在当前训练 batch 上损失函数的大小来大致估计训练的效果。在以上程序中，每 1000 轮保存一次训练好的模型，这样可以通过一个单独的测试程序，更加方便地在滑动平均模型上做测试。以下代码给出了测试程序 mnist_eval.py。

```
# -*- coding: utf-8 -*-
import time
import tensorflow as tf
from tensorflow.examples.tutorials.mnist import input_data

# 加载 mnist_inference.py 和 mnist_train.py 中定义的常量和函数。
import mnist_inference
import mnist_train

# 每 10 秒加载一次最新的模型，并在测试数据上测试最新模型的正确率。
EVAL_INTERVAL_SECS = 10
```

```
def evaluate(mnist):
    with tf.Graph().as_default() as g:
        # 定义输入输出的格式。
        x = tf.placeholder(
            tf.float32, [None, mnist_inference.INPUT_NODE], name='x-input')
        y_ = tf.placeholder(
            tf.float32, [None, mnist_inference.OUTPUT_NODE], name='y-input')
        validate_feed = {x: mnist.validation.images,
                         y_:mnist.validation. labels}

        # 直接通过调用封装好的函数来计算前向传播的结果。因为测试时不关注正则化损失的值，
        # 所以这里用于计算正则化损失的函数被设置为 None。
        y = mnist_inference.inference(x, None)

        # 使用前向传播的结果计算正确率。如果需要对未知的样例进行分类，那么使用
        # tf.argmax(y, 1) 就可以得到输入样例的预测类别了。
        correct_prediction = tf.equal(tf.argmax(y, 1), tf.argmax(y_, 1))
        accuracy = tf.reduce_mean(tf.cast(correct_prediction, tf.float32))

        # 通过变量重命名的方式来加载模型，这样在前向传播的过程中就不需要调用求滑动平均
        # 的函数来获取平均值了。这样就可以完全共用 mnist_inference.py 中定义的
        # 前向传播过程。
        variable_averages = tf.train.ExponentialMovingAverage(
            mnist_train.MOVING_AVERAGE_DECAY)
        variables_to_restore = variable_averages.variables_to_restore()
        saver = tf.train.Saver(variables_to_restore)

        # 每隔 EVAL_INTERVAL_SECS 秒调用一次计算正确率的过程以检测训练过程中正确率的
        # 变化。
        while True:
            with tf.Session() as sess:
                # tf.train.get_checkpoint_state 函数会通过 checkpoint 文件自动
                # 找到目录中最新模型的文件名。
                ckpt = tf.train.get_checkpoint_state(
                    mnist_train.MODEL_SAVE_PATH)
                if ckpt and ckpt.model_checkpoint_path:
                    # 加载模型。
                    saver.restore(sess, ckpt.model_checkpoint_path)
                    # 通过文件名得到模型保存时迭代的轮数。
                    global_step = ckpt.model_checkpoint_path\
                                    .split('/')[-1].split('-')[-1]
                    accuracy_score = sess.run(accuracy,
                                        feed_dict=validate_feed)
```

```
                    print("After %s training step(s), validation "
                          "accuracy = %g" % (global_step, accuracy_score))
            else:
                print('No checkpoint file found')
                return
        time.sleep(EVAL_INTERVAL_SECS)

def main(argv=None):
    mnist = input_data.read_data_sets("/path/to/mnist_data", one_hot=True)
    evaluate(mnist)

if __name__ == '__main__':
    tf.app.run()
```

上面给出的 mnist_eval.py 程序会每隔 10 秒运行一次，每次运行都是读取最新保存的模型，并在 MNIST 验证数据集上计算模型的正确率。如果需要离线预测未知数据的类别（比如这个样例程序可以判断手写体数字图片中所包含的数字），只需要将计算正确率的部分改为答案输出即可。运行 mnist_eval.py 程序可以得到类似下面的结果。注意因为这个程序每 10 秒自动运行一次，而训练程序不一定每 10 秒输出一个新模型，所以在下面的结果中会发现有些模型被测试了多次。一般在解决真实问题时，不会这么频繁地运行评测程序。

```
~/mnist$ python mnist_eval.py
Extracting /tmp/data/train-images-idx3-ubyte.gz
Extracting /tmp/data/train-labels-idx1-ubyte.gz
Extracting /tmp/data/t10k-images-idx3-ubyte.gz
Extracting /tmp/data/t10k-labels-idx1-ubyte.gz
After 1 training step(s), test accuracy = 0.1282
After 1001 training step(s), validation accuracy = 0.9769
After 1001 training step(s), validation accuracy = 0.9769
After 2001 training step(s), validation accuracy = 0.9804
After 3001 training step(s), validation accuracy = 0.982
After 4001 training step(s), validation accuracy = 0.983
After 5001 training step(s), validation accuracy = 0.9829
After 6001 training step(s), validation accuracy = 0.9832
After 6001 training step(s), validation accuracy = 0.9832
…
```

小结

本章通过 MNIST 数据集验证了第 4 章介绍的神经网络优化方法，同时也给出了使用

TensorFlow 解决 MNIST 问题的最佳实践样例程序。首先在本章的 5.1 节中大致讲解了 MNIST 数据集的基本情况，也介绍了 TensorFlow 提供的一个类让处理 MNIST 数据集更加方便。然后 5.2 节给出了一个完整的 TensorFlow 程序来实现第 4 章中提到的所有优化方法。通过此程序，对比了不同优化算法对模型在测试数据集上正确率的影响。在 MNIST 数据集上，可以明显地观察到神经网络的结构对最终结果的影响是巨大的，使用了激活函数和隐藏层的神经网络要远远好于没有激活函数或者没有隐藏层的神经网络。下面的第 6 章将介绍神经网络中一个非常常用的结构——卷积网络。通过卷积网络可以进一步提高神经网络模型在 MNIST 数据集上的正确率。对于其他的优化方法，虽然在 MNIST 数据集上对于正确率的提高有限，但是通过进一步的分析，验证了它们确实可以解决第 4 章中提到的问题。这一节也提出了在一个更加复杂数据集上，这些优化算法可以降低大约 10%的错误率。

在 5.3 和 5.4 节中提出了 5.2 节中 TensorFlow 程序实现的一些不足之处，并介绍了 TensorFlow 的最佳实践来解决这些不足。5.3 节指出当神经网络的结构变得更加复杂、变量更多之后，通过引用的方式传递变量会大大降低程序的可读性。为了解决这个问题，5.3 节介绍了 TensorFlow 中利用变量名称来创建/获取变量的机制。通过这个机制可以完全将前向传播的过程抽象出来，使得训练和测试时不需要关心神经网络的结构或是参数。5.2 节中给出的训练程序另外一个问题就是没有将训练好的模型持久化。5.4 节介绍了 TensorFlow 保存模型的方法以及 TensorFlow 模型持久化的原理和数据的格式。综合 5.3 和 5.4 节中提出的问题，在 5.5 节中给出了一个通过 TensorFlow 解决 MNIST 问题的最佳实践样例程序。这个样例将神经网络的训练、测试和使用拆分成了不同的程序，并且将神经网络的前向传播过程抽象成了一个独立的库函数。通过这种方式可以将训练过程和测试、使用过程解耦合，从而使得整个流程更加灵活。

第 6 章　图像识别与卷积神经网络

在第 5 章中，通过 MNIST 数据集验证了第 4 章介绍的神经网络设计与优化的方法。从实验的结果可以看出，神经网络的结构会对神经网络的准确率产生巨大的影响。本章将介绍一个非常常用的神经网络结构——卷积神经网络（Convolutional Neural Network，CNN）。卷积神经网络的应用非常广泛，在自然语言处理[1]、医药发现[2]、灾难气候发现[3]甚至围棋人工智能程序[4]中都有应用。本章将主要通过卷积神经网络在图像识别上的应用来讲解卷积神经网络的基本原理以及如何使用 TensorFlow 实现卷积神经网络。

首先 6.1 节将介绍图像识别领域解决的问题以及图像识别领域中经典的数据集。然后 6.2 节将介绍卷积神经网络的主体思想和整体架构。接着 6.3 节将详细讲解卷积层和池化层的网络结构，以及 TensorFlow 对这些网络结构的支持。在 6.4 节中将通过两个经典的卷积神经网络模型来介绍如何设计卷积神经网络的架构以及如何设置每一层神经网络的配置。这一节将通过 TensorFlow 实现 LeNet-5 模型，并介绍 TensorFlow-Slim 来实现更加复杂的 Inception-v3 模型中的 Inception 模块。最后在 6.5 节中将介绍如何通过 TensorFlow 实现卷积神经网络的迁移学习。

---

① 详情请参考论文：*Learning Semantic Representations Using Convolutional Neural Networks for Web Search*、*A Deep Architecture for Semantic Parsing*、*A Convolutional Neural Network for Modelling Sentences* 及 *Convolutional Neural Networks for Sentence Classification*。

② Wallach I, Dzamba M, Heifets A. *AtomNet: A Deep Convolutional Neural Network for Bioactivity Prediction in Structure-based Drug Discovery* [J]. Mathematische Zeitschrift, 2015.

③ Liu Y, Racah E, Prabhat, et al. *Application of Deep Convolutional Neural Networks for Detecting Extreme Weather in Climate Datasets* [J]. 2016.

④ Clark C, Storkey A. *Teaching Deep Convolutional Neural Networks to Play Go* [J]. Eprint Arxiv, 2015.

6.1　图像识别问题简介及经典数据集

视觉是人类认识世界非常重要的一种知觉。对于人类来说，通过视觉来识别手写体数字、识别图片中的物体或者找出图片中人脸的轮廓都是非常简单的任务。然而对于计算机而言，让计算机识别图片中的内容就不是一件容易的事情了。图像识别问题希望借助计算机程序来处理、分析和理解图片中的内容，使得计算机可以从图片中自动识别各种不同模式的目标和对象。比如在第 5 章中介绍的 MNIST 数据集就是通过计算机来识别图片中的手写体数字。图像识别问题作为人工智能的一个重要领域，在最近几年已经取得了很多突破性的进展。本章将要介绍的卷积神经网络就是这些突破性进展背后的最主要技术支持。图 6-1 中显示了图像识别的主流技术在 MNIST 数据集上的错误率随着年份的发展趋势图。

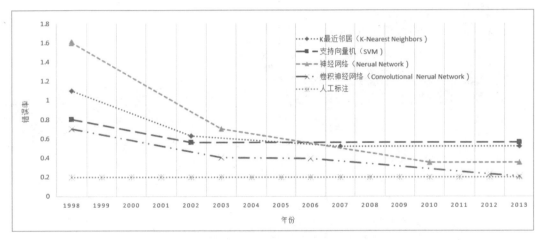

图 6-1　不同算法在 MNIST 数据集上最好表现变化趋势图[①②]

图 6-1 中最下方的虚线表示人工标注的错误率，其他不同的线段表示了不同算法的错误率。从图 6-1 上可以看出，相比其他算法，卷积神经网络可以得到更低的错误率。而且通过卷积神经网络达到的错误率已经非常接近人工标注的错误率了。在 MNIST 数据集的一万个测试数据上，最好的深度学习算法只会比人工识别多错一张图片。

MNIST 手写体识别数据集是一个相对简单的数据集，在其他更加复杂的图像识别数据

---

① 数字来源于 http://yann.lecun.com/exdb/mnist。

② 人工标注错误率参见：Simard P, Lecun Y, Denker J S. *Efficient Pattern Recognition Using a New Transformation Distance* [M]// Advances in Neural Information Processing Systems (NIPS 1992). 1993.

集上，卷积神经网络有更加突出的表现。CIFAR 数据集就是一个影响力很大的图像分类数据集。CIFAR 数据集分为了 CIFAR-10 和 CIFAR-100 两个问题，它们都是图像词典项目（Visual Dictionary）[①]中 800 万张图片的一个子集。CIFAR 数据集中的图片为 32×32 的彩色图片，这些图片是由 Alex Krizhevsky 教授、Vinod Nair 博士和 Geoffrey Hinton 教授整理的。

CIFAR-10 问题收集了来自 10 个不同种类的 60000 张图片。图 6-2 的左侧显示了 CIFAR-10 数据集中的每一个种类中的一些样例图片以及这些种类的类别名称，图 6-2 的右侧给出 CIFAR-10 中一张飞机的图像。因为图像的像素仅为 32×32，所以放大之后图片是比较模糊的，但隐约还是可以看出飞机的轮廓。CIFAR 官网 https://www.cs.toronto.edu/~kriz/cifar.html 提供了不同格式的 CIFAR 数据集下载，具体的数据格式这里不再赘述。

图 6-2　CIFAR-10 数据集样例图片

和 MNIST 数据集类似，CIFAR-10 中的图片大小都是固定的且每一张图片中仅包含一个种类的实体。[②]但和 MNIST 相比，CIFAR 数据集最大的区别在于图片由黑白变成的彩色，且分类的难度也相对更高。在 CIFAR-10 数据集上，人工标注的正确率大概为 94%[③]，这比 MNIST 数据集上的人工表现要低很多。图 6-3 给出了 MNIST 和 CIFAR-10 数据集中比较难

---

① 更多关于图像词典项目的介绍可以参考其官方网站 http://groups.csail.mit.edu/vision/TinyImages。

② MNIST 数据集中每一张图片只包含一个数字；CIFAR-10 和 CIFAR-100 数据集中每一张图片只包含一个种类的物体。

③ 人工标注的准确率来自技术博客 http://torch.ch/blog/2015/07/30/cifar.html。

以分类的图片样例。在图 6-3 左侧的 4 张图片给出了 CIFAR-10 数据集中比较难分类的图片，直接从图片上看，人类也很难判断图片上实体的类别。图 6-3 右侧的 4 张图片给出了 MNIST 数据集中难度较高的图片。在这些难度高的图片上，人类还是可以有一个比较准确的猜测。目前在 CIFAR-10 数据集上最好的图像识别算法正确率为 95.59%[1]，达到这个正确率的算法同样使用了卷积神经网络。

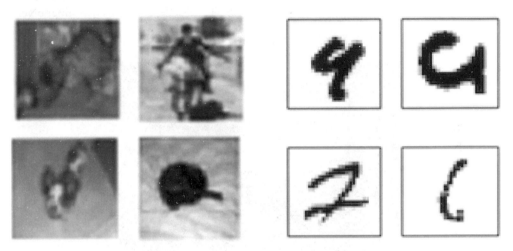

图 6-3　MNIST 和 CIFAR-10 数据集中分类难度较高的样例

　　无论是 MNIST 数据集还是 CIFAR 数据集，相比真实环境下的图像识别问题，有 2 个最大的问题。第一，现实生活中的图片分辨率要远高于 32×32，而且图像的分辨率也不会是固定的。第二，现实生活中的物体类别很多，无论是 10 种还是 100 种都远远不够，而且一张图片中不会只出现一个种类的物体。为了更加贴近真实环境下的图像识别问题，由斯坦福大学（Stanford University）的李飞飞（Feifei Li）教授带头整理的 ImageNet 很大程度地解决了这两个问题。

　　ImageNet 是一个基于 WordNet[2] 的大型图像数据库。在 ImageNet 中，将近 1500 万图片被关联到了 WordNet 的大约 20000 个名词同义词集上。目前每一个与 ImageNet 相关的 WordNet 同义词集都代表了现实世界中的一个实体，可以被认为是分类问题中的一个类别。

---

① 具体数字出自：Springenberg J T, Dosovitskiy A, Brox T, et al. *Striving for Simplicity: The All Convolutional Net* [J]. Eprint Arxiv, 2014.

② WordNet 是一个大型英语语义网，里面将名词、动词、形容词和副词整理成了同义词集，并标注了不同同义词集之间的关系。WordNet 具体信息可以参考 WordNet 官网：https://wordnet.princeton.edu/。

ImageNet 中的图片都是从互联网上爬取下来的，并且通过亚马逊的人工标注服务（Amazon Mechanical Turk）将图片分类到 WordNet 的同义词集上。[①]在 ImageNet 的图片中，一张图片中可能出现多个同义词集所代表的实体。

图 6-4 展示了 ImageNet 中的一张图片，在这张图片上用几个矩形框出了不同实体的轮廓。在物体识别问题中，一般将用于框出实体的矩形称为 bounding box。在图 6-4 中总共可以找到 4 个实体，其中有两把椅子、一个人和一条狗。类似图 6-4 中所示，ImageNet 的部分图片中的实体轮廓也被标注了出来，以用于更加精确的图像识别。

图 6-4　ImageNet 样例图片以及标注出来的实体轮廓[②]

ImageNet 每年都举办图像识别相关的竞赛（ImageNet Large Scale Visual Recognition Challenge，ILSVRC），而且每年的竞赛都会有一些不同的问题，这些问题基本涵盖了图像识别的主要研究方向。ImageNet 的官网 http://www.image-net.org/challenges/LSVRC 列出了历届 ILSVRC 竞赛的题目和数据集。不同年份的 ImageNet 比赛提供了不同的数据集，本书将着重介绍使用得最多的 ILSVRC2012 图像分类数据集。

ILSVRC2012 图像分类数据集的任务和 CIFAR 数据集是基本一致的，也是识别图像中的主要物体。ILSVRC2012 图像分类数据集包含了来自 1000 个类别的 120 万张图片，其中每张图片属于且只属于一个类别。因为 ILSVRC2012 图像分类数据集中的图片是直接从互

---

① ImageNet 中图片的具体整理和标注方式可以参考：Deng J, Dong W, Socher R, et al. *ImageNet: A large-scale hierarchical image database* [C]// Computer Vision and Pattern Recognition, 2009. CVPR 2009. IEEE Conference on. IEEE, 2009.

② 此图片来自于 ImageNet 官方网站。

联网上爬取得到的，所以图片的大小从几千字节到几百万字节不等。

图 6-5 给出了不同算法在 ImageNet 图像分类数据集上的 top-5 正确率。top-N 正确率指的是图像识别算法给出前 N 个答案中有一个是正确的概率。在图像分类问题上，很多学术论文都将前 N 个答案的正确率作为比较的方法，其中 N 的取值一般为 3 或 5。从图 6-5 中可以看出，在更加复杂的 ImageNet 问题上，基于卷积神经网络的图像识别算法可以远远超过人类的表现。在图 6-5 的左侧对比了传统算法与深度学习算法的正确率。从图中可以看出，深度学习，特别是卷积神经网络，给图像识别问题带来了质的飞跃。2013 年之后，基本上所有的研究都集中到了深度学习算法上。从 6.2 节开始将具体介绍卷积神经网络的基本原理，以及如何通过 TensorFlow 实现卷积神经网络。

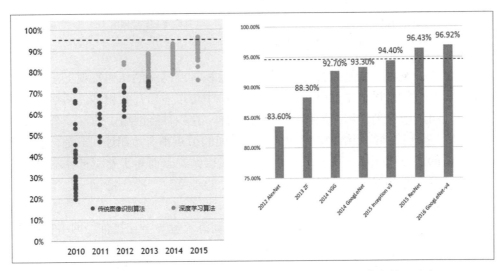

图 6-5　不同算法在 ImageNet ILSVRC2012 图像分类数据集上的正确率

6.2　卷积神经网络简介

在 6.1 节中介绍图像识别问题时，已经多次提到了卷积神经网络。卷积神经网络在 6.1 节中介绍的所有图像分类数据集上有非常突出的表现。在前面的章节中所介绍的神经网络每两层之间的所有结点都是有边相连的，所以本书称这种网络结构为全连接层网络结构。为了将只包含全连接层的神经网络与卷积神经网络、循环神经网络[①]区分开，本书将只包含

---

① 第 8 章将介绍循环神经网络。

全连接层的神经网络称之为全连接神经网络。在第 4 章和第 5 章中介绍的神经网络都为全连接神经网络。在这一节中将讲解卷积神经网络与全连接神经网络的差异，并介绍组成一个卷积神经网络的基本网络结构。图 6-6 显示了全连接神经网络与卷积神经网络的结构对比图。

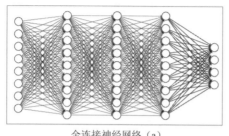
全连接神经网络（a）

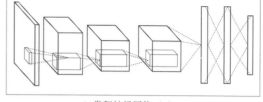
卷积神经网络（b）

图 6-6　全连接神经网络与卷积神经网络结构示意图

虽然图 6-6 中显示的全连接神经网络结构和卷积神经网络的结构直观上差异比较大，但实际上它们的整体架构是非常相似的。从图 6-6 中可以看出，卷积神经网络也是通过一层一层的节点组织起来的。和全连接神经网络一样，卷积神经网络中的每一个节点都是一个神经元。[①]在全连接神经网络中，每相邻两层之间的节点都有边相连，于是一般会将每一层全连接层中的节点组织成一列，这样方便显示连接结构。而对于卷积神经网络，相邻两层之间只有部分节点相连，为了展示每一层神经元的维度，一般会将每一层卷积层的节点组织成一个三维矩阵。

除了结构相似，卷积神经网络的输入输出以及训练流程与全连接神经网络也基本一致。以图像分类为例，卷积神经网络的输入层就是图像的原始像素，而输出层中的每一个节点代表了不同类别的可信度。这和全连接神经网络的输入输出是一致的。类似的，第 4 章中介绍的损失函数以及参数的优化过程也都适用于卷积神经网络。在后面的章节中会看到，在 TensorFlow 中训练一个卷积神经网络的流程和训练一个全连接神经网络没有任何区别。卷积神经网络和全连接神经网络的唯一区别就在于神经网络中相邻两层的连接方式。在进一步介绍卷积神经网络的连接结构之前，本节将先介绍为什么全连接神经网络无法很好地处理图像数据。

使用全连接神经网络处理图像的最大问题在于全连接层的参数太多。对于 MNIST 数据，每一张图片的大小是 28×28×1，其中 28×28 为图片的大小，×1 表示图像是黑白的，只有一个色彩通道。假设第一层隐藏层的节点数为 500 个，那么一个全链接层的神经网络将有 28×28×500+500=392500 个参数。当图片更大时，比如在 CIFAR-10 数据集中，图片的大

---

① 在第 4 章的图 4-5 中介绍了神经元的结构。

小为 32×32×3，其中 32×32 表示图片的大小，×3 表示图片是通过红绿蓝三个色彩通道（channel）表示的。[①]这样输入层就有 3072 个节点，如果第一层全连接层仍然是 500 个节点，那么这一层全链接神经网络将有 3072×500+500≈150 万个参数。参数增多除了导致计算速度减慢，还很容易导致过拟合问题。所以需要一个更合理的神经网络结构来有效地减少神经网络中参数个数。卷积神经网络就可以达到这个目的。

图 6-7 给出了一个更加具体的卷积神经网络架构图。

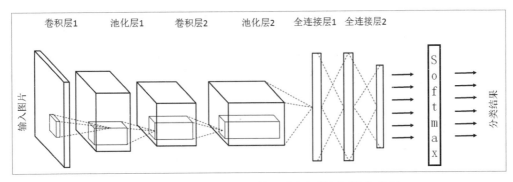

图 6-7　用于图像分类问题的一种卷积神经网络架构图

在卷积神经网络的前几层中，每一层的节点都被组织成一个三维矩阵。比如处理 CIFAR-10 数据集中的图片时，可以将输入层组织成一个 32×32×3 的三维矩阵。图 6-7 中虚线部分展示了卷积神经网络的一个连接示意图，从图中可以看出卷积神经网络中前几层中每一个节点只和上一层中部分的节点相连。卷积神经网络的具体连接方式将在 6.3 节中介绍。一个卷积神经网络主要由以下 5 种结构组成：

1．输入层。输入层是整个神经网络的输入，在处理图像的卷积神经网络中，它一般代表了一张图片的像素矩阵。比如在图 6-7 中，最左侧的三维矩阵就可以代表一张图片。其中三维矩阵的长和宽代表了图像的大小，而三维矩阵的深度代表了图像的色彩通道（channel）。比如黑白图片的深度为 1，而在 RGB 色彩模式下，图像的深度为 3。从输入层开始，卷积神经网络通过不同的神经网络结构将上一层的三维矩阵转化为下一层的三维矩阵，直到最后的全连接层。

2．卷积层。从名字就可以看出，卷积层是一个卷积神经网络中最为重要的部分。和传统全连接层不同，卷积层中每一个节点的输入只是上一层神经网络的一小块，这个小块常用的大小有 3×3 或者 5×5。卷积层试图将神经网络中的每一小块进行更加深入地分析从

---

① 在 RGB 色彩模式下，一幅完整的图像是由红色、绿色和蓝色 3 个通道组成的。因为每个通道在每个像素点上都有亮度值，所以整个图片就可以表示成一个三维矩阵。

而得到抽象程度更高的特征。一般来说，通过卷积层处理过的节点矩阵会变得更深，所以在图 6-7 中可以看到经过卷积层之后的节点矩阵的深度会增加。

3．池化层（Pooling）。池化层神经网络不会改变三维矩阵的深度，但是它可以缩小矩阵的大小。池化操作可以认为是将一张分辨率较高的图片转化为分辨率较低的图片。通过池化层，可以进一步缩小最后全连接层中节点的个数，从而达到减少整个神经网络中参数的目的。

4．全连接层。如图 6-7 所示，在经过多轮卷积层和池化层的处理之后，在卷积神经网络的最后一般会是由 1 到 2 个全连接层来给出最后的分类结果。经过几轮卷积层和池化层的处理之后，可以认为图像中的信息已经被抽象成了信息含量更高的特征。我们可以将卷积层和池化层看成自动图像特征提取的过程。在特征提取完成之后，仍然需要使用全连接层来完成分类任务。

5．Softmax 层。和第 4 章中介绍的一样，Softmax 层主要用于分类问题。通过 Softmax 层，可以得到当前样例属于不同种类的概率分布情况。

在卷积神经网络中使用到的输入层、全连接层和 Softmax 层在第 4 章中都有过详细的介绍，这里不再赘述。在下面的 6.3 节中将详细介绍卷积神经网络中特殊的两个网络结构——卷积层和池化层。

6.3　卷积神经网络常用结构

6.2 节已经大致介绍了卷积层和池化层的概念，在本节中将具体介绍这两种网络结构。在下面的两个小节中将分别介绍卷积层和池化层的网络结构以及前向传播的过程，并通过 TensorFlow 实现这些网络结构。本书中将不会介绍优化卷积神经网络的数学公式，但通过 TensorFlow 可以很容易地完成优化的过程。

6.3.1　卷积层

本节将详细介绍卷积层的结构以及其前向传播的算法。图 6-8 中显示了卷积层神经网络结构中最重要的部分，这个部分被称之为过滤器（filter）或者内核（kernel）。因为 TensorFlow 文档中将这个结构称之为过滤器（filter），所以在本书中将统称这个结构为过滤器。如图 6-8 所示，过滤器可以将当前层神经网络上的一个子节点矩阵转化为下一层神经网络上的一个单位节点矩阵。单位节点矩阵指的是一个长和宽都为 1，但深度不限的节点矩阵。

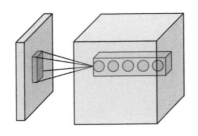

图 6-8　卷积层过滤器（filter）结构示意图[①]

在一个卷积层中，过滤器所处理的节点矩阵的长和宽都是由人工指定的，这个节点矩阵的尺寸也被称之为过滤器的尺寸。常用的过滤器尺寸有 3×3 或 5×5。因为过滤器处理的矩阵深度和当前层神经网络节点矩阵的深度是一致的，所以虽然节点矩阵是三维的，但过滤器的尺寸只需要指定两个维度。过滤器中另外一个需要人工指定的设置是处理得到的单位节点矩阵的深度，这个设置称为过滤器的深度。注意过滤器的尺寸指的是一个过滤器输入节点矩阵的大小，而深度指的是输出单位节点矩阵的深度。如图 6-8 所示，左侧小矩阵的尺寸为过滤器的尺寸，而右侧单位矩阵的深度为过滤器的深度。6.4 节将通过一些经典卷积神经网络结构来了解如何设置每一层卷积层过滤器的尺寸和深度。

如图 6-8 所示，过滤器的前向传播过程就是通过左侧小矩阵中的节点计算出右侧单位矩阵中节点的过程。为了直观地解释过滤器的前向传播过程，在下面的篇幅中将给出一个具体的样例。在这个样例中将展示如何通过过滤器将一个 2×2×3 的节点矩阵变化为一个 1×1×5 的单位节点矩阵。一个过滤器的前向传播过程和全连接层相似，它总共需要 2×2×3×5+5=65 个参数，其中最后的+5 为偏置项参数的个数。假设使用 $w_{x,y,z}^{i}$ 来表示对于输出单位节点矩阵中的第 i 个节点，过滤器输入节点（x,y,z）的权重，使用 b^{i} 表示第 i 个输出节点对应的偏置项参数，那么单位矩阵中的第 i 个节点的取值 $g(i)$ 为：

$$g(i) = f(\sum_{x=1}^{2}\sum_{y=1}^{2}\sum_{z=1}^{3} a_{x,y,z} \times w_{x,y,z}^{i} + b^{i})$$

其中 $a_{x,y,z}$ 为过滤器中节点(x,y,z)的取值，f 为激活函数。图 6-9 展示了在给定 a，w^{0} 和 b^{0} 的情况下，使用 ReLU 作为激活函数时 $g(0)$ 的计算过程。在图 6-9 的左侧给出了 a 和 w^{0} 的取值，这里通过 3 个二维矩阵来表示一个三维矩阵的取值，其中每一个二维矩阵表示三维矩阵在某一个深度上的取值。图 6-9 中·符号表示点积，也就是矩阵中对应元素乘积的和。图 6-9 的右侧显示了 $g(0)$ 的计算过程。如果给出 w^{1} 到 w^{4} 和 b^{1} 到 b^{4}，那么也可以类似地计算出 $g(1)$ 到 $g(4)$ 的取值。如果将 a 和 w^{i} 组织成两个向量，那么一个过滤器的计算过程

[①]　此图片来自斯坦福大学在线卷积神经网络教程 http://cs231n.github.io/convolutional-networks/。

完全可以通过第 3 章中介绍的向量乘法来完成。

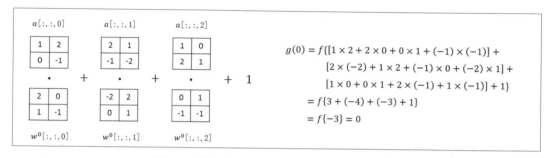

图 6-9　使用过滤器计算 $g(0)$取值的过程示意图

以上样例已经介绍了在卷积层中计算一个过滤器的前向传播过程。卷积层结构的前向传播过程就是通过将一个过滤器从神经网络当前层的左上角移动到右下角，并且在移动中计算每一个对应的单位矩阵得到的。图 6-10 展示了卷积层结构前向传播的过程。为了更好地可视化过滤器的移动过程，图 6-10 中使用的节点矩阵深度都为 1。在图 6-10 中，展示了在 3×3 矩阵上使用 2×2 过滤器的卷积层前向传播过程。在这个过程中，首先将这个过滤器用于左上角子矩阵，然后移动到右上角矩阵，再到左下角矩阵，最后到右下角矩阵。过滤器每移动一次，可以计算得到一个值（当深度为 k 时会计算出 k 个值）。将这些数值拼接成一个新的矩阵，就完成了卷积层前向传播的过程。图 6-10 的右侧显示了过滤器在移动过程中计算得到的结果与新矩阵中节点的对应关系。

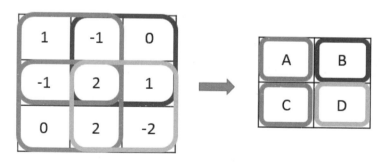

图 6-10　卷积层前向传播过程示意图

当过滤器的大小不为 1×1 时，卷积层前向传播得到的矩阵的尺寸要小于当前层矩阵的尺寸。如图 6-10 所示，当前层矩阵的大小为 3×3（图 6-10 左侧矩阵），而通过卷积层前向传播算法之后，得到的矩阵大小为 2×2（图 6-10 右侧矩阵）。为了避免尺寸的变化，可以在当前层矩阵的边界上加入全 0 填充（zero-padding）。这样可以使得卷积层前向传播结果矩阵的大小和当前层矩阵保持一致。图 6-11 显示了使用全 0 填充后卷积层前向传播过程示意图。从图中可以看出，加入一层全 0 填充后，得到的结构矩阵大小就为 3×3 了。

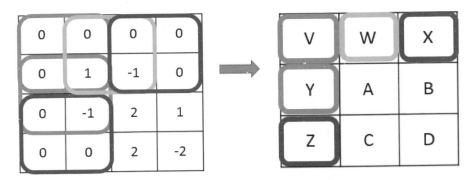

图 6-11　使用了全 0 填充（zero-padding）的卷积层前向传播示意图[①]

除了使用全 0 填充，还可以通过设置过滤器移动的步长来调整结果矩阵的大小。在图 6-10 和图 6-11 中，过滤器每次都只移动一格。图 6-12 中显示了当移动步长为 2 且使用全 0 填充时，卷积层前向传播的过程。

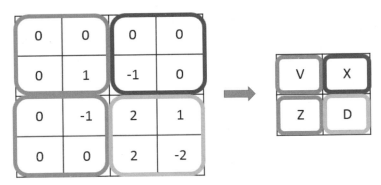

图 6-12　过滤器移动步长为 2 且使用全 0 填充时卷积层前向传播过程示意图

从图 6-12 上可以看出，当长和宽的步长均为 2 时，过滤器每隔 2 步计算一次结果，所以得到的结果矩阵的长和宽也就都只有原来的一半。以下公式给出了在同时使用全 0 填充时结果矩阵的大小。

$$out_{length} = \left\lceil in_{length} \, / \, stride_{length} \right\rceil$$
$$out_{width} = \left\lceil in_{width} \, / \, stride_{width} \right\rceil$$

其中 out_{length} 表示输出层矩阵的长度，它等于输入层矩阵长度除以长度方向上的步长的

---

① 此处全 0 填充的方式和 TensorFlow 中实现的方式略有不同，但是原理是一样的。

向上取整值。类似的，out_{width} 表示输出层矩阵的宽度，它等于输入层矩阵宽度除以宽度方向上的步长的向上取整值。如果不使用全 0 填充，以下公式给出了结果矩阵的大小。

$$out_{length} = \lceil (in_{length} - filter_{length} + 1) / stride_{length} \rceil$$
$$out_{width} = \lceil (in_{width} - filter_{width} + 1) / stride_{width} \rceil$$

在图 6-10、图 6-11 以及图 6-12 中，只讲解了移动过滤器的方式，没有涉及过滤器中的参数如何设定，所以在这些图片中结果矩阵中并没有填上具体的值。在卷积神经网络中，每一个卷积层中使用的过滤器中的参数都是一样的。这是卷积神经网络一个非常重要的性质。从直观上理解，共享过滤器的参数可以使得图像上的内容不受位置的影响。以 MNIST 手写体数字识别为例，无论数字"1"出现在左上角还是右下角，图片的种类都是不变的。因为在左上角和右下角使用的过滤器参数相同，所以通过卷积层之后无论数字在图像上的哪个位置，得到的结果都一样。

共享每一个卷积层中过滤器中的参数可以巨幅减少神经网络上的参数。以 CIFAR-10 问题为例，输入层矩阵的维度是 32×32×3。假设第一层卷积层使用尺寸为 5×5，深度为 16 的过滤器，那么这个卷积层的参数个数为 5×5×3×16+16=1216 个。6.2 节中提到过，使用 500 个隐藏节点的全连接层将有 1.5 百万个参数。相比之下，卷积层的参数个数要远远小于全连接层。而且卷积层的参数个数和图片的大小无关，它只和过滤器的尺寸、深度以及当前层节点矩阵的深度有关。这使得卷积神经网络可以很好地扩展到更大的图像数据上。

结合过滤器的使用方法和参数共享的机制，图 6-13 给出了使用了全 0 填充、步长为 2 的卷积层前向传播的计算流程。

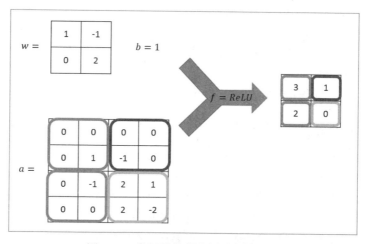

图 6-13　卷积层前向传播过程样例图

图 6-13 给出了过滤器上权重的取值以及偏置项的取值,通过图 6-9 中所示的计算方法,

可以得到每一个格子的具体取值。以下公式给出了左上角格子取值的计算方法，其他格子可以依次类推。

$$\text{ReLU}(0\times1+0\times(-1)+0\times0+1*2+1) = \text{ReLU}(3) = 3$$

TensorFlow 对卷积神经网络提供了非常好的支持，以下程序实现了一个卷积层的前向传播过程。从以下代码可以看出，通过 TensorFlow 实现卷积层是非常方便的。

```
# 通过 tf.get_variable 的方式创建过滤器的权重变量和偏置项变量。上面介绍了卷积层
# 的参数个数只和过滤器的尺寸、深度以及当前层节点矩阵的深度有关，所以这里声明的参数变
# 量是一个四维矩阵，前面两个维度代表了过滤器的尺寸，第三个维度表示当前层的深度，第四
# 个维度表示过滤器的深度。
filter_weight = tf.get_variable(
    'weights', [5, 5, 3, 16],
    initializer=tf.truncated_normal_initializer(stddev=0.1))
# 和卷积层的权重类似，当前层矩阵上不同位置的偏置项也是共享的，所以总共有下一层深度个不
# 同的偏置项。本样例代码中 16 为过滤器的深度，也是神经网络中下一层节点矩阵的深度。
biases = tf.get_variable(
    'biases', [16], initializer=tf.constant_initializer(0.1))

# tf.nn.conv2d 提供了一个非常方便的函数来实现卷积层前向传播的算法。这个函数的第一个输
# 入为当前层的节点矩阵。注意这个矩阵是一个四维矩阵，后面三个维度对应一个节点矩阵，第一
# 维对应一个输入 batch。比如在输入层，input[0,:,:,:]表示第一张图片，input[1,:,:,:]
# 表示第二张图片，以此类推。tf.nn.conv2d 第二个参数提供了卷积层的权重，第三个参数为不
# 同维度上的步长。虽然第三个参数提供的是一个长度为 4 的数组，但是第一维和最后一维的数字
# 要求一定是 1。这是因为卷积层的步长只对矩阵的长和宽有效。最后一个参数是填充（padding）
# 的方法，TensorFlow 中提供 SAME 或是 VALID 两种选择。其中 SAME 表示添加全 0 填充（如
# 图 6-11 所示），"VALID"表示不添加（如图 6-10 所示）。
conv = tf.nn.conv2d(
    input, filter_weight, strides=[1, 1, 1, 1], padding='SAME')

# tf.nn.bias_add 提供了一个方便的函数给每一个节点加上偏置项。注意这里不能直接使用加
# 法，因为矩阵上不同位置上的节点都需要加上同样的偏置项。如图 6-13 所示，虽然下一层神
# 经网络的大小为 2×2，但是偏置项只有一个数（因为深度为 1），而 2×2 矩阵中的每一个值都需
# 要加上这个偏置项。
bias = tf.nn.bias_add(conv, biases)
# 将计算结果通过 ReLU 激活函数完成去线性化。
actived_conv = tf.nn.relu(bias)
```

6.3.2　池化层

6.2 节介绍过卷积神经网络的大致架构。从图 6-7 中可以看出，在卷积层之间往往会加

上一个池化层（pooling layer）。池化层可以非常有效地缩小矩阵的尺寸[1]，从而减少最后全连接层中的参数。使用池化层既可以加快计算速度也有防止过拟合问题的作用。[2]

　　和 6.3.1 节中介绍的卷积层类似，池化层前向传播的过程也是通过移动一个类似过滤器的结构完成的。不过池化层过滤器中的计算不是节点的加权和，而是采用更加简单的最大值或者平均值运算。使用最大值操作的池化层被称之为最大池化层（max pooling），这是被使用得最多的池化层结构。使用平均值操作的池化层被称之为平均池化层（average pooling）。其他池化层在实践中使用的比较少，本书不做过多的介绍。

　　与卷积层的过滤器类似，池化层的过滤器也需要人工设定过滤器的尺寸、是否使用全 0 填充以及过滤器移动的步长等设置，而且这些设置的意义也是一样的。卷积层和池化层中过滤器移动的方式是相似的，唯一的区别在于卷积层使用的过滤器是横跨整个深度的，而池化层使用的过滤器只影响一个深度上的节点。所以池化层的过滤器除了在长和宽两个维度移动，它还需要在深度这个维度移动。图 6-14 展示了一个最大池化层前向传播计算过程。

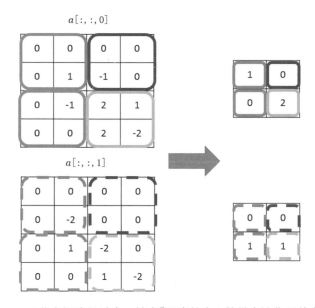

$a[:,:,0]$

$a[:,:,1]$

图 6-14　3×3×2 节点矩阵经过全 0 填充[3]且步长为 2 的最大池化层前向传播过程示意图

[1] 池化层主要用于减小矩阵的长和宽。虽然池化层也可以减小矩阵深度，但是实践中一般不会这样使用。

[2] 有研究指出池化层对模型效果的影响不大，具体细节可以参考：Springenberg J T, Dosovitskiy A, Brox T, et al. *Striving for Simplicity: The All Convolutional Net* [J]. Eprint Arxiv, 2014. 不过目前主流的卷积神经网络模型中都含有池化层。

[3] 在 TensorFlow 的实现里全 0 填充优先填充右下方。这里主要是介绍全 0 填充的实现原理。

在图 6-14 中，不同颜色或者不同线段（虚线或者实线）代表了不同的池化层过滤器。从图 6-14 中可以看出，池化层的过滤器除了在长和宽的维度上移动，它还需要在深度的维度上移动。以下 TensorFlow 程序实现了最大池化层的前向传播算法。

```
# tf.nn. max_pool 实现了最大池化层的前向传播过程，它的参数和 tf.nn.conv2d 函数类似。
# ksize 提供了过滤器的尺寸，strides 提供了步长信息，padding 提供了是否使用全 0 填充。
pool = tf.nn.max_pool(actived_conv, ksize=[1, 3, 3, 1],
                      strides=[1, 2, 2, 1], padding='SAME')
```

对比池化层和卷积层前向传播在 TensorFlow 中的实现，可以发现函数的参数形式是相似的。在 tf.nn.max_pool 函数中，首先需要传入当前层的节点矩阵，这个矩阵是一个四维矩阵，格式和 tf.nn.conv2d 函数中的第一个参数一致。第二个参数为过滤器的尺寸。虽然给出的是一个长度为 4 的一维数组，但是这个数组的第一个和最后一个数必须为 1。这意味着池化层的过滤器是不可以跨不同输入样例或者节点矩阵深度的。在实际应用中使用得最多的池化层过滤器尺寸为[1,2,2,1]或者[1,3,3,1]。

tf.nn.max_pool 函数的第三个参数为步长，它和 tf.nn.conv2d 函数中步长的意义是一样的，而且第一维和最后一维也只能为 1。这意味着在 TensorFlow 中，池化层不能减少节点矩阵的深度或者输入样例的个数。tf.nn.max_pool 函数的最后一个参数指定了是否使用全 0 填充。这个参数也只有两种取值——VALID 或者 SAME，其中 VALID 表示不使用全 0 填充，SAME 表示使用全 0 填充。TensorFlow 还提供了 tf.nn.avg_pool 来实现平均池化层。tf.nn.avg_pool 函数的调用格式和 tf.nn.max_pool 函数是一致的。

6.4　经典卷积网络模型

在 6.3 节中介绍了卷积神经网络特有的两种网络结构——卷积层和池化层。然而，通过这些网络结构任意组合得到的神经网络有无限多种，怎样的神经网络更有可能解决真实的图像处理问题呢？这一节将介绍一些经典的卷积神经网络的网络结构。通过这些经典的卷积神经网络的网络结构可以总结出卷积神经网络结构设计的一些模式。在 6.4.1 节中将具体介绍 LeNet-5 模型，并给出一个完整的 TensorFlow 程序来实现 LeNet-5 模型。通过这个模型，将给出卷积神经网络结构设计的一个通用模式。然后 6.4.2 节将介绍设计卷积神经网络结构的另外一种思路——Inception 模型。这个小节将简单介绍 TensorFlow-Slim 工具，并通过这个工具实现谷歌提出的 Inception-v3 模型中的一个模块。

6.4.1　LeNet−5 模型

LeNet-5 模型是 Yann LeCun 教授于 1998 年在论文 *Gradient-based learning applied to document recognition*[1]中提出的，它是第一个成功应用于数字识别问题的卷积神经网络。在 MNIST 数据集上，LeNet-5 模型可以达到大约 99.2%的正确率。LeNet-5 模型总共有 7 层，图 6-15 展示了 LeNet-5 模型的架构。

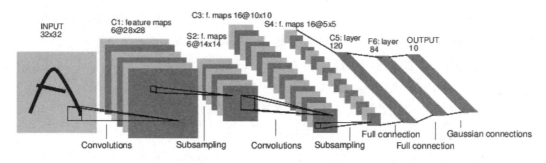

图 6-15　LeNet-5 模型结构图[2]

在下面的篇幅中将详细介绍 LeNet-5 模型每一层的结构。[3]

第一层，卷积层

这一层的输入就是原始的图像像素，LeNet-5 模型接受的输入层大小为 32×32×1。第一个卷积层过滤器的尺寸为 5×5，深度为 6，不使用全 0 填充，步长为 1。因为没有使用全 0 填充，所以这一层的输出的尺寸为 32−5+1=28，深度为 6。这一个卷积层总共有 5×5×1×6+6=156 个参数，其中 6 个为偏置项参数。因为下一层的节点矩阵有 28×28×6=4704 个节点，每个节点和 5×5=25 个当前层节点相连，所以本层卷积层总共有 4704×(25+1)=122304 个连接。

第二层，池化层

这一层的输入为第一层的输出，是一个 28×28×6 的节点矩阵。本层采用的过滤器大小为 2×2，长和宽的步长均为 2，所以本层的输出矩阵大小为 14×14×6。原始的 LeNet-5 模型

---

① Lecun Y, Bottou L, Bengio Y, et al. *Gradient-based learning applied to document recognition* [J]. Proceedings of the IEEE, 1998.

② 此图片来自论文 *Gradient-based learning applied to document recognition*。

③ 论文 *GradientBased Learning Applied to Document Recognition* 提出的 LeNet-5 模型中，卷积层和池化层的实现与 6.3 节中介绍的 TensorFlow 的实现有细微的区别，本书不过多的讨论具体细节，而是着重介绍模型的整体框架。

中使用的过滤器和 6.3.2 节介绍的有些细微差别，本书不做具体介绍。

第三层，卷积层

本层的输入矩阵大小为 14×14×6，使用的过滤器大小为 5×5，深度为 16。本层不使用全 0 填充，步长为 1。本层的输出矩阵大小为 10×10×16。按照标准的卷积层，本层应该有 5×5×6×16+16=2416 个参数，10×10×16×（25+1）=41600 个连接。

第四层，池化层

本层的输入矩阵大小为 10×10×16，采用的过滤器大小为 2×2，步长为 2。本层的输出矩阵大小为 5×5×16。

第五层，全连接层

本层的输入矩阵大小为 5×5×16，在 LeNet-5 模型的论文中将这一层称为卷积层，但是因为过滤器的大小就是 5×5，所以和全连接层没有区别，在之后的 TensorFlow 程序实现中也会将这一层看成全连接层。如果将 5×5×16 矩阵中的节点拉成一个向量，那么这一层和在第 4 章中介绍的全连接层输入就一样了。本层的输出节点个数为 120，总共有 5×5×16×120+120=48120 个参数。

第六层，全连接层

本层的输入节点个数为 120 个，输出节点个数 84 个，总共参数为 120×84+84=10164 个。

第七层，全连接层[①]

本层的输入节点个数为 84 个，输出节点个数为 10 个，总共参数为 84×10+10=850 个。

上面介绍了 LeNet-5 模型每一层结构和设置，下面给出一个 TensorFlow 的程序来实现一个类似 LeNet-5 模型的卷积神经网络来解决 MNIST 数字识别问题。通过 TensorFlow 训练卷积神经网络的过程和第 5 章中介绍的训练全连接神经网络是完全一样的。损失函数的计算、反向传播过程的实现都可以复用 5.5 节中给出的 mnist_train.py 程序。唯一的区别在于因为卷积神经网络的输入层为一个三维矩阵，所以需要调整一下输入数据的格式：

```
# 调整输入数据 placeholder 的格式，输入为一个四维矩阵。
x = tf.placeholder(tf.float32, [
            BATCH_SIZE,                        # 第一维表示一个 batch 中样例的个数。
            mnist_inference.IMAGE_SIZE,        # 第二维和第三维表示图片的尺寸。
            mnist_inference.IMAGE_SIZE,
            mnist_inference.NUM_CHANNELS],     # 第四维表示图片的深度，对于 RBG 格
                                               # 式的图片，深度为 3。
        name='x-input')
…
```

---

① LeNet-5 模型论文中最后一层输出层的结构和全连接层有区别，但我们这用全连接层近似的表示。

```
# 类似地将输入的训练数据格式调整为一个四维矩阵,并将这个调整后的数据传入 sess.run 过程。
reshaped_xs = np.reshape(xs, (BATCH_SIZE,
                              mnist_inference.IMAGE_SIZE,
                              mnist_inference.IMAGE_SIZE,
                              mnist_inference.NUM_CHANNELS))
```

在调整完输入格式之后，只需要在程序 mnist_inference.py 中实现类似 LeNet-5 模型结构的前向传播过程即可。下面给出了修改后的 mnist_inference.py 程序。

```
# -*- coding: utf-8 -*-
import tensorflow as tf

# 配置神经网络的参数。
INPUT_NODE = 784
OUTPUT_NODE = 10

IMAGE_SIZE = 28
NUM_CHANNELS = 1
NUM_LABELS = 10

# 第一层卷积层的尺寸和深度。
CONV1_DEEP = 32
CONV1_SIZE = 5
# 第二层卷积层的尺寸和深度。
CONV2_DEEP = 64
CONV2_SIZE = 5
# 全连接层的节点个数。
FC_SIZE = 512

# 定义卷积神经网络的前向传播过程。这里添加了一个新的参数 train,用于区分训练过程和测试
# 过程。在这个程序中将用到 dropout 方法,dropout 可以进一步提升模型可靠性并防止过拟合,
# dropout 过程只在训练时使用。①
def inference(input_tensor, train, regularizer):
    # 声明第一层卷积层的变量并实现前向传播过程。这个过程和 6.3.1 节中介绍的一致。
    # 通过使用不同的命名空间来隔离不同层的变量,这可以让每一层中的变量命名只需要
    # 考虑在当前层的作用,而不需要担心重名的问题。和标准 LeNet-5 模型不大一样,这里
    # 定义的卷积层输入为 28×28×1 的原始 MNIST 图片像素。因为卷积层中使用了全 0 填充,
    # 所以输出为 28×28×32 的矩阵。
    with tf.variable_scope('layer1-conv1'):
        conv1_weights = tf.get_variable(
```

---

① 关于 dropout 的详情可以参考论文：Hinton G E, Srivastava N, Krizhevsky A, et al. *Improving neural networks by preventing co-adaptation of feature detectors*[J]. Computer Science, 2012.

```
        "weight", [CONV1_SIZE, CONV1_SIZE, NUM_CHANNELS, CONV1_DEEP],
        initializer=tf.truncated_normal_initializer(stddev=0.1))
    conv1_biases = tf.get_variable(
        "bias", [CONV1_DEEP], initializer=tf. constant_initializer(0.0))

    # 使用边长为 5，深度为 32 的过滤器，过滤器移动的步长为 1，且使用全 0 填充。
    conv1 = tf.nn.conv2d(
        input_tensor, conv1_weights, strides=[1, 1, 1, 1], padding='SAME')
    relu1 = tf.nn.relu(tf.nn.bias_add(conv1, conv1_biases))

# 实现第二层池化层的前向传播过程。这里选用最大池化层，池化层过滤器的边长为 2，
# 使用全 0 填充且移动的步长为 2。这一层的输入是上一层的输出，也就是 28×28×32
# 的矩阵。输出为 14×14×32 的矩阵。
with tf.name_scope('layer2-pool1'):
    pool1 = tf.nn.max_pool(
        relu1, ksize=[1, 2, 2, 1], strides=[1, 2, 2, 1], padding='SAME')

# 声明第三层卷积层的变量并实现前向传播过程。这一层的输入为 14×14×32 的矩阵。
# 输出为 14×14×64 的矩阵。
with tf.variable_scope('layer3-conv2'):
    conv2_weights = tf.get_variable(
        "weight", [CONV2_SIZE, CONV2_SIZE, CONV1_DEEP, CONV2_DEEP],
        initializer=tf.truncated_normal_initializer(stddev=0.1))
    conv2_biases = tf.get_variable(
        "bias", [CONV2_DEEP],
        initializer=tf. constant_initializer(0.0))

    # 使用边长为 5，深度为 64 的过滤器，过滤器移动的步长为 1，且使用全 0 填充。
    conv2 = tf.nn.conv2d(
        pool1, conv2_weights, strides=[1, 1, 1, 1], padding='SAME')
    relu2 = tf.nn.relu(tf.nn.bias_add(conv2, conv2_biases))

# 实现第四层池化层的前向传播过程。这一层和第二层的结构是一样的。这一层的输入为
# 14×14×64 的矩阵，输出为 7×7×64 的矩阵。
with tf.name_scope('layer4-pool2'):
    pool2 = tf.nn.max_pool(
        relu2, ksize=[1, 2, 2, 1], strides=[1, 2, 2, 1], padding='SAME')

# 将第四层池化层的输出转化为第五层全连接层的输入格式。第四层的输出为 7×7×64 的矩阵，
# 然而第五层全连接层需要的输入格式为向量，所以在这里需要将这个 7×7×64 的矩阵拉直成一
# 个向量。pool2.get_shape 函数可以得到第四层输出矩阵的维度而不需要手工计算。注意
# 因为每一层神经网络的输入输出都为一个 batch 的矩阵，所以这里得到的维度也包含了一个
# batch 中数据的个数。
pool_shape = pool2.get_shape().as_list()
```

```
    # 计算将矩阵拉直成向量之后的长度，这个长度就是矩阵长宽及深度的乘积。注意这里
    # pool_shape[0]为一个 batch 中数据的个数。
    nodes = pool_shape[1] * pool_shape[2] * pool_shape[3]

    # 通过 tf.reshape 函数将第四层的输出变成一个 batch 的向量。
    reshaped = tf.reshape(pool2, [pool_shape[0], nodes])

    # 声明第五层全连接层的变量并实现前向传播过程。这一层的输入是拉直之后的一组向量，
    # 向量长度为 3136，输出是一组长度为 512 的向量。这一层和之前在第 5 章中介绍的基本
    # 一致，唯一的区别就是引入了 dropout 的概念。dropout 在训练时会随机将部分节点的
    # 输出改为 0。dropout 可以避免过拟合问题，从而使得模型在测试数据上的效果更好。
    # dropout 一般只在全连接层而不是卷积层或者池化层使用。
    with tf.variable_scope('layer5-fc1'):
        fc1_weights = tf.get_variable(
            "weight", [nodes, FC_SIZE],
            initializer=tf.truncated_normal_initializer(stddev=0.1))
        # 只有全连接层的权重需要加入正则化。
        if regularizer != None:
            tf.add_to_collection('losses', regularizer(fc1_weights))
        fc1_biases = tf.get_variable(
            "bias", [FC_SIZE], initializer=tf.constant_initializer(0.1))

        fc1 = tf.nn.relu(tf.matmul(reshaped, fc1_weights) + fc1_biases)
        if train: fc1 = tf.nn.dropout(fc1, 0.5)

    # 声明第六层全连接层的变量并实现前向传播过程。这一层的输入为一组长度为 512 的向量，
    # 输出为一组长度为 10 的向量。这一层的输出通过 Softmax 之后就得到了最后的分类结果。
    with tf.variable_scope('layer6-fc2'):
        fc2_weights = tf.get_variable(
            "weight", [FC_SIZE, NUM_LABELS],
            initializer=tf.truncated_normal_initializer(stddev=0.1))
        if regularizer != None:
            tf.add_to_collection('losses', regularizer(fc2_weights))
        fc2_biases = tf.get_variable(
            "bias", [NUM_LABELS],
            initializer=tf.constant_initializer(0.1))
        logit = tf.matmul(fc1, fc2_weights) + fc2_biases

    # 返回第六层的输出。
    return logit
```

运行修改后的 mnist_train.py，可以得到类似第 5 章中的输出：

```
~/mnist$ python mnist_train.py
Extracting /tmp/data/train-images-idx3-ubyte.gz
Extracting /tmp/data/train-labels-idx1-ubyte.gz
Extracting /tmp/data/t10k-images-idx3-ubyte.gz
Extracting /tmp/data/t10k-labels-idx1-ubyte.gz
After 1 training step(s), loss on training batch is 6.45373.
After 1001 training step(s), loss on training batch is 0.824825.
After 2001 training step(s), loss on training batch is 0.646993.
After 3001 training step(s), loss on training batch is 0.759975.
After 4001 training step(s), loss on training batch is 0.68468.
After 5001 training step(s), loss on training batch is 0.630368.
…
```

类似地修改第 5 章中给出的 mnist_eval.py 程序输入部分，就可以测试这个卷积神经网络在 MNIST 数据集上的正确率了。在 MNIST 测试数据上，上面给出的卷积神经网络可以达到大约 99.4%的正确率。相比第 5 章中最高的 98.4%的正确率，卷积神经网络可以巨幅提高神经网络在 MNIST 数据集上的正确率。

然而一种卷积神经网络架构不能解决所有问题。比如 LeNet-5 模型就无法很好地处理类似 ImageNet 这样比较大的图像数据集。那么如何设计卷积神经网络的架构呢？以下正则表达式公式总结了一些经典的用于图片分类问题的卷积神经网络架构：

输入层→（卷积层+→池化层？）+→全连接层+

在以上公式中，"卷积层+"表示一层或者多层卷积层，大部分卷积神经网络中一般最多连续使用三层卷积层。"池化层？"表示没有或者一层池化层。池化层虽然可以起到减少参数防止过拟合问题，但是在部分论文中也发现可以直接通过调整卷积层步长来完成。[①]所以有些卷积神经网络中没有池化层。在多轮卷积层和池化层之后，卷积神经网络在输出之前一般会经过 1~2 个全连接层。比如 LeNet-5 模型就可以表示为以下结构。

输入层→卷积层→池化层→卷积层→池化层→全连接层→全连接层→输出层

除了 LeNet-5 模型，2012 年 ImageNet ILSVRC 图像分类挑战的第一名 AlexNet 模型、2013 年 ILSVRC 第一名 ZF Net 模型以及 2014 年第二名 VGGNet 模型的架构都满足上面介绍的正则表达式。表 6-1 给出了 VGGNet 论文 *Very Deep Convolutional Networks for Large-Scale Image Recognition*[②]中作者尝试过的不同卷积神经网络架构。从表 6-1 中可以看出这些卷积神经网络架构都满足介绍的正则表达式。

---

① 具体可以参考论文 *Striving for Simplicity: The All Convolutional Net*。

② Simonyan K, Zisserman A. *Very Deep Convolutional Networks for Large-Scale Image Recognition* [J]. Computer Science, 2014.

表 6-1　VGGNet 模型论文中尝试过的卷积神经网络架构[①]

（其中 conv*表示卷积层，maxpool 表示池化层，FC-*表示全连接层，soft-max 为 softmax 结构）

input (224 × 224 RGB image)					
conv3-64	conv3-64	conv3-64	conv3-64	conv3-64	conv3-64
	LRN	**conv3-64**	conv3-64	conv3-64	conv3-64
maxpool					
conv3-128	conv3-128	conv3-128	conv3-128	conv3-128	conv3-128
		conv3-128	conv3-128	conv3-128	conv3-128
maxpool					
conv3-256	conv3-256	conv3-256	conv3-256	conv3-256	conv3-256
conv3-256	conv3-256	conv3-256	conv3-256	conv3-256	conv3-256
			conv1-256	**conv3-256**	**conv3-256**
maxpool					
conv3-512	conv3-512	conv3-512	conv3-512	conv3-512	conv3-512
conv3-512	conv3-512	conv3-512	conv3-512	conv3-512	conv3-512
			conv1-512	**conv3-512**	**conv3-512**
maxpool					
conv3-512	conv3-512	conv3-512	conv3-512	conv3-512	conv3-512
conv3-512	conv3-512	conv3-512	conv3-512	conv3-512	conv3-512
			conv1-512	**conv3-512**	**conv3-512**
maxpool					
FC-4096					
FC-4096					
FC-1000					
soft-max					

有了卷积神经网络的架构，那么每一层卷积层或者池化层中的配置需要如何设置呢？表 6-1 也提供了很多线索。在表 6-1 中，convX-Y 表示过滤器的边长为 X，深度为 Y。比如 conv3-64 表示过滤器的长和宽都为 3，深度为 64。从表 6-1 中可以看出，VGG Net 中的过滤器边长一般为 3 或者 1。在 LeNet-5 模型中，也使用了边长为 5 的过滤器。一般卷积层的过滤器边长不会超过 5，但有些卷积神经网络结构中，处理输入的卷积层中使用了边长为 7 甚至是 11 的过滤器。

在过滤器的深度上，大部分卷积神经网络都采用逐层递增的方式。比如在表 6-1 中可以看到，每经过一次池化层之后，卷积层过滤器的深度会乘以 2。虽然不同的模型会选择使用不同的具体数字，但是逐层递增是比较普遍的模式。卷积层的步长一般为 1，但是在有些模型中也会使用 2，或者 3 作为步长。池化层的配置相对简单，用得最多的是最大池化层。池化层的过滤器边长一般为 2 或者 3，步长也一般为 2 或者 3。

6.4.2　Inception-v3 模型

在 6.4.1 节中通过介绍 LeNet-5 模型整理出了一类经典的卷积神经网络架构设计。在这一节中将介绍 Inception 结构以及 Inception-v3 卷积神经网络模型。Inception 结构是一种和

---

① 此表源自论文 *Very Deep Convolutional Networks for Large-Scale Image Recognition*。

LeNet-5 结构完全不同的卷积神经网络结构。在 LeNet-5 模型中,不同卷积层通过串联的方式连接在一起,而 Inception-v3 模型中的 Inception 结构是将不同的卷积层通过并联的方式结合在一起。在下面的篇幅中将具体介绍 Inception 结构,并通过 TensorFlow-Slim 工具来实现 Inception-v3 模型中的一个模块。

在 6.4.1 中提到了一个卷积层可以使用边长为 1、3 或者 5 的过滤器,那么如何在这些边长中选呢?Inception 模块给出了一个方案,那就是同时使用所有不同尺寸的过滤器,然后再将得到的矩阵拼接起来。图 6-16 给出了 Inception 模块的一个单元结构示意图。

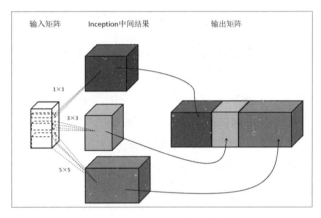

图 6-16　Inception 模块示意图

从图 6-16 中可以看出,Inception 模块会首先使用不同尺寸的过滤器处理输入矩阵。在图 6-16 中,最上方矩阵为使用了边长为 1 的过滤器的卷积层前向传播的结果。类似的,中间矩阵使用的过滤器边长为 3,下方矩阵使用的过滤器边长为 5。不同的矩阵代表了 Inception 模块中的一条计算路径。虽然过滤器的大小不同,但如果所有的过滤器都使用全 0 填充且步长为 1,那么前向传播得到的结果矩阵的长和宽都与输入矩阵一致。这样经过不同过滤器处理的结果矩阵可以拼接成一个更深的矩阵。如图 6-16 所示,可以将它们在深度这个维度上组合起来。

图 6-16 所示的 Inception 模块得到的结果矩阵的长和宽与输入一样,深度为红黄蓝三个矩阵深度的和。图 6-16 中展示的是 Inception 模块的核心思想,真正在 Inception-v3 模型中使用的 Inception 模块要更加复杂且多样,有兴趣的读者可以参考论文 *Rethinking the Inception Architecture for Computer Vision*。[1]图 6-17 给出了 Inception-v3 模型的架构图。

---

① Szegedy C, Vanhoucke V, Ioffe S, et al. Rethinking the Inception Architecture for Computer Vision[J]. Computer Science, 2015.

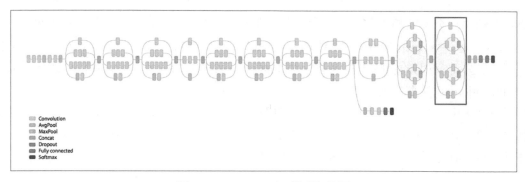

图 6-17   Inception-v3 模型架构图

Inception-v3 模型总共有 46 层，由 11 个 Inception 模块组成。图 6-17 中方框标注出来的结构就是一个 Inception 模块。在 Inception-v3 模型中有 96 个卷积层，如果将 6.4.1 节中的程序直接搬过来，那么一个卷积层就需要 5 行代码，于是总共需要 480 行代码来实现所有的卷积层。这样使得代码的可读性非常差。为了更好地实现类似 Inception-v3 模型这样的复杂卷积神经网络，在下面将先介绍 TensorFlow-Slim 工具来更加简洁地实现一个卷积层。以下代码对比了直接使用 TensorFlow 实现一个卷积层和使用 TensorFlow-Slim 实现同样结构的神经网络的代码量。

```
# 直接使用 TensorFlow 原始 API 实现卷积层。
with tf.variable_scope(scope_name):
    weights = tf.get_variable("weight", …)
    biases = tf.get_variable("bias", …)
    conv = tf.nn.conv2d(…)
    relu = tf.nn.relu(tf.nn.bias_add(conv, biases))

# 使用 TensorFlow-Slim 实现卷积层。通过 TensorFlow-Slim 可以在一行中实现一个卷积层
# 的前向传播算法。slim.conv2d 函数的有 3 个参数是必填的。第一个参数为输入节点矩阵，第
# 二参数是当前卷积层过滤器的深度，第三个参数是过滤器的尺寸。可选的参数有过滤器移动的步
# 长、是否使用全 0 填充、激活函数的选择以及变量的命名空间等。
net = slim.conv2d(input, 32, [3, 3])
```

因为完整的 Inception-v3 模型比较长，所以在本书中仅提供 Inception-v3 模型中结构相对复杂的一个 Inception 模块的代码实现。[①] 以下代码实现了图 6-17 中红色方框中的 Inception 模块。

```
# 加载 slim 库。
```

---

① 在 TensorFlow 的 GitHub 代码库上找到完整的 Inception-v3 模型的源码。GitHub 的地址为 https://github.com/tensorflow/models/blob/master/research/slim/nets/inception_v3.py。

```
slim = tf.contrib.slim

# slim.arg_scope 函数可以用于设置默认的参数取值。slim.arg_scope 函数的第一个参数是
# 一个函数列表，在这个列表中的函数将使用默认的参数取值。比如通过下面的定义，调用
# slim.conv2d(net, 320, [1, 1]) 函数时会自动加上 stride=1 和 padding='SAME' 的参
# 数。如果在函数调用时指定了 stride，那么这里设置的默认值就不会再使用。通过这种方式
# 可以进一步减少冗余的代码。
with slim.arg_scope([slim.conv2d, slim.max_pool2d, slim.avg_pool2d],
                    stride=1, padding='VALID'):
    …
    # 此处省略了 Inception-v3 模型中其他的网络结构而直接实现最后面红色方框中的。
    # Inception 结构。假设输入图片经过之前的神经网络前向传播的结果保存在变量 net
    # 中。
    net = 上一层的输出节点矩阵
    # 为一个 Inception 模块声明一个统一的变量命名空间。
    with tf.variable_scope('Mixed_7c'):
        # 给 Inception 模块中每一条路径声明一个命名空间。
        with tf.variable_scope('Branch_0'):
            # 实现一个过滤器边长为 1，深度为 320 的卷积层。
            branch_0 = slim.conv2d(net, 320, [1, 1], scope='Conv2d_0a_1x1')

        # Inception 模块中第二条路径。这条计算路径上的结构本身也是一个 Inception 结
        # 构。
        with tf.variable_scope('Branch_1'):
            branch_1 = slim.conv2d(net, 384, [1, 1], scope='Conv2d_0a_1x1')
            # tf.concat 函数可以将多个矩阵拼接起来。tf.concat 函数的第一个参数指定
            # 了拼接的维度，这里给出的"3"代表了矩阵是在深度这个维度上进行拼接。图 6-16
            # 中展示了在深度上拼接矩阵的方式。
            branch_1 = tf.concat(3, [
                # 如图 6-17 所示，此处 2 层卷积层的输入都是 branch_1 而不是 net。
                slim.conv2d(branch_1, 384, [1, 3], scope='Conv2d_0b_1x3'),
                slim.conv2d(branch_1, 384, [3, 1], scope='Conv2d_0c_3x1')])

        # Inception 模块中第三条路径。此计算路径也是一个 Inception 结构。
        with tf.variable_scope('Branch_2'):
            branch_2 = slim.conv2d(
                net, 448, [1, 1], scope='Conv2d_0a_1x1')
            branch_2 = slim.conv2d(
                branch_2, 384, [3, 3], scope='Conv2d_0b_3x3')
            branch_2 = tf.concat(3, [
                slim.conv2d(branch_2, 384,
                            [1, 3], scope='Conv2d_0c_1x3'),
```

```
        slim.conv2d(branch_2, 384,
                    [3, 1], scope='Conv2d_0d_3x1')])

# Inception 模块中第四条路径。
with tf.variable_scope('Branch_3'):
    branch_3 = slim.avg_pool2d(
        net, [3, 3], scope='AvgPool_0a_3x3')
    branch_3 = slim.conv2d(
        branch_3, 192, [1, 1], scope='Conv2d_0b_1x1')

# 当前 Inception 模块的最后输出是由上面 4 个计算结果拼接得到的。
net = tf.concat(3, [branch_0, branch_1, branch_2, branch_3])
```

6.5　卷积神经网络迁移学习

在本节中将介绍迁移学习的概念以及如何通过 TensorFlow 来实现迁移学习。在 6.5.1 节中将讲解迁移学习的动机，并介绍如何将一个数据集上训练好的卷积神经网络模型快速转移到另外一个数据集上。在 6.5.2 节中将给出一个具体的 TensorFlow 程序将 ImageNet 上训练好的 Inception-v3 模型转移到另外一个图像分类数据集上。

6.5.1　迁移学习介绍

在 6.4 节中介绍了 1998 年提出的 LeNet-5 模型和 2015 年提出的 Inception-v3 模型。对比这两个模型可以发现，卷积神经网络模型的层数和复杂度都发生了巨大的变化。表 6-2 给出了从 2012 年到 2015 年 ILSVRC（Large Scale Visual Recognition Challenge）第一名模型的层数以及前五个答案的错误率。

表 6-2　ILSVRC 第一名模型信息列表

年份	模型名称	层数[①]	Top5 错误率
2012	AlexNet	8	15.3%
2013	ZF Net	8	14.8%
2014	GoogLeNet	22	6.67%
2015	ResNet	152	3.57%

---

① 在这里层数只计算了卷积层和全连接层的个数，没有参数的池化层没有包括在内。

160

从表 6-2 可以看到，随着模型层数及复杂度的增加，模型在 ImageNet 上的错误率也随之降低。然而，训练复杂的卷积神经网络需要非常多的标注数据。如 6.1 节中提到的，ImageNet 图像分类数据集中有 120 万标注图片，所以才能将 152 层的 ResNet 的模型训练到大约 96.5%的正确率。在真实的应用中，很难收集到如此多的标注数据。即使可以收集到，也需要花费大量人力物力。而且即使有海量的训练数据，要训练一个复杂的卷积神经网络也需要几天甚至几周的时间。为了解决标注数据和训练时间的问题，可以使用本节将要介绍的迁移学习。

所谓迁移学习，就是将一个问题上训练好的模型通过简单的调整使其适用于一个新的问题。本节将介绍如何利用 ImageNet 数据集上训练好的 Inception-v3 模型来解决一个新的图像分类问题。根据论文 *DeCAF: A Deep Convolutional Activation Feature for Generic Visual Recognition*[1]中的结论，可以保留训练好的 Inception-v3 模型中所有卷积层的参数，只是替换最后一层全连接层。在最后这一层全连接层之前的网络层称之为瓶颈层（bottleneck）。

将新的图像通过训练好的卷积神经网络直到瓶颈层的过程可以看成是对图像进行特征提取的过程。在训练好的 Inception-v3 模型中，因为将瓶颈层的输出再通过一个单层的全连接层神经网络可以很好地区分 1000 种类别的图像，所以有理由认为瓶颈层输出的节点向量可以被作为任何图像的一个更加精简且表达能力更强的特征向量。于是，在新数据集上，可以直接利用这个训练好的神经网络对图像进行特征提取，然后再将提取得到的特征向量作为输入来训练一个新的单层全连接神经网络处理新的分类问题。

一般来说，在数据量足够的情况下，迁移学习的效果不如完全重新训练。但是迁移学习所需要的训练时间和训练样本数要远远小于训练完整的模型。在没有 GPU[2]的普通台式机或者笔记本电脑上，6.5.2 节中给出的 TensorFlow 训练过程只需要大约 3 小时，而且可以达到大概 90%的正确率。

6.5.2　TensorFlow 实现迁移学习

本节将给出一个完整的 TensorFlow 程序来介绍如何通过 TensorFlow 实现迁移学习。以下代码给出了如何下载这一节中将要用到的数据集。

```
wget http://download.tensorflow.org/example_images/flower_photos.tgz
tar xzf flower_photos.tgz
```

---

① Donahue J, Jia Y, Vinyals O, et al. *DeCAF: A Deep Convolutional Activation Feature for Generic Visual Recognition* [J]. Computer Science, 2013.

② 第 12 章将介绍 TensorFlow 如何使用 GPU 加速训练过程。

解压之后的文件夹包含了 5 个子文件夹，每一个子文件夹的名称为一种花的名称，代表了不同的类别。平均每一种花有 734 张图片，每一张图片都是 RGB 色彩模式的，大小也不相同。和之前的样例不同，在这一节中给出的程序将直接处理没有整理过的图像数据。以下代码给出了如何将原始的图像数据整理成模型需要的输入数据。[①]

```
# -*- coding: utf-8 -*-

import glob
import os.path
import numpy as np
import tensorflow as tf
from tensorflow.python.platform import gfile

# 原始输入数据的目录，这个目录下有 5 个子目录，每个子目录底下保存属于该类别的所有
# 图片。
INPUT_DATA = '/path/to/flower_photos'
# 输出文件地址。将整理后的图片数据通过 numpy 的格式保存。在第 7 章中将更加详细地介
# 绍数据预处理，这里先通过 numpy 来保存。
OUTPUT_FILE = '/path/to/flower_processed_data.npy'

# 测试数据和验证数据比例。
VALIDATION_PERCENTAGE = 10
TEST_PERCENTAGE = 10

# 读取数据并将数据分割成训练数据、验证数据和测试数据。
def create_image_lists(sess, testing_percentage, validation_percentage):
    sub_dirs = [x[0] for x in os.walk(INPUT_DATA)]
    is_root_dir = True

    # 初始化各个数据集。
    training_images = []
    training_labels = []
    testing_images = []
    testing_labels = []
    validation_images = []
    validation_labels = []
    current_label = 0

    # 读取所有的子目录。
    for sub_dir in sub_dirs:
        if is_root_dir:
```

① 第 7 章中介绍了更多关于输入数据处理的方法。

```
        is_root_dir = False
        continue

    # 获取一个子目录中所有的图片文件。
    extensions = ['jpg', 'jpeg', 'JPG', 'JPEG']
    file_list = []
    dir_name = os.path.basename(sub_dir)
    for extension in extensions:
        file_glob = os.path.join(INPUT_DATA, dir_name, '*.' + extension)
        file_list.extend(glob.glob(file_glob))
        if not file_list: continue

    # 处理图片数据。
    for file_name in file_list:
        # 读取并解析图片，将图片转化为 299×299 以便 inception-v3 模型来处理。
        # 更多关于图像预处理的内容将在第 7 章中介绍。
        image_raw_data = gfile.FastGFile(file_name, 'rb').read()
        image = tf.image.decode_jpeg(image_raw_data)
        if image.dtype != tf.float32:
            image = tf.image.convert_image_dtype(
                image, dtype=tf.float32)
        image = tf.image.resize_images(image, [299, 299])
        image_value = sess.run(image)

        # 随机划分数据集。
        chance = np.random.randint(100)
        if chance < validation_percentage:
            validation_images.append(image_value)
            validation_labels.append(current_label)
        elif chance < (testing_percentage + validation_percentage):
            testing_images.append(image_value)
            testing_labels.append(current_label)
        else:
            training_images.append(image_value)
            training_labels.append(current_label)
    current_label += 1

# 将训练数据随机打乱以获得更好的训练效果。
state = np.random.get_state()
np.random.shuffle(training_images)
np.random.set_state(state)
np.random.shuffle(training_labels)
```

```
        return np.asarray([training_images, training_labels,
                        validation_images, validation_labels,
                        testing_images, testing_labels])

# 数据整理主函数。
def main():
    with tf.Session() as sess:
        processed_data = create_image_lists(
            sess, TEST_PERCENTAGE, VALIDATION_PERCENTAGE)
        # 通过 numpy 格式保存处理后的数据。
        np.save(OUTPUT_FILE, processed_data)

if __name__ == '__main__':
    main()
```

运行以上代码可以将所有的图片数据划分成训练、验证和测试 3 个数据集，并且将图片从原始的 jpg 格式转化为 inception-v3 模型需要的 299×299×3 的数字矩阵。在数据处理完毕之后，通过以下命名可以下载谷歌提供的训练好的 Inception-v3 模型。

```
wget
http://download.tensorflow.org/models/inception_v3_2016_08_28.tar.gz

# 解压之后可以得到训练好的模型文件 inception_v3.ckpt
tar xzf inception_v3_2016_08_28.tar.gz①
```

当新的数据集和已经训练好的模型都准备好之后，可以通过以下代码来完成迁移学习的过程。

```
# -*- coding: utf-8 -*-

import glob
import os.path
import numpy as np
import tensorflow as tf
from tensorflow.python.platform import gfile
import tensorflow.contrib.slim as slim

# 加载通过 TensorFlow-Slim 定义好的 inception_v3 模型。
import tensorflow.contrib.slim.python.slim.nets.inception_v3 as\
```

---

① 更多的谷歌训练好的模型可以在 https://github.com/tensorflow/models/tree/master/research/slim 中找到下载地址。

```
        inception_v3

# 处理好之后的数据文件。
INPUT_DATA = '/path/to/flower_processed_data.npy'
# 保存训练好的模型的路径。这里可以将使用新数据训练得到的完整模型保存
# 下来，如果计算资源充足，还可以在训练完最后的全连接层之后再训练所有
# 网络层，这样可以使得新模型更加贴近新数据。
TRAIN_FILE = '/path/to/save_model'
# 谷歌提供的训练好的模型文件地址。
CKPT_FILE = '/path/to/inception_v3.ckpt'

# 定义训练中使用的参数。
LEARNING_RATE = 0.0001
STEPS = 300
BATCH = 32
N_CLASSES = 5

# 不需要从谷歌训练好的模型中加载的参数。这里就是最后的全连接层，因为在
# 新的问题中要重新训练这一层中的参数。这里给出的是参数的前缀。
CHECKPOINT_EXCLUDE_SCOPES = 'InceptionV3/Logits,InceptionV3/AuxLogits'
# 需要训练的网络层参数名称，在 fine-tuning 的过程中就是最后的全连接层。
# 这里给出的是参数的前缀。
TRAINABLE_SCOPES='InceptionV3/Logits,InceptionV3/AuxLogits'

# 获取所有需要从谷歌训练好的模型中加载的参数。
def get_tuned_variables():
    exclusions = [scope.strip() for scope in\
                    CHECKPOINT_EXCLUDE_SCOPES.split(',')]

    variables_to_restore = []
    # 枚举 inception-v3 模型中所有的参数，然后判断是否需要从加载列表中移除。
    for var in slim.get_model_variables():
        excluded = False
        for exclusion in exclusions:
            if var.op.name.startswith(exclusion):
                excluded = True
                break
        if not excluded:
            variables_to_restore.append(var)
    return variables_to_restore

# 获取所有需要训练的变量列表。
def get_trainable_variables():
    scopes = [scope.strip() for scope in TRAINABLE_SCOPES.split(',')]
```

```
        variables_to_train = []
        # 枚举所有需要训练的参数前缀，并通过这些前缀找到所有的参数。
        for scope in scopes:
            variables = tf.get_collection(
                tf.GraphKeys.TRAINABLE_VARIABLES, scope)
            variables_to_train.extend(variables)
        return variables_to_train


def main():
    # 加载预处理好的数据。
    processed_data = np.load(INPUT_DATA)
    training_images = processed_data[0]
    n_training_example = len(training_images)
    training_labels = processed_data[1]
    validation_images = processed_data[2]
    validation_labels = processed_data[3]
    testing_images = processed_data[4]
    testing_labels = processed_data[5]
    print("%d training examples, %d validation examples and %d "
          "testing examples." % (
        n_training_example, len(validation_labels), len(testing_labels)))

    # 定义 inception-v3 的输入，images 为输入图片，labels 为每一张图片对应的标签。
    images = tf.placeholder(
        tf.float32, [None, 299, 299, 3],
        name='input_images')
    labels = tf.placeholder(tf.int64, [None], name='labels')

    # 定义 inception-v3 模型。因为谷歌给出的只有模型参数取值，所以这里
    # 需要在这个代码中定义 inception-v3 的模型结构。虽然理论上需要区分训练和
    # 测试中使用的模型，也就是说在测试时应该使用 is_training=False，但是
    # 因为预先训练好的 inception-v3 模型中使用的 batch normalization 参数与
    # 新的数据会有差异，导致结果很差，所以这里直接使用同一个模型来进行测试。①
    with slim.arg_scope(inception_v3.inception_v3_arg_scope()):
        logits, _ = inception_v3.inception_v3(
            images, num_classes=N_CLASSES)
    # 获取需要训练的变量。
    trainable_variables = get_trainable_variables()
    # 定义交叉熵损失。注意在模型定义的时候已经将正则化损失加入损失集合了。
    tf.losses.softmax_cross_entropy(
        tf.one_hot(labels, N_CLASSES), logits, weights=1.0)
    # 定义训练过程。这里 minimize 的过程中指定了需要优化的变量集合。
```

---

① 关于这个问题更加具体的解释可以参考 GitHub 上的 issue：https://github.com/tensorflow/models/issues/1314

```
train_step = tf.train.RMSPropOptimizer(LEARNING_RATE).minimize(
    tf.losses.get_total_loss())

# 计算正确率。
with tf.name_scope('evaluation'):
    correct_prediction = tf.equal(tf.argmax(logits, 1), labels)
    evaluation_step = tf.reduce_mean(tf.cast(
        correct_prediction, tf.float32))
# 定义加载模型的函数。
load_fn = slim.assign_from_checkpoint_fn(
  CKPT_FILE,
  get_tuned_variables(),
  ignore_missing_vars=True)

# 定义保存新的训练好的模型的函数。
saver = tf.train.Saver()
with tf.Session() as sess:
    # 初始化没有加载进来的变量。注意这个过程一定要在模型加载之前，否则初始化过程
    # 会将已经加载好的变量重新赋值。
    init = tf.global_variables_initializer()
    sess.run(init)

    # 加载谷歌已经训练好的模型。
    print('Loading tuned variables from %s' % CKPT_FILE)
    load_fn(sess)

    start = 0
    end = BATCH
    for i in range(STEPS):
        # 运行训练过程，这里不会更新全部的参数，只会更新指定的部分参数。
        sess.run(train_step, feed_dict={
            images: training_images[start:end],
            labels: training_labels[start:end]})

        # 输出日志
        if i % 30 == 0 or i + 1 == STEPS:
            saver.save(sess, TRAIN_FILE, global_step=i)
            validation_accuracy = sess.run(evaluation_step, feed_dict={
                images: validation_images, labels: validation_labels})
            print('Step %d: Validation accuracy = %.1f%%' % (
                i, validation_accuracy * 100.0))

        # 因为在数据预处理的时候已经做过了打乱数据的操作，所以这里只需要顺序
        # 使用训练数据就好。
```

```
        start = end
        if start == n_training_example:
            start = 0

        end = start + BATCH
        if end > n_training_example:
            end = n_training_example

    # 在最后的测试数据上测试正确率。
    test_accuracy = sess.run(evaluation_step, feed_dict={
        images: testing_images, labels: testing_labels})
    print('Final test accuracy = %.1f%%' % (test_accuracy * 100))

if __name__ == '__main__':
    tf.app.run()
```

运行以上程序将需要大约 3 小时，可以得到类似下面的结果：

```
Step 0: Validation accuracy = 22.8%
Step 30: Validation accuracy = 29.6%
Step 60: Validation accuracy = 63.2%
Step 90: Validation accuracy = 81.2%
Step 120: Validation accuracy = 88.6%
...
Step 299: Validation accuracy = 91.5%
Final test accuracy = 91.9%
```

从以上结果可以看到，模型在新的数据集上很快能够收敛，并达到还不错的分类效果。

小结

在本章中详细介绍了如何通过卷积神经网络解决图像识别问题。首先，在 6.1 节中讲解了什么是图像识别问题，并介绍了图像识别问题中的一些经典公开数据集。在这一节中介绍了不同算法在这些公开数据集上的表现，并指出卷积神经网络给这个领域带来了质的飞越。接着，在 6.2 节中介绍了卷积神经网络的基本思想。在这一节中指出了全连接神经网络在处理图像数据上的不足之处，并给出了经典的卷积神经网络中包含的不同网络结构。

在 6.3 节中详细讲述了卷积神经网络中比较重要的两个网络结构——卷积层和池化层。本节详细介绍了这两种网络结构的前向传播算法，并给出了 TensorFlow 中的代码实现。在 6.4 节中，通过两种经典的卷积神经网络模型介绍了如何设计一个卷积神经网络的架构，并介绍了配置卷积层和池化层中设置的一些经验。在这一节中给出了一个完成的 TensorFlow 程序来实现 LeNet-5 模型，通过这个模型可以将 MNIST 数据集上的正确率进一步提升到大约 99.4%。这一节中还简单介绍了 TensorFlow-Slim 工具，通过这个工具可以巨幅提高实现复杂神经网络的编程效率。最后在 6.5 节中，介绍了迁移学习的概念并给出了一个完整的 TensorFlow 来实现迁移学习。通过迁移学习，可以使用少量训练数据在短时间内训练出效果还不错的神经网络模型。

在这一章中，通过图像识别问题介绍了卷积神经网络。通过这种特殊结构的神经网络，可以将图像识别问题的准确率提高到一个新的层次。除了改进模型，TensorFlow 还提供了很多图像处理的函数以方便图像处理。在第 7 章中将具体介绍这些函数。同时也将介绍如何使用 TensorFlow 更好地处理输入数据。

第 7 章　图像数据处理

在第 6 章中详细介绍了卷积神经网络，并提到卷积神经网络给图像识别技术带来了突破性进展。这一章将从另外一个维度来进一步提升图像识别的精度以及训练的速度。喜欢摄影的读者都知道图像的亮度、对比度等属性对图像的影响是非常大的，相同物体在不同亮度、对比度下差别非常大。然而在很多图像识别问题中，这些因素都不应该影响最后的识别结果。所以本章将介绍如何对图像数据进行预处理使训练得到的神经网络模型尽可能小地被无关因素所影响。但与此同时，复杂的预处理过程可能导致训练效率的下降。为了减小预处理对于训练速度的影响，在本章中也将详细地介绍 TensorFlow 中多线程处理输入数据的解决方案。

本章将根据数据预处理的先后顺序来组织不同的小节。首先在 7.1 节中将介绍如何统一输入数据的格式，使得在之后系统中可以更加方便地处理。来自实际问题的数据往往有很多格式和属性，这一节将介绍的 TFRecord 格式可以统一不同的原始数据格式，并更加有效地管理不同的属性。接着在 7.2 节中将介绍如何对图像数据进行预处理。这一节将列举 TensorFlow 支持的图像处理函数，并介绍如何使用这些处理方式来弱化与图像识别无关的因素。复杂的图像处理函数有可能降低训练的速度，为了加速数据预处理过程，7.3 节将完整地介绍 TensorFlow 利用队列进行多线程数据预处理流程。在这一节中将首先介绍 TensorFlow 中多线程和队列的概念，这是 TensorFlow 多线程数据预处理的基本组成部分。然后将具体介绍数据预处理流程中的每个部分，并将给出一个完整的多线程数据预处理流程图和程序框架。7.4 节介绍了最新的数据集（Dataset）API。数据集从 Tensorflow 1.3 起成为官方推荐的数据输入框架，它使数据的输入和处理大大简化。

7.1　TFRecord 输入数据格式

TensorFlow 提供了一种统一的格式来存储数据，这个格式就是 TFRecord。6.5 节给出了一个程序来处理花朵分类的数据。在这个程序中，使用了一个从类别名称到所有数据列表的词典来维护图像和类别的关系。这种方式的可扩展性非常差，当数据来源更加复杂、每一个样例中的信息更加丰富之后，这种方式就很难有效地记录输入数据中的信息了。于是 TensorFlow 提供了 TFRecord 的格式来统一存储数据。这一节将介绍如何使用 TFRecord 来统一输入数据的格式。

7.1.1　TFRecord 格式介绍

TFRecord 文件中的数据都是通过 tf.train.Example Protocol Buffer 的格式存储的。以下代码给出了 tf.train.Example 的定义。

```
message Example {
  Features features = 1;
};

message Features {
  map<string, Feature> feature = 1;
};

message Feature {
  oneof kind {
    BytesList bytes_list = 1;
    FloatList float_list = 2;
    Int64List int64_list = 3;
  }
};
```

从以上代码可以看出 tf.train.Example 的数据结构是比较简洁的。tf.train.Example 中包含了一个从属性名称到取值的字典。其中属性名称为一个字符串，属性的取值可以为字符串（BytesList）、实数列表（FloatList）或者整数列表（Int64List）。比如将一张解码前的图像存为一个字符串，图像所对应的类别编号存为整数列表。在 7.1.2 节中将给出一个使用 TFRecord 的具体样例。

7.1.2　TFRecord 样例程序

本节将给出具体的样例程序来读写 TFRecord 文件。以下程序给出了如何将 MNIST 输入数据转化为 TFRecord 的格式。

```
import tensorflow as tf
from tensorflow.examples.tutorials.mnist import input_data
import numpy as np

# 生成整数型的属性。
def _int64_feature(value):
    return tf.train.Feature(int64_list=tf.train.Int64List(value=[value]))

# 生成字符串型的属性。
def _bytes_feature(value):
    return tf.train.Feature(bytes_list=tf.train.BytesList(value=[value]))

mnist = input_data.read_data_sets(
    "/path/to/mnist/data", dtype=tf.uint8, one_hot=True)
images = mnist.train.images
# 训练数据所对应的正确答案，可以作为一个属性保存在 TFRecord 中。
labels = mnist.train.labels
# 训练数据的图像分辨率，这可以作为 Example 中的一个属性。
pixels = images.shape[1]
num_examples = mnist.train.num_examples

# 输出 TFRecord 文件的地址。
filename = "/path/to/output.tfrecords"
# 创建一个 writer 来写 TFRecord 文件。
writer = tf.python_io.TFRecordWriter(filename)
for index in range(num_examples):
    # 将图像矩阵转化成一个字符串。
    image_raw = images[index].tostring()
    # 将一个样例转化为 Example Protocol Buffer，并将所有的信息写入这个数据结构。
    example = tf.train.Example(features=tf.train.Features(feature={
        'pixels': _int64_feature(pixels),
        'label': _int64_feature(np.argmax(labels[index])),
        'image_raw': _bytes_feature(image_raw)}))

    # 将一个 Example 写入 TFRecord 文件。
    writer.write(example.SerializeToString())
writer.close()
```

以上程序可以将 MNIST 数据集中所有的训练数据存储到一个 TFRecord 文件中。当数据量较大时，也可以将数据写入多个 TFRecord 文件。TensorFlow 对从文件列表中读取数据提供了很好的支持，在 7.3.2 节中将详细介绍。以下程序给出了如何读取 TFRecord 文件中的数据。

172

```
import tensorflow as tf

# 创建一个 reader 来读取 TFRecord 文件中的样例。
reader = tf.TFRecordReader()
# 创建一个队列来维护输入文件列表，在 7.3.2 节中将更加详细地介绍
# tf.train.string_input_producer 函数。
filename_queue = tf.train.string_input_producer(
    ["/path/to/output.tfrecords"])

# 从文件中读出一个样例。也可以使用 read_up_to 函数一次性读取多个样例。
_, serialized_example = reader.read(filename_queue)
# 解析读入的一个样例。如果需要解析多个样例，可以用 parse_example 函数。
features = tf.parse_single_example(
    serialized_example,
    features={
        # TensorFlow 提供两种不同的属性解析方法。一种是方法是 tf.FixedLenFeature，
        # 这种方法解析的结果为一个 Tensor。另一种方法是 tf.VarLenFeature，这种方法
        # 得到的解析结果为 SparseTensor，用于处理稀疏数据。这里解析数据的格式需要和
        # 上面程序写入数据的格式一致。
        'image_raw': tf.FixedLenFeature([], tf.string),
        'pixels': tf.FixedLenFeature([], tf.int64),
        'label': tf.FixedLenFeature([], tf.int64),
    })

# tf.decode_raw 可以将字符串解析成图像对应的像素数组。
image = tf.decode_raw(features['image_raw'], tf.uint8)
label = tf.cast(features['label'], tf.int32)
pixels = tf.cast(features['pixels'], tf.int32)

sess = tf.Session()
# 启动多线程处理输入数据，7.3 节将更加详细地介绍 TensorFlow 多线程处理。
coord = tf.train.Coordinator()
threads = tf.train.start_queue_runners(sess=sess, coord=coord)

# 每次运行可以读取 TFRecord 文件中的一个样例。当所有样例都读完之后，在此样例中程序
# 会再重头读取。
for i in range(10):
    print sess.run([image, label, pixels])
```

7.2　图像数据处理

在之前的几章中多次使用到了图像识别数据集。然而在之前的章节中都是直接使用图像原始的像素矩阵。这一节将介绍图像的预处理过程。通过对图像的预处理，可以尽量避

免模型受到无关因素的影响。在大部分图像识别问题中，通过图像预处理过程可以提高模型的准确率。在 7.2.1 节中将先介绍 TensorFlow 提供的主要图像处理函数，并给出具体图像在处理前和处理后的变化让读者有一个直观的了解。然后在 7.2.2 节中将给出一个完整的图像预处理流程。

7.2.1　TensorFlow 图像处理函数

TensorFlow 提供了几类图像处理函数，在本节中将一一介绍这些图像处理函数。

图像编码处理

在之前的章节中提到一张 RGB 色彩模式的图像可以看成一个三维矩阵，矩阵中的每一个数表示了图像上不同位置，不同颜色的亮度。然而图像在存储时并不是直接记录这些矩阵中的数字，而是记录经过压缩编码之后的结果。所以要将一张图像还原成一个三维矩阵，需要解码的过程。TensorFlow 提供了对 jpeg 和 png 格式图像的编码/解码函数。以下代码示范了如何使用 TensorFlow 中对 jpeg 格式图像进行编码/解码。

```
# matplotlib.pyplot 是一个 python 的画图工具。①在这一节中将使用这个工具来可视
# 化经过 TensorFlow 处理的图像。
import matplotlib.pyplot as plt
import tensorflow as tf

# 读取图像的原始数据。
image_raw_data = tf.gfile.FastGFile("/path/to/picture", 'r').read()

with tf.Session() as sess:
    # 对图像进行 jpeg 的格式解码从而得到图像对应的三维矩阵。TensorFlow 还提供了
    # tf.image.decode_png 函数对 png 格式的图像进行解码。解码之后的结果为一个
    # 张量，在使用它的取值之前需要明确调用运行的过程。
    img_data = tf.image.decode_jpeg(image_raw_data)

    print img_data.eval()
    # 输出解码之后的三维矩阵，上面这一行代码将输出以下内容。
    '''
[[[165 160 138]
  ...,
  [105 140 50]]

 [[166 161 139]
```

---

① 关于 pyplot 更加详细的介绍可以参考 http://matplotlib.org/index.html。

```
   ...,
   [106 139 48]]

   ...,

   [[207 200 181]
   ...,
   [106 81 50]]
'''

# 使用 pyplot 工具可视化得到的图像。可以得到图 7-1 中展示的图像。
plt.imshow(img_data.eval())
plt.show()


# 将表示一张图像的三维矩阵重新按照 jpeg 格式编码并存入文件中。打开这张图像，
# 可以得到和原始图像一样的图像。
encoded_image = tf.image.encode_jpeg(img_data)
with tf.gfile.GFile("/path/to/output", "wb") as f:
    f.write(encoded_image.eval())
```

图 7-1 显示了以上代码可视化输出的一张图像，在下面的篇幅中将继续使用这张图像来介绍 TensorFlow 其他图像处理的函数。

图 7-1　本节样例代码中用到的原始图像①

图像大小调整

　　一般来说，网络上获取的图像大小是不固定，但神经网络输入节点的个数是固定的。所以在将图像的像素作为输入提供给神经网络之前，需要先将图像的大小统一。这就是图像大小调整需要完成的任务。图像大小调整有两种方式，第一种是通过算法使得新的图像尽量保存原始图像上的所有信息。TensorFlow 提供了 4 种不同的方法，并且将它们封装到了 tf.image.resize_images 函数。以下代码示范了如何使用这个函数。

① 原始图像是彩色的，在本书的 GitHub 代码库里有原始图像。

```
# 加载原始图像，定义会话等过程和图像编码处理中代码一致，在下面的样例中就全部略去了，
# 假设 img_data 是已经解码的图像。
...
# 首先将图片数据转化为实数类型。这一步将 0-255 的像素值转化为 0.0-1.0 范围内的实数。
# 大多数图像处理 API 支持整数和实数类型的输入。如果输入是整数类型，这些 API 会
# 在内部将输入转化为实数后处理，再将输出转化为整数。如果有多个处理步骤，在整数和
# 实数之间的反复转化将导致精度损失，因此推荐在图像处理前将其转化为实数类型。
# 下面的样例子将略去这一步骤，假设 img_data 是经过类型转化的图像。
img_data = tf.image.convert_image_dtype(img_data, dtype=tf.float32)

# 通过 tf.image.resize_images 函数调整图像的大小。这个函数第一个参数为原始图像，
# 第二个和第三个参数为调整后图像的大小，method 参数给出了调整图像大小的算法。
# 注意，如果输入数据是 unit8 格式，那么输出将是 0～255 之内的实数，不方便后续处理。
# 本书建议在调整图像大小前先转化为实数类型。
resized = tf.image.resize_images(img_data, [300, 300], method=0)

# 通过 pyplot 可视化的过程和图像编码处理中给出的代码一致，在以下代码中也将略去。
```

表 7-1 给出了 tf.image.resize_images 函数的 method 参数取值对应的图像大小调整算法。图 7-2 对比了不同大小调整算法得到的结果。

表 7-1　tf.image.resize_images 函数中 method 参数取值与相对应的图像大小调整算法

Method 取值	图像大小调整算法
0	双线性插值法（Bilinear interpolation）[1]
1	最近邻居法（Nearest neighbor interpolation）[2]
2	双三次插值法（Bicubic interpolation）[3]
3	面积插值法（Area interpolation）

原始图像（a）

双线性插值法（b）

最近邻居（c）

---

[1] 更详细的介绍可以参考 https://en.wikipedia.org/wiki/Bilinear_interpolation。

[2] 更详细的介绍可以参考 https://en.wikipedia.org/wiki/Nearest-neighbor_interpolation。

[3] 更详细的介绍可以参考 https://en.wikipedia.org/wiki/Bicubic_interpolation。

双三次插值法（d）　　　　　　　　　面积插值法（e）

图 7-2　使用 tf.image.resize_images 函数中不同图像大小调整算法的效果对比图

从图 7-2 中可以看出，不同算法调整出来的结果会有细微差别，但不会相差太远。除了将整张图像信息完整保存，TensorFlow 还提供了 API 对图像进行裁剪或者填充。以下代码展示了通过 tf.image.resize_image_with_crop_or_pad 函数来调整图像大小的功能。

```
# 通过 tf.image.resize_image_with_crop_or_pad 函数调整图像的大小。这个函数的
# 第一个参数为原始图像，后面两个参数是调整后的目标图像大小。如果原始图像的尺寸大于目标
# 图像，那么这个函数会自动截取原始图像中居中的部分（如图 7-3 (b) 所示）。如果目标图像
# 大于原始图像，这个函数会自动在原始图像的四周填充全 0 背景（如图 7-3 (c) 所示）。因为原
# 始图像的大小为 1797×2673，所以下面的第一个命令会自动剪裁，而第二个命令会自动填充。
croped = tf.image.resize_image_with_crop_or_pad(img_data, 1000, 1000)
padded = tf.image.resize_image_with_crop_or_pad(img_data, 3000, 3000)
```

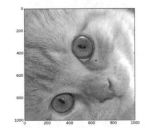

原始图像（a）　　　　　自动裁剪到 1000×1000（b）　　　　自动填充到 3000×3000（c）

图 7-3　使用 tf.image.resize_image_with_crop_or_pad 函数调整图像大小结果对比图

TensorFlow 还支持通过比例调整图像大小，以下代码给出了一个样例。

```
# 通过 tf.image.central_crop 函数可以按比例裁剪图像。这个函数的第一个参数为原始图
# 像，第二个为调整比例，这个比例需要是一个(0,1]的实数。图 7-4 (b) 中显示了调整之
# 后的图像。
central_cropped = tf.image.central_crop(img_data, 0.5)
```

上面介绍的图像裁剪函数都是截取或者填充图像中间的部分。TensorFlow 也提供了 tf.image.crop_to_bounding_box 函数和 tf.image.pad_to_bounding_box 函数来剪裁或者填充给定区域的图像。这两个函数都要求给出的尺寸满足一定的要求，否则程序会报错。比如在使用 tf.image.crop_to_bounding_box 函数时，TensorFlow 要求提供的图像尺寸要大于目标尺

寸，也就是要求原始图像能够裁剪出目标图像的大小。这里就不再给出每个函数的具体样例，有兴趣的读者可以自行参考 TensorFlow 的 API 文档。

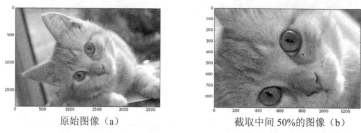

原始图像（a）　　　　　　　　　截取中间 50%的图像（b）

图 7-4　使用 tf.image. central_crop 函数调整图像大小结果对比图

图像翻转

TensorFlow 提供了一些函数来支持对图像的翻转。以下代码实现了将图像上下翻转、左右翻转以及沿对角线翻转的功能。

```
# 将图像上下翻转，翻转后的效果见图 7-5(b)。
flipped = tf.image.flip_up_down(img_data)
# 将图像左右翻转，翻转后的效果见图 7-5(c)。
flipped = tf.image.flip_left_right(img_data)
# 将图像沿对角线翻转，翻转后的效果见图 7-5(d)。
transposed = tf.image.transpose_image(img_data)
```

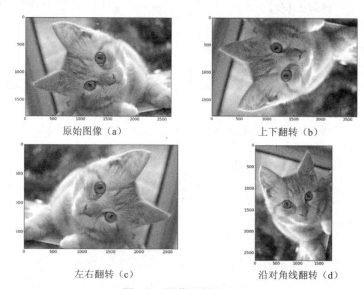

原始图像（a）　　　　　　　　　上下翻转（b）

左右翻转（c）　　　　　　　　　沿对角线翻转（d）

图 7-5　图像翻转效果图

在很多图像识别问题中，图像的翻转不会影响识别的结果。于是在训练图像识别的神经网络模型时，可以随机地翻转训练图像，这样训练得到的模型可以识别不同角度的实体。比如假设在训练数据中所有的猫头都是向右的，那么训练出来的模型就无法很好地识别猫头向左的猫。虽然这个问题可以通过收集更多的训练数据来解决，但是通过随机翻转训练图像的方式可以在零成本的情况下很大程度地缓解该问题。所以随机翻转训练图像是一种很常用的图像预处理方式。TensorFlow 提供了方便的 API 完成随机图像翻转的过程。

```
# 以 50%概率上下翻转图像。
flipped = tf.image.random_flip_up_down(img_data)
# 以 50%概率左右翻转图像。
flipped = tf.image.random_flip_left_right(img_data)
```

图像色彩调整

和图像翻转类似，调整图像的亮度、对比度、饱和度和色相在很多图像识别应用中都不会影响识别结果。所以在训练神经网络模型时，可以随机调整训练图像的这些属性，从而使训练得到的模型尽可能小地受到无关因素的影响。TensorFlow 提供了调整这些色彩相关属性的 API。以下代码显示了如何修改图像的亮度。

```
# 将图像的亮度-0.5，得到的图像效果如图 7-6(b)所示。
adjusted = tf.image.adjust_brightness(img_data, -0.5)
# 色彩调整的 API 可能导致像素的实数值超出 0.0-1.0 的范围，因此在输出最终图像前需要
# 将其值截断在 0.0-1.0 范围区间，否则不仅图像无法正常可视化，以此为输入的神经网络
# 的训练质量也可能受到影响。
# 如果对图像进行多项处理操作，那么这一截断过程应当在所有处理完成后进行。举例而言，
# 假如对图像依次提高亮度和减少对比度，那么第二个操作可能将第一个操作生成的部分
# 过亮的像素拉回到不超过 1.0 的范围内，因此在第一个操作后不应该立即截断。
# 下面的样例假设截断操作在最终可视化图像前进行。
adjusted = tf.clip_by_value(adjusted, 0.0, 1.0)

# 将图像的亮度+0.5，得到的图像效果如图 7-6(c)所示。
adjusted = tf.image.adjust_brightness(img_data, 0.5)
# 在[-max_delta, max_delta)的范围随机调整图像的亮度。
adjusted = tf.image.random_brightness(image, max_delta)
```

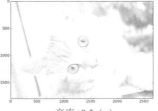

原始图像（a）　　　　　　　亮度-0.5（b）　　　　　　　亮度+0.5（c）

图 7-6　图像亮度调整效果图[①]

---

① 在黑白图片上色相的调整不是特别明显，在彩色图片上的效果会比较明显。

以下代码显示了如何调整图像的对比度。

```
# 将图像的对比度减少到 0.5 倍，得到的图像效果如图 7-7(b) 所示。
adjusted = tf.image.adjust_contrast(img_data, 0.5)
# 将图像的对比度增加 5 倍，得到的图像效果如图 7-7(c) 所示。
adjusted = tf.image.adjust_contrast(img_data, 5)
# 在[lower, upper]的范围随机调整图的对比度。
adjusted = tf.image.random_contrast(image, lower, upper)
```

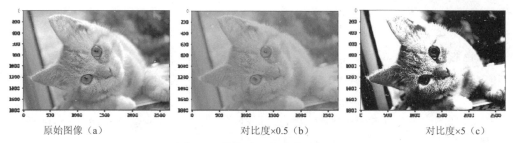

原始图像（a）　　　　　　对比度×0.5（b）　　　　　　对比度×5（c）

图 7-7　图像对比度调整效果图

以下代码显示了如何调整图像的色相。

```
# 下面 4 条命令分别将色相加 0.1、0.3、0.6 和 0.9,得到的效果分别在
# 图 7-8(b)、(c)、(d)、(e)中展示。
adjusted = tf.image.adjust_hue(img_data, 0.1)
adjusted = tf.image.adjust_hue(img_data, 0.3)
```

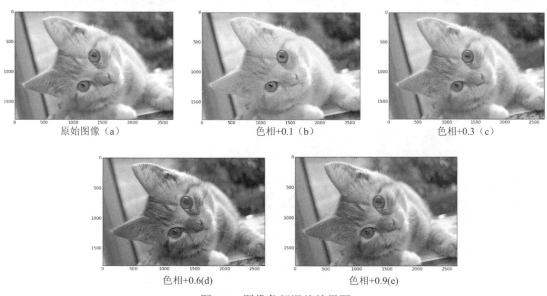

原始图像（a）　　　　　　色相+0.1（b）　　　　　　色相+0.3（c）

色相+0.6(d)　　　　　　色相+0.9(e)

图 7-8　图像色相调整效果图

```
adjusted = tf.image.adjust_hue(img_data, 0.6)
adjusted = tf.image.adjust_hue(img_data, 0.9)
# 在[-max_delta, max_delta]的范围内随机调整图像的色相。
# max_delta 的取值在[0, 0.5]之间。
adjusted = tf.image.random_hue(image, max_delta)
```

以下代码显示了如何调整图像的饱和度。

```
# 将图像的饱和度-5，得到的图像效果如图 7-9(b)所示。
adjusted = tf.image.adjust_saturation(img_data, -5)
# 将图像的饱和度+5，得到的图像效果如图 7-9(c)所示。
adjusted = tf.image.adjust_saturation(img_data, 5)
# 在[lower, upper]的范围内随机调整图像的饱和度。
adjusted = tf.image.random_saturation(image, lower, upper)
```

原始图像（a）　　　　　　　　饱和度-5（b）　　　　　　　　饱和度+5（c）

图 7-9　图像饱和度调整效果图

除了调整图像的亮度、对比度、饱和度和色相，TensorFlow 还提供 API 来完成图像标准化的过程。这个操作就是将图像上的亮度均值变为 0，方差变为 1。以下代码实现了这个功能。

```
# 将代表一张图像的三维矩阵中的数字均值变为 0，方差变为 1。调整后的图像如图 7-10(b)
# 所示。
adjusted = tf.image.per_image_standardization(img_data)
```

原始图像（a）　　　　　　　　　　　调整后图像（b）

图 7-10　图像标准化效果图

处理标注框

在很多图像识别的数据集中，图像中需要关注的物体通常会被标注框圈出来。TensorFlow 提供了一些工具来处理标注框。以下代码展示了如何通过 tf.image.draw_bounding_boxes 函数在图像中加入标注框。

```
# 将图像缩小一些，这样可视化能让标注框更加清楚。
img_data = tf.image.resize_images(img_data, [180, 267], method=1)
# tf.image.draw_bounding_boxes 函数要求图像矩阵中的数字为实数，所以需要先将
# 图像矩阵转化为实数类型。tf.image.draw_bounding_boxes 函数图像的输入是一个
# bacth 的数据，也就是多张图像组成的四维矩阵，所以需要将解码之后的图像矩阵加一维。
batched = tf.expand_dims(
    tf.image.convert_image_dtype(img_data, tf.float32), 0)
# 给出每一张图像的所有标注框。一个标注框有 4 个数字，分别代表[y_{min}, x_{min}, y_{max}, x_{max}]。
# 注意这里给出的数字都是图像的相对位置。比如在 180×267 的图像中，
# [0.35, 0.47, 0.5, 0.56]代表了从（63，125）到（90，150）的图像。
boxes = tf.constant([[[0.05, 0.05, 0.9, 0.7], [0.35, 0.47, 0.5, 0.56]]])
# 图 7-11 显示了加入了标注框的图像。
result = tf.image.draw_bounding_boxes(batched, boxes)
```

图 7-11　在图像中加入标注框（图中大的标注框标明了猫脸的位置，小的标注框标明了猫的一只眼睛的位置）

和随机翻转图像、随机调整颜色类似，随机截取图像上有信息含量的部分也是一个提高模型健壮性（robustness）的一种方式。这样可以使训练得到的模型不受被识别物体大小的影响。以下程序中展示了如何通过 tf.image.sample_distorted_bounding_box 函数来完成随机截取图像的过程。

```
boxes = tf.constant([[[0.05, 0.05, 0.9, 0.7], [0.35, 0.47, 0.5, 0.56]]])
# 可以通过提供标注框的方式来告诉随机截取图像的算法哪些部分是"有信息量"的。
# min_object_covered=0.4 表示截取部分至少包含某个标注框 40%的内容。
begin, size, bbox_for_draw = tf.image.sample_distorted_bounding_box(
    tf.shape(img_data), bounding_boxes=boxes,
    min_object_covered=0.4)
```

```
# 通过标注框可视化随机截取得到的图像。得到的结果如图 7-12 左侧所示。
batched = tf.expand_dims(
    tf.image.convert_image_dtype(img_data, tf.float32), 0)
image_with_box = tf.image.draw_bounding_boxes(batched, bbox_for_draw)
# 截取随机出来的图像。得到的结果如图 7-12 右侧所示。因为算法带有随机成分，所以
# 每次得到的结果会有所不同。
distorted_image = tf.slice(img_data, begin, size)
```

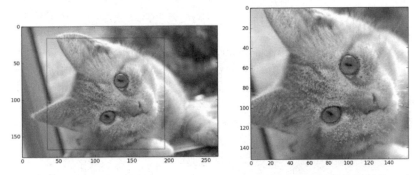

图 7-12　在图像中随机加入的标注框（左）以及通过这个标注框截取的图像（右）

7.2.2　图像预处理完整样例

在 7.2.1 节中详细讲解了 TensorFlow 提供的主要的图像处理函数。在解决真实的图像识别问题时，一般会同时使用多种处理方法。这一个节将给出一个完整的样例程序展示如何将不同的图像处理函数结合成一个完成的图像预处理流程。以下 TensorFlow 程序完成了从图像片段截取，到图像大小调整再到图像翻转及色彩调整的整个图像预处理过程。

```
import tensorflow as tf

import numpy as np
import matplotlib.pyplot as plt

# 给定一张图像，随机调整图像的色彩。因为调整亮度、对比度、饱和度和色相的顺序会影
# 响最后得到的结果，所以可以定义多种不同的顺序。具体使用哪一种顺序可以在训练
# 数据预处理时随机地选择一种。这样可以进一步降低无关因素对模型的影响。
def distort_color(image, color_ordering=0):
    if color_ordering == 0:
        image = tf.image.random_brightness(image, max_delta=32. / 255.)
        image = tf.image.random_saturation(image, lower=0.5, upper=1.5)
        image = tf.image.random_hue(image, max_delta=0.2)
```

```
        image = tf.image.random_contrast(image, lower=0.5, upper=1.5)
    elif color_ordering == 1:
        image = tf.image.random_saturation(image, lower=0.5, upper=1.5)
        image = tf.image.random_brightness(image, max_delta=32. / 255.)
        image = tf.image.random_contrast(image, lower=0.5, upper=1.5)
        image = tf.image.random_hue(image, max_delta=0.2)
    elif color_ordering == 2:
        # 还可以定义其他的排列，但在这里就不再一一列出。
        ...
    return tf.clip_by_value(image, 0.0, 1.0)

# 给定一张解码后的图像、目标图像的尺寸以及图像上的标注框，此函数可以对给出的图像进行预
# 处理。这个函数的输入图像是图像识别问题中原始的训练图像，而输出则是神经网络模型的输入
# 层。注意这里只处理模型的训练数据，对于预测的数据，一般不需要使用随机变换的步骤。
def preprocess_for_train(image, height, width, bbox):
    # 如果没有提供标注框，则认为整个图像就是需要关注的部分。
    if bbox is None:
        bbox = tf.constant([0.0, 0.0, 1.0, 1.0],
                            dtype=tf.float32, shape=[1, 1, 4])
    # 转换图像张量的类型。
    if image.dtype != tf.float32:
        image = tf.image.convert_image_dtype(image, dtype=tf.float32)

    # 随机截取图像，减小需要关注的物体大小对图像识别算法的影响。
    bbox_begin, bbox_size, _ = tf.image.sample_distorted_bounding_box(
        tf.shape(image), bounding_boxes=bbox)
    distorted_image = tf.slice(image, bbox_begin, bbox_size)
    # 将随机截取的图像调整为神经网络输入层的大小。大小调整的算法是随机选择的。
    distorted_image = tf.image.resize_images(
        distorted_image, [height, width], method=np.random.randint(4))
    # 随机左右翻转图像。
    distorted_image = tf.image.random_flip_left_right(distorted_image)
    # 使用一种随机的顺序调整图像色彩。
    distorted_image = distort_color(distorted_image, np.random.randint(2))
    return distorted_image

image_raw_data = tf.gfile.FastGFile("/path/to/picture", "r").read()
with tf.Session() as sess:
    img_data = tf.image.decode_jpeg(image_raw_data)
    boxes = tf.constant([[[0.05, 0.05, 0.9, 0.7], [0.35, 0.47, 0.5, 0.56]]])

    # 运行 6 次获得 6 种不同的图像，在图 7-13 展示了这些图像的效果。
    for i in range(6):
```

```
# 将图像的尺寸调整为 299×299。
result = preprocess_for_train(img_data, 299, 299, boxes)
plt.imshow(result.eval())
plt.show()
```

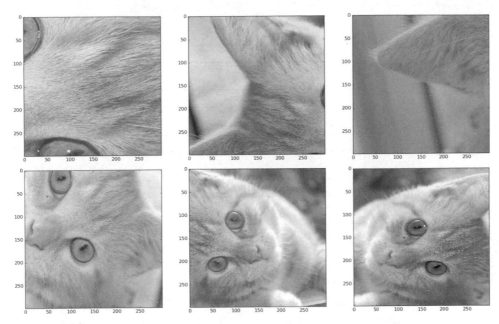

图 7-13　运行 6 次图像预处理得出的 6 张不同的图像

　　运行以上程序，可以得到类似图 7-13 中所示的图像。这样就可以通过一张训练图像衍生出很多训练样本。通过将训练图像进行预处理，训练得到的神经网络模型可以识别不同大小、方位、色彩等方面的实体。

7.3　多线程输入数据处理框架

　　在 7.2 节中介绍了使用 TensorFlow 对图像数据进行预处理的方法。虽然使用这些图像数据预处理的方法可以减小无关因素对图像识别模型效果的影响，但这些复杂的预处理过程也会减慢整个训练过程。[①]为了避免图像预处理成为神经网络模型训练效率的瓶颈，

---

① 本章主要以图像识别应用为背景介绍数据预处理流程，但读者可以很容易地将这个框架应用到其他类型的数据上。

TensorFlow 提供了一套多线程处理输入数据的框架。在本节中将详细介绍这个框架。图 7-14 总结了一个经典的输入数据处理的流程，在以下的各个小节中，将依次介绍这个流程的不同部分。

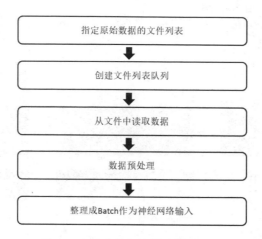

图 7-14　经典输入数据处理流程图

7.3.1 节将首先介绍 TensorFlow 中队列的概念。在 TensorFlow 中，队列不仅是一种数据结构，它更提供了多线程机制。队列也是 TensorFlow 多线程输入数据处理框架的基础。[1]然后在 7.3.2 节中将介绍如何在 TensorFlow 中实现图 7-14 中的前三步。TensorFlow 提供了 tf.train.string_input_producer 函数来有效管理原始输入文件列表。在 7.3.2 节中将重点介绍如何使用这个函数。图 7-14 中数据预处理的部分已经在 7.2 节中有过详细介绍，本节不再重复。接着在 7.3.3 节中将介绍图 7-14 中的最后一个流程。这个流程将处理好的单个训练数据整理成训练数据 batch，这些 batch 就可以作为神经网络的输入。7.3.3 节将介绍 tf.train.shuffle_batch_join 和 tf.train.shuffle_batch 函数，并比较不同函数的多线程并行方式。最后在 7.3.4 节中将给出一个完整的 TensorFlow 程序来展示整个输入数据处理框架。

7.3.1　队列与多线程

在 TensorFlow 中，队列和变量类似，都是计算图上有状态的节点。其他的计算节点可

---

[1] 7.4 节将介绍 TensorFlow 新推出的数据集（Dataset）处理框架。与队列相比，数据集更加易用和高效。但是由于队列在许多开源项目中仍然被广泛应用，并且其较为低层的 API 有助于读者理解数据输入背后的难点和原理，因此本书仍然建议读者了解队列的相关知识。

以修改它们的状态。对于变量，可以通过赋值操作修改变量的取值。[①]对于队列，修改队列状态的操作主要有 Enqueue、EnqueueMany 和 Dequeue。以下程序展示了如何使用这些函数来操作一个队列。

```
import tensorflow as tf

# 创建一个先进先出队列，指定队列中最多可以保存两个元素，并指定类型为整数。
q = tf.FIFOQueue(2, "int32")
# 使用 enqueue_many 函数来初始化队列中的元素。和变量初始化类似，在使用队列之前
# 需要明确的调用这个初始化过程。
init = q.enqueue_many(([0, 10],))
# 使用 Dequeue 函数将队列中的第一个元素出队列。这个元素的值将被存在变量 x 中。
x = q.dequeue()
# 将得到的值加 1。
y = x + 1
# 将加 1 后的值在重新加入队列。
q_inc = q.enqueue([y])

with tf.Session() as sess:
    # 运行初始化队列的操作。
    init.run()
    for _ in range(5):
        # 运行 q_inc 将执行数据出队列、出队的元素+1、重新加入队列的整个过程。
        v, _ = sess.run([x, q_inc])
        # 打印出队元素的取值。
        print v

'''
队列开始有[0,10]两个元素，第一个出队的为 0，加 1 之后再次入队得到的队列为[10,1]；第二
次出队的为 10，加 1 之后入队的为 11，得到的队列为[1,11]；以此类推，最后得到的输出为：
0
10
1
11
2
'''
```

TensorFlow 中提供了 FIFOQueue 和 RandomShuffleQueue 两种队列。在以上程序中，已经展示了如何使用 FIFOQueue，它的实现的是一个先进先出队列。RandomShuffleQueue 会将队列中的元素打乱，每次出队列操作得到的是从当前队列所有元素中随机选择的一个。

---

① 第 4 章中详细介绍了 TensorFlow 中的变量。

在训练神经网络时希望每次使用的训练数据尽量随机，RandomShuffleQueue 就提供了这样的功能。

在 TensorFlow 中，队列不仅仅是一种数据结构，还是异步计算张量取值的一个重要机制。比如多个线程可以同时向一个队列中写元素，或者同时读取一个队列中的元素。在后面的小节中将具体介绍 TensorFlow 是如何利用队列来实现多线程输入数据处理的。在本节之后的内容中将先介绍 TensorFlow 提供的辅助函数来更好地协同不同的线程。

TensorFlow 提供了 tf.Coordinator 和 tf.QueueRunner 两个类来完成多线程协同的功能。tf.Coordinator 主要用于协同多个线程一起停止，并提供了 should_stop、request_stop 和 join 三个函数。在启动线程之前，需要先声明一个 tf.Coordinator 类，并将这个类传入每一个创建的线程中。启动的线程需要一直查询 tf.Coordinator 类中提供的 should_stop 函数，当这个函数的返回值为 True 时，则当前线程也需要退出。每一个启动的线程都可以通过调用 request_stop 函数来通知其他线程退出。当某一个线程调用 request_stop 函数之后，should_stop 函数的返回值将被设置为 True，这样其他的线程就可以同时终止了。以下程序展示了如何使用 tf.Coordinator。

```
import tensorflow as tf
import numpy as np
import threading
import time

# 线程中运行的程序，这个程序每隔 1 秒判断是否需要停止并打印自己的 ID。
def MyLoop(coord, worker_id):
    # 使用 tf.Coordinator 类提供的协同工具判断当前线程是否需要停止。
    while not coord.should_stop():
        # 随机停止所有的线程。
        if np.random.rand() < 0.1 :
            print "Stoping from id: %d\n" % worker_id,
            # 调用 coord.request_stop()函数来通知其他线程停止。
            coord.request_stop()
        else:
            # 打印当前线程的 Id。
            print "Working on id: %d\n" % worker_id,
        # 暂停 1 秒
        time.sleep(1)

# 声明一个 tf.train.Coordinator 类来协同多个线程。
coord = tf.train.Coordinator()
# 声明创建 5 个线程。
```

```
threads = [
    threading.Thread(target=MyLoop, args=(coord, i, )) for i in xrange(5)]
# 启动所有的线程。
for t in threads: t.start()
# 等待所有线程退出。
coord.join(threads)
```

运行以上程序，可以得到类似下面的结果：

```
Working on id: 0
Working on id: 1
Working on id: 2
Working on id: 4
Working on id: 3
Working on id: 0
Stoping from id: 4
Working on id: 1
```

当所有线程启动之后，每个线程会打印各自的 ID，于是前面 4 行打印出了它们的 ID。然后在暂停 1 秒之后，所有线程又开始第二遍打印 ID。在这个时候有一个线程退出的条件达到，于是调用了 coord.request_stop 函数来停止所有其他的线程。然而在打印 Stoping from id: 4 之后，可以看到有线程仍然在输出。这是因为这些线程已经执行完 coord.should_stop 的判断，于是仍然会继续输出自己的 ID。但在下一轮判断是否需要停止时将退出线程。于是在打印一次 ID 之后就不会再有输出了。

tf.QueueRunner 主要用于启动多个线程来操作同一个队列，启动的这些线程可以通过上面介绍的 tf.Coordinator 类来统一管理。以下代码展示了如何使用 tf.QueueRunner 和 tf.Coordinator 来管理多线程队列操作。

```
import tensorflow as tf

# 声明一个先进先出的队列，队列中最多 100 个元素，类型为实数。
queue = tf.FIFOQueue(100, "float")
# 定义队列的入队操作。
enqueue_op = queue.enqueue([tf.random_normal([1])])

# 使用 tf.train.QueueRunner 来创建多个线程运行队列的入队操作。
# tf.train.QueueRunner 的第一个参数给出了被操作的队列，[enqueue_op] * 5
# 表示了需要启动 5 个线程，每个线程中运行的是 enqueue_op 操作。
qr = tf.train.QueueRunner(queue, [enqueue_op] * 5)

# 将定义过的 QueueRunner 加入 TensorFlow 计算图上指定的集合。
```

```
# tf.train.add_queue_runner 函数没有指定集合，
# 则加入默认集合 tf.GraphKeys.QUEUE_RUNNERS。①下面的函数就是将刚刚定义的
# qr 加入默认的 tf.GraphKeys.QUEUE_RUNNERS 集合。
tf.train.add_queue_runner(qr)
# 定义出队操作。
out_tensor = queue.dequeue()

with tf.Session() as sess:
    # 使用 tf.train.Coordinator 来协同启动的线程。
    coord = tf.train.Coordinator()
    # 使用 tf.train.QueueRunner 时，需要明确调用 tf.train.start_queue_runners
    # 来启动所有线程。否则因为没有线程运行入队操作，当调用出队操作时，程序会一直等待入
    # 队操作被运行。tf.train.start_queue_runners 函数会默认启动
    # tf.GraphKeys.QUEUE_RUNNERS 集合中所有的 QueueRunner。因为这个函数只支持启
    # 动指定集合中的 QueueRnner，所以一般来说 tf.train.add_queue_runner 函数和
    # tf.train.start_queue_runners 函数会指定同一个集合。
    threads = tf.train.start_queue_runners(sess=sess, coord=coord)
    # 获取队列中的取值。
    for _ in range(3): print sess.run(out_tensor)[0]

    # 使用 tf.train.Coordinator 来停止所有的线程。
    coord.request_stop()
    coord.join(threads)

'''
以上程序将启动 5 个线程来执行队列入队的操作，其中每一个线程都是将随机数写入队列。于是在
每次运行出队操作时，可以得到一个随机数。运行这段程序可以得到类似下面的结果：
-0.315963
-1.06425
0.347479
'''
```

7.3.2 输入文件队列

本节将介绍如何使用 TensorFlow 中的队列管理输入文件列表。在这一节中，假设所有的输入数据都已经整理成了 TFRecord 格式。②虽然一个 TFRecord 文件中可以存储多个训练

---

① 第 3 章介绍了 TensorFlow 计算图中集合的概念。
② TFRecord 格式在 7.1 节中有介绍。

样例，但是当训练数据量较大时，可以将数据分成多个 TFRecord 文件来提高处理效率。TensorFlow 提供了 tf.train.match_filenames_once 函数来获取符合一个正则表达式的所有文件，得到的文件列表可以通过 tf.train.string_input_producer 函数进行有效的管理。

tf.train.string_input_producer 函数会使用初始化时提供的文件列表创建一个输入队列，输入队列中原始的元素为文件列表中的所有文件。如 7.1 节中的样例代码所示，创建好的输入队列可以作为文件读取函数的参数。每次调用文件读取函数时，该函数会先判断当前是否已有打开的文件可读，如果没有或者打开的文件已经读完，这个函数会从输入队列中出队一个文件并从这个文件中读取数据。

通过设置 shuffle 参数，tf.train.string_input_producer 函数支持随机打乱文件列表中文件出队的顺序。当 shuffle 参数为 True 时，文件在加入队列之前会被打乱顺序，所以出队的顺序也是随机的。随机打乱文件顺序以及加入输入队列的过程会跑在一个单独的线程上，这样不会影响获取文件的速度。tf.train.string_input_producer 生成的输入队列可以同时被多个文件读取线程操作，而且输入队列会将队列中的文件均匀地分给不同的线程，不出现有些文件被处理过多次而有些文件还没有被处理过的情况。

当一个输入队列中的所有文件都被处理完后，它会将初始化时提供的文件列表中的文件全部重新加入队列。tf.train.string_input_producer 函数可以设置 num_epochs 参数来限制加载初始文件列表的最大轮数。当所有文件都已经被使用了设定的轮数后，如果继续尝试读取新的文件，输入队列会报 OutOfRange 的错误。在测试神经网络模型时，因为所有测试数据只需要使用一次，所以可以将 num_epochs 参数设置为 1。这样在计算完一轮之后程序将自动停止。在展示 tf.train.match_filenames_once 和 tf.train.string_input_producer 函数的使用方法之前，下面先给出一个简单的程序来生成样例数据。

```python
import tensorflow as tf

# 创建 TFRecord 文件的帮助函数。
def _int64_feature(value):
    return tf.train.Feature(int64_list=tf.train.Int64List(value=[value]))

# 模拟海量数据情况下将数据写入不同的文件。num_shards 定义了总共写入多少个文件，
# instances_per_shard 定义了每个文件中有多少个数据。
num_shards = 2
instances_per_shard = 2
for i in range(num_shards):
    # 将数据分为多个文件时，可以将不同文件以类似 0000n-of-0000m 的后缀区分。其中 m 表
    # 示了数据总共被存在了多少个文件中，n 表示当前文件的编号。式样的方式既方便了通过正
    # 则表达式获取文件列表，又在文件名中加入了更多的信息。
    filename = ('/path/to/data.tfrecords-%.5d-of-%.5d' % (i, num_shards))
```

```
    writer = tf.python_io.TFRecordWriter(filename)
    # 将数据封装成 Example 结构并写入 TFRecord 文件。
    for j in range(instances_per_shard):
        # Example 结构仅包含当前样例属于第几个文件以及是当前文件的第几个样本。
        example = tf.train.Example(features=tf.train.Features(feature={
            'i': _int64_feature(i),
            'j': _int64_feature(j)}))
        writer.write(example.SerializeToString())
    writer.close()
```

程序运行之后，在指定的目录下将生成两个文件：/path/to/data.tfrecords-00000-of-00002 和 /path/to/data.tfrecords-00001-of-00002。每一个文件中存储了两个样例。在生成了样例数据之后，以下代码展示了 tf.train.match_filenames_once 函数和 tf.train.string_input_producer 函数的使用方法。

```
import tensorflow as tf

# 使用 tf.train.match_filenames_once 函数获取文件列表。
files = tf.train.match_filenames_once("/path/to/data.tfrecords-*")

# 通过 tf.train.string_input_producer 函数创建输入队列，输入队列中的文件列表为
# tf.train.match_filenames_once 函数获取的文件列表。这里将 shuffle 参数设为 False
# 来避免随机打乱读文件的顺序。但一般在解决真实问题时，会将 shuffle 参数设置为 True。
filename_queue = tf.train.string_input_producer(files, shuffle=False)

# 如 7.1 节中所示读取并解析一个样本。
reader = tf.TFRecordReader()
_, serialized_example = reader.read(filename_queue)
features = tf.parse_single_example(
    serialized_example,
    features={
        'i': tf.FixedLenFeature([], tf.int64),
        'j': tf.FixedLenFeature([], tf.int64),
    })

with tf.Session() as sess:
  # 虽然在本段程序中没有声明任何变量，但使用 tf.train.match_filenames_once 函数时
  # 需要初始化一些变量。
  tf.local_variables_initializer().run()
  '''
  打印文件列表将得到以下结果：
```

```
  ['/path/to/data.tfrecords-00000-of-00002'
   '/path/to/data.tfrecords-00001-of-00002']
 '''
 print sess.run(files)

 # 声明 tf.train.Coordinator 类来协同不同线程，并启动线程。
 coord = tf.train.Coordinator()
 threads = tf.train.start_queue_runners(sess=sess, coord=coord)

 # 多次执行获取数据的操作。
 for i in range(6):
   print sess.run([features['i'], features['j']])
 coord.request_stop()
 coord.join(threads)
```

以上打印将输出：

```
[0, 0]
[0, 1]
[1, 0]
[1, 1]
[0, 0]
[0, 1]
```

在不打乱文件列表的情况下，会依次读出样例数据中的每一个样例。而且当所有样例都被读完之后，程序会自动从头开始。如果限制 num_epochs 为 1，那么程序将会报错：

```
tensorflow.python.framework.errors.OutOfRangeError: FIFOQueue
'_0_input_producer' is closed and has insufficient elements (requested 1,
current size 0)
[[Node: ReaderRead = ReaderRead[_class=["loc:@TFRecordReader", "loc:
@input_producer"],
_device="/job:localhost/replica:0/task:0/cpu:0"](TFRecordReader,
input_producer)]]
```

7.3.3　组合训练数据（batching）

在 7.3.2 节中已经介绍了如何从文件列表中读取单个样例，将这些单个样例通过 7.2 节中介绍的预处理方法进行处理，就可以得到提供给神经网络输入层的训练数据了。在第 4 章介绍过，将多个输入样例组织成一个 batch 可以提高模型训练的效率。所以在得到单个样例的预处理结果之后，还需要将它们组织成 batch，然后再提供给神经网络的输入层。
TensorFlow 提供了 tf.train.batch 和 tf.train.shuffle_batch 函数来将单个的样例组织成 batch 的
形式输出。这两个函数都会生成一个队列，队列的入队操作是生成单个样例的方法，而每
次出队得到的是一个 batch 的样例。它们唯一的区别在于是否会将数据顺序打乱。以下代
码展示了这两个函数的使用方法。

```
import tensorflow as tf

# 使用 7.3.2 节中的方法读取并解析得到样例。这里假设 Example 结构中 i 表示一个样例的
# 特征向量，比如一张图像的像素矩阵。而 j 表示该样例对应的标签。
example, label = features['i'], features['j']

# 一个 batch 中样例的个数。
batch_size = 3
# 组合样例的队列中最多可以存储的样例个数。这个队列如果太大，那么需要占用很多内存资源；
# 如果太小，那么出队操作可能会因为没有数据而被阻碍（block），从而导致训练效率降低。一般
# 来说这个队列的大小会和每一个 batch 的大小相关，下面一行代码给出了设置队列大小的一种
# 方式。
capacity = 1000 + 3 * batch_size

# 使用 tf.train.batch 函数来组合样例。[example, label]参数给出了需要组合的元素，
# 一般 example 和 label 分别代表训练样本和这个样本对应的正确标签。batch_size 参数给出
# 了每个 batch 中样例的个数。capacity 给出了队列的最大容量。当队列长度等于容量时，
# TensorFlow 将暂停入队操作，而只是等待元素出队。当元素个数小于容量时，TensorFlow
# 将自动重新启动入队操作。
example_batch, label_batch = tf.train.batch(
    [example, label], batch_size=batch_size, capacity=capacity)

with tf.Session() as sess:
    tf.initialize_all_variables().run()
    coord = tf.train.Coordinator()
    threads = tf.train.start_queue_runners(sess=sess, coord=coord)

    # 获取并打印组合之后的样例。在真实问题中，这个输出一般会作为神经网络的输入。
    for i in range(2):
        cur_example_batch, cur_label_batch = sess.run(
            [example_batch, label_batch])
        print cur_example_batch, cur_label_batch

    coord.request_stop()
    coord.join(threads)
```

```
'''
运行以上程序可以得到以下输出:
[0 0 1] [0 1 0]
[1 0 0] [1 0 1]
从这个输出可以看到 tf.train.batch 函数可以将单个的数据组织成 3 个一组的 batch。
在 example，label 中读到的数据依次为:
example: 0, lable:0
example: 0, lable:1
example: 1, lable:0
example: 1, lable:1
这是因为 tf.train.batch 函数不会随机打乱顺序，所以组合之后得到的数据组合成了上面给出
的输出。
'''
```

下面一段代码展示了 tf.train.shuffle_batch 函数的使用方法。

```
# 和 tf.train.batch 的样例代码一样产生 example 和 label。
example, label = features['i'], features['j']

# 使用 tf.train.shuffle_batch 函数来组合样例。tf.train.shuffle_batch 函数
# 的参数大部分都和 tf.train.batch 函数相似，但是 min_after_dequeue 参数是
#  tf.train.shuffle_batch 函数特有的。min_after_dequeue 参数限制了出队时队列中元
# 素的最少个数。当队列中元素太少时，随机打乱样例顺序的作用就不大了。所以
# tf.train.shuffle_batch 函数提供了限制出队时最少元素的个数来保证随机打乱顺序的
# 作用。当出队函数被调用但是队列中元素不够时，出队操作将等待更多的元素入队才会完成。
# 如果 min_after_dequeue 参数被设定，capacity 也应该相应调整来满足性能需求。
example_batch, label_batch = tf.train.shuffle_batch(
    [example, label], batch_size=batch_size,
    capacity=capacity, min_after_dequeue=30)

# 和 tf.train.batch 的样例代码一样打印 example_batch, label_batch。

'''
运行以上代码可以得到以下输出:
[0 1 1] [0 1 0]
[1 0 0] [0 0 1]
从输出中可以看到，得到的样例顺序已经被打乱了。
'''
```

　　tf.train.batch 函数和 tf.train.shuffle_batch 函数除了可以将单个训练数据整理成输入 batch，也提供了并行化处理输入数据的方法。tf.train.batch 函数和 tf.train.shuffle_batch 函数 并行化的方式一致，所以在本节中仅以应用得更多的 tf.train.shuffle_batch 函数为例。通过

设置 tf.train.shuffle_batch 函数中的 num_threads 参数，可以指定多个线程同时执行入队操作。tf.train.shuffle_batch 函数的入队操作就是数据读取以及预处理的过程。当 num_threads 参数大于 1 时，多个线程会同时读取一个文件中的不同样例并进行预处理。如果需要多个线程处理不同文件中的样例时，可以使用 tf.train.shuffle_batch_join 函数。[①]此函数会从输入文件队列中获取不同的文件分配给不同的线程。一般来说，输入文件队列是通过 7.3.2 中介绍的 tf.train.string_input_producer 函数生成的。这个函数会平均分配文件以保证不同文件中的数据会被尽量平均地使用。

　　tf.train.shuffle_batch 函数和 tf.train.shuffle_batch_join 函数都可以完成多线程并行的方式来进行数据预处理，但它们各有优劣。对于 tf.train.shuffle_batch 函数，不同线程会读取同一个文件。如果一个文件中的样例比较相似（比如都属于同一个类别），那么神经网络的训练效果有可能会受到影响。所以在使用 tf.train.shuffle_batch 函数时，需要尽量将同一个 TFRecord 文件中的样例随机打乱。而使用 tf.train.shuffle_batch_join 函数时，不同线程会读取不同文件。如果读取数据的线程数比总文件数还大，那么多个线程可能会读取同一个文件中相近部分的数据。而且多个线程读取多个文件可能导致过多的硬盘寻址，从而使得读取效率降低。不同的并行化方式各有所长，具体采用哪一种方法需要根据具体情况来确定。

7.3.4　输入数据处理框架

　　在前面的小节中已经介绍了图 7-14 所展示的流程图中的所有步骤。在这一节将把这些步骤串成一个完成的 TensorFlow 来处理输入数据。以下代码给出了这个完成的程序。

```
import tensorflow as tf

# 创建文件列表，并通过文件列表创建输入文件队列。在调用输入数据处理流程前，需要
# 统一所有原始数据的格式并将它们存储到 TFRecord 文件中。下面给出的文件列表应该包含所
# 有提供训练数据的 TFRecord 文件。
files = tf.train.match_filenames_once("/path/to/file_pattern-*")
filename_queue = tf.train.string_input_producer(files, shuffle=False)

# 使用类似 7.1 节中介绍的方法解析 TFRecord 文件里的数据。这里假设 image 中存储的是图像
# 的原始数据，label 为该样例所对应的标签。height、width 和 channels 给出了图片的维度。
reader = tf.TFRecordReader()
_, serialized_example = reader.read(filename_queue)
features = tf.parse_single_example(
    serialized_example,
```

① 如果不需要随机打乱输入数据顺序，可以使用 tf.train.batch_join 函数完成类似功能。

```
    features={
        'image': tf.FixedLenFeature([], tf.string),
        'label': tf.FixedLenFeature([], tf.int64),
        'height': tf.FixedLenFeature([], tf.int64),
        'width': tf.FixedLenFeature([], tf.int64),
        'channels': tf.FixedLenFeature([], tf.int64),
    })
image, label = features['image'], features['label']
height, width = features['height'], features['width']
channels = features['channels']

# 从原始图像数据解析出像素矩阵，并根据图像尺寸还原图像。
decoded_image = tf.decode_raw(image, tf.uint8)
decoded_image.set_shape([height, width, channels])
# 定义神经网络输入层图片的大小。
image_size = 299
# preprocess_for_train 为 7.2.2 节中介绍的图像预处理程序。
distorted_image = preprocess_for_train(
    decoded_image, image_size, image_size, None)

# 将处理后的图像和标签数据通过 tf.train.shuffle_batch 整理成神经网络训练时
# 需要的 batch。
min_after_dequeue = 10000
batch_size = 100
capacity = min_after_dequeue + 3 * batch_size
image_batch, label_batch = tf.train.shuffle_batch(
    [distorted_image, label], batch_size=batch_size,
    capacity=capacity, min_after_dequeue=min_after_dequeue)

# 定义神经网络的结构以及优化过程。image_batch 可以作为输入提供给神经网络的输入层。
# label_batch 则提供了输入 batch 中样例的正确答案。
learning_rate = 0.01
logit = inference(image_batch)
loss = calc_loss(logit, label_batch)
train_step = tf.train.GradientDescentOptimizer(learning_rate)\
            .minimize(loss)

# 声明会话并运行神经网络的优化过程。
with tf.Session() as sess:
    # 神经网络训练准备工作。这些工作包括变量初始化、线程启动。

    sess.run((tf.global_variables_initializer(),
```

```
                    tf.local_variables_initializer()))
coord = tf.train.Coordinator()
threads = tf.train.start_queue_runners(sess=sess, coord=coord)

# 神经网络训练过程。
TRAINING_ROUNDS = 5000
for i in range(TRAINING_ROUNDS):
    sess.run(train_step)

# 停止所有线程。
coord.request_stop()
coord.join(threads)
```

图 7-15 展示了以上代码中输入数据处理的整个流程。从图 7-15 中可以看出，输入数据处理的第一步为获取存储训练数据的文件列表。在图 7-15 中，这个文件列表为{A,B,C}。通过 tf.train.string_input_producer 函数，可以选择性地将文件列表中文件的顺序打乱，并加入输入队列。因为是否打乱文件的顺序是可选的，所以在图 7-15 中通过虚线表示。tf.train.string_input_producer 函数会生成并维护一个输入文件队列，不同线程中的文件读取函数可以共享这个输入文件队列。在读取样例数据之后，需要将图像进行预处理。图像预处理的过程也会通过 tf.train.shuffle_batch 提供的机制并行地跑在多个线程中。输入数据处理流程的最后通过 tf.train.shuffle_batch 函数将处理好的单个输入样例整理成 batch 提供给神经网络的输入层。通过这种方式，可以有效地提高数据预处理的效率，避免数据预处理成为神经网络模型训练过程中的性能瓶颈。

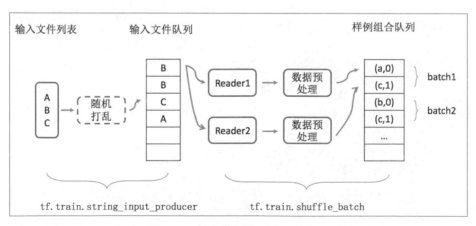

图 7-15　输入数据处理流程示意图

7.4　数据集（Dataset）

上一节介绍了通过队列进行多线程输入的方法。除队列以外，TensorFlow 还提供了一套更高层的数据处理框架。在新的框架中，每一个数据来源被抽象成一个"数据集"，开发者可以以数据集为基本对象，方便地进行 batching、随机打乱（shuffle）等操作。从 1.3 版本起，TensorFlow 正式推荐使用数据集作为输入数据的首选框架。从 1.4 版本起，数据集框架从 tf.contrib.data 迁移到 tf.data，成为 TensorFlow 的核心组成部件。

7.4.1 小节将介绍数据集（Dataset）的基本使用方法，包括从文件创建数据集、使用迭代器遍历数据集等。7.4.2 小节中将介绍在数据集上的高层操作，并给出了一个运用这些方法处理训练数据和测试数据的完整的例子。

7.4.1　数据集的基本使用方法

在数据集框架中，每一个数据集代表一个数据来源：数据可能来自一个张量，一个 TFRecord 文件，一个文本文件，或者经过 sharding 的一系列文件，等等。由于训练数据通常无法全部写入内存中，从数据集中读取数据时需要使用一个迭代器（iterator）按顺序进行读取，这点与队列的 dequeue()操作和 Reader 的 read()操作相似。与队列相似，数据集也是计算图上的一个节点。

下面先看一个简单的例子。这个例子从一个张量创建一个数据集，遍历这个数据集，并对每个输入输出 $y = x^2$ 的值。

```
import tensorflow as tf

# 从一个数组创建数据集。
input_data = [1, 2, 3, 5, 8]
dataset = tf.data.Dataset.from_tensor_slices(input_data)

# 定义一个迭代器用于遍历数据集。因为上面定义的数据集没有用 placeholder
# 作为输入参数，所以这里可以使用最简单的 one_shot_iterator。
iterator = dataset.make_one_shot_iterator()
# get_next() 返回代表一个输入数据的张量，类似于队列的 dequeue()。
x = iterator.get_next()
y = x * x

with tf.Session() as sess:
  for i in range(len(input_data)):
```

```
        print(sess.run(y))
'''
运行以上程序可以得到以下输出：
1
4
9
25
64
'''
```

从以上例子可以看到，利用数据集读取数据有三个基本步骤。

1．定义数据集的构造方法

这个例子使用了 tf.data.Dataset.from_tensor_slices()，表明数据集是从一个张量中构建的。如果数据集是从文件中构建的，则需要相应调用不同的构造方法。

2．定义遍历器

这个例子使用了最简单的 one_shot_iterator 来遍历数据集。稍后将介绍更加灵活的 initializable_iterator。

3．使用 get_next() 方法从遍历器中读取数据张量，作为计算图其他部分的输入

在真实项目中，训练数据通常是保存在硬盘文件上的。比如在自然语言处理的任务中，训练数据通常是以每行一条数据的形式存在文本文件中，这时可以用 TextLineDataset 来更方便地读取数据：

```
import tensorflow as tf

# 从文本文件创建数据集。假定每行文字是一个训练例子。注意这里可以提供多个文件。
input_files = ["/path/to/input_file1", "/path/to/input_file2"]
dataset = tf.data.TextLineDataset(input_files)

# 定义迭代器用于遍历数据集。
iterator = dataset.make_one_shot_iterator()
# 这里 get_next() 返回一个字符串类型的张量，代表文件中的一行。
x = iterator.get_next()
with tf.Session() as sess:
  for i in range(3):
    print(sess.run(x))
```

在图像相关任务中，输入数据通常以 TFRecord 形式存储，这时可以用 TFRecordDataset 来读取数据。与文本文件不同，每一个 TFRecord 都有自己不同的 feature 格式，因此在读取 TFRecord 时，需要提供一个 parser 函数来解析所读取的 TFRecord 的数据格式。

```
import tensorflow as tf

# 解析一个 TFRecord 的方法。record 是从文件中读取的一个样例。7.1 节中具体介绍了
# 如何解析 TFRecord 样例。
def parser(record):
    # 解析读入的一个样例。
    features = tf.parse_single_example(
        record,
        features={
            'feat1': tf.FixedLenFeature([], tf.int64),
            'feat2': tf.FixedLenFeature([], tf.int64),
        })
    return features['feat1'], features['feat2']

# 从 TFRecord 文件创建数据集。
input_files = ["/path/to/input_file1", "/path/to/input_file2"]
dataset = tf.data.TFRecordDataset(input_files)

# map() 函数表示对数据集中的每一条数据进行调用相应方法。使用 TFRecordDataset 读出的
# 是二进制的数据，这里需要通过 map() 来调用 parser() 对二进制数据进行解析。类似地，
# map() 函数也可以用来完成其他的数据预处理工作。
dataset = dataset.map(parser)

# 定义遍历数据集的迭代器。
iterator = dataset.make_one_shot_iterator()

# feat1, feat2 是 parser() 返回的一维 int64 型张量，可以作为输入用于进一步的计算。
feat1, feat2 = iterator.get_next()

with tf.Session() as sess:
    for i in range(10):
        f1, f2 = sess.run([feat1, feat2])
```

以上例子使用了最简单的 one_shot_iterator 来遍历数据集。在使用 one_shot_iterator 时，数据集的所有参数必须已经确定，因此 one_shot_iterator 不需要特别的初始化过程。如果需要用 placeholder 来初始化数据集，那就需要用到 initializable_iterator。以下代码给出了用 initializable_iterator 来动态初始化数据集的例子。

```
import tensorflow as tf

# 解析一个 TFRecord 的方法。与上面的例子相同，不再重复。
def parser(record):
    ...
```

```
# 从 TFRecord 文件创建数据集，具体文件路径是一个 placeholder，稍后再提供具体路径。
input_files = tf.placeholder(tf.string)
dataset = tf.data.TFRecordDataset(input_files)
dataset = dataset.map(parser)

# 定义遍历 dataset 的 initializable_iterator。
iterator = dataset.make_initializable_iterator()
feat1, feat2 = iterator.get_next()

with tf.Session() as sess:
    # 首先初始化 interator，并给出 input_files 的值。
    sess.run(iterator.initializer,
            feed_dict={input_files: ["/path/to/input_file1",
                                     "/path/to/input_file2"]})
    # 遍历所有数据一个 epoch。当遍历结束时，程序会抛出 OutOfRangeError。
    while True:
      try:
          sess.run([feat1, feat2])
      except tf.errors.OutOfRangeError:
          break
```

在上面的例子中，文件路径使用 placeholder 和 feed_dict 的方式传给数据集。使用这种方法，在实际项目中就不需要总是将参数写入计算图的定义，而可以使用程序参数的方式动态指定参数。

另外注意到，上面例子中的循环体不是指定循环运行 10 次 sess.run，而是使用 while(True) try-except 的形式来将所有数据遍历一遍（即一个 epoch）。这是因为在动态指定输入数据时，不同数据来源的数据量大小难以预知，而这个方法使我们不必提前知道数据量的精确大小。

以上介绍的两种 iterator 足以满足大多数项目的需求。除这两种以外，TensorFlow 还提供了 reinitializable_iterator 和 feedable_iterator 两种更加灵活的迭代器。前者可以多次 initialize 用于遍历不同的数据来源，而后者可以用 feed_dict 的方式动态指定运行哪个 iterator。本书不再多加介绍，感兴趣的读者可以参考 Google 提供的官方 API 文档。

7.4.2　数据集的高层操作

在上一小节中介绍了数据集的基础用法。在这一小节中，将介绍数据集框架提供的一些方便实用的高层 API。

在 7.4.1 小节中介绍过 map 方法来对 TFRecord 进行解析操作：

```
dataset = dataset.map(parser)
```

map 是在数据集上进行操作的最常用的方法之一。在这里，map(parser)方法表示对数据集中的每一条数据调用参数中指定的 parser 方法。对每一条数据进行处理后，map 将处理后的数据包装成一个新的数据集返回。map 函数非常灵活，可以用于对数据的任何预处理操作。例如在 7.3.4 小节中，在队列框架下曾使用如下方法来对数据进行预处理：

```
distorted_image = preprocess_for_train(
  decoded_image, image_size, image_size, None)
```

而在数据集框架中，可以通过 map 来对每一条数据调用 preprocess_for_train 方法：

```
dataset = dataset.map(
  lambda x : preprocess_for_train(x, image_size, image_size, None))
```

在上面的代码中，lambda 表达式的作用是将原来有 4 个参数的函数转化为只有 1 个参数的函数。preprocess_for_train 函数的第一个参数 decoded_image 变成了 lambda 表达式中的 x，这个参数就是原来函数中的参数 decoded_image。preprocess_for_train 函数中后 3 个参数都被换成了具体的数值。注意这里的 image_size 是一个变量，有具体取值，该值需要在程序的上文中给出。

从表面上看，新的代码在长度上似乎并没有缩短，然而由于 map 方法返回的是一个新的数据集，可以直接继续调用其他高层操作。在上一节介绍的队列框架中，预处理、shuffle、batch 等操作有的在队列上进行，有的在图片张量上进行，整个处理流程在处理队列和张量的代码片段中来回切换。而在数据集操作中，所有操作都在数据集上进行，这样的代码结构将非常的干净、简洁。

7.3.3 小节介绍了队列框架下的 tf.train.batch 和 tf.train.shuffle_batch 方法。在数据集框架中，shuffle 和 batch 操作由两个方法独立实现：

```
dataset = dataset.shuffle(buffer_size)  # 随机打乱顺序。
dataset = dataset.batch(batch_size)     # 将数据组合成 batch。
```

其中 shuffle 方法的参数 buffer_size 等效于 tf.train.shuffle_batch 的 min_after_dequeue 参数。shuffle 算法在内部使用一个缓冲区中保存 buffer_size 条数据，每读入一条新数据时，从这个缓冲区中随机选择一条数据进行输出。缓冲区的大小越大，随机的性能越好，但占用的内存也越多。

batch 方法的参数 batch_size 代表要输出的每个 batch 由多少条数据组成。如果数据集中包含多个张量，那么 batch 操作将对每一个张量分开进行。举例而言，如果数据集中的每一个数据（即 iterator.get_next()的返回值）是 image、label 两个张量，其中 image 的维度是[300, 300]，label 的维度是[]，batch_size 是 128，那么经过 batch 操作后的数据集的每一个输出将包含两个维度分别是[128, 300, 300]和[128]的张量。

repeat 是另一个常用的操作方法。这个方法将数据集中的数据复制多份，其中每一份数据被称为一个 epoch。

```
dataset = dataset.repeat(N)    # 将数据集重复 N 份。
```

需要指出的是，如果数据集在 repeat 前已经进行了 shuffle 操作，输出的每个 epoch 中随机 shuffle 的结果并不会相同。例如，如果输入数据是[1, 2, 3]，shuffle 后输出的第一个 epoch 是[2, 1, 3]，而第二个 epoch 则有可能是[3, 2, 1]。repeat 和 map、shuffle、batch 等操作一样，都只是计算图中的一个计算节点。repeat 只代表重复相同的处理过程，并不会记录前一 epoch 的处理结果。

除这些方法以外，数据集还提供了其他多种操作。例如，concatenate()将两个数据集顺序连接起来，take(N)从数据集中读取前 N 项数据，skip(N)在数据集中跳过前 N 项数据，flap_map()从多个数据集中轮流读取数据，等等，这里不再一一介绍，有需要的读者可以查询 TensorFlow 相关文档。

以下例子将这些方法组合起来，使用数据集实现了 7.3.4 小节中的数据输入流程。与 7.3.4 小节中介绍的类似，该例子从文件中读取原始数据，进行预处理、shuffle、batching 等操作，并通过 repeat 方法训练多个 epoch。不同的是，以下例子在训练数据集之外，还另外读取了测试数据集，并对测试集和数据集进行了略微不同的预处理。在训练时，调用 7.2.2 小节中的 preprocess_for_train 方法对图像进行随机反转等预处理操作；而在测试时，测试数据以原本的样子直接输入测试。

```
import tensorflow as tf

# 列举输入文件。训练和测试使用不同的数据。
train_files = tf.train.match_filenames_once("/path/to/train_file-*")
test_files = tf.train.match_filenames_once("/path/to/test_file-*")

# 定义 parser 方法从 TFRecord 中解析数据。这里假设 image 中存储的是图像的原始数据，
# label 为该样例所对应的标签。height、width 和 channels 给出了图片的维度。
def parser(record):
    features = tf.parse_single_example(
        record,
        features={
            'image': tf.FixedLenFeature([], tf.string),
            'label': tf.FixedLenFeature([], tf.int64),
            'height': tf.FixedLenFeature([], tf.int64),
            'width': tf.FixedLenFeature([], tf.int64),
```

```
                'channels': tf.FixedLenFeature([], tf.int64),
        })

    # 从原始图像数据解析出像素矩阵，并根据图像尺寸还原图像。
    decoded_image = tf.decode_raw(features['image'], tf.uint8)
    decoded_image.set_shape([features['height'], features['width'],
                            features['channels']])
    label = features['label']
    return decoded_image, label

image_size = 299            # 定义神经网络输入层图片的大小。
batch_size = 100            # 定义组合数据 batch 的大小。
shuffle_buffer = 10000      # 定义随机打乱数据时 buffer 的大小。


# 定义读取训练数据的数据集。
dataset = tf.data.TFRecordDataset(train_files)
dataset = dataset.map(parser)

# 对数据依次进行预处理、shuffle 和 batching 操作。 preprocess_for_train 为
# 7.2.2 小节中介绍的图像预处理程序。因为上一个 map 得到的数据集中提供了
# decoded_image 和 label 两个结果，所以这个 map 需要提供一个有 2 个参数的函数来处
# 理数据。在下面的代码中，lambda 中的 image 代表的就是第一个 map 返回的
# decoded_image，label 代表的就是第一个 map 返回的 label。在这个 lambda 表达式中
# 我们首先将 decoded_image 在传入 preprocess_for_train 来进一步对图像数据进行预
# 处理。然后再将处理好的图像和 label 组成最终的输出。
dataset = dataset.map(
    lambda image, label : (
        preprocess_for_train(image, image_size, image_size, None), label))
dataset = dataset.shuffle(shuffle_buffer).batch(batch_size)

# 重复 NUM_EPOCHS 个 epoch。在 7.3.4 小节中 TRAINING_ROUNDS 指定了训练的轮数，
# 而这里指定了整个数据集重复的次数，它也间接的确定了训练的轮数。
NUM_EPOCHS = 10
dataset = dataset.repeat(NUM_EPOCHS)

# 定义数据集迭代器。虽然定义数据集时没有直接使用 placeholder 来提供文件地址，但是
# tf.train.match_filenames_once 方法得到的结果和与 placeholder 的机制类似，
# 也需要初始化，所以这里使用的是 initializable_iterator。
iterator = dataset.make_initializable_iterator()
image_batch, label_batch = iterator.get_next()

# 定义神经网络的结构以及优化过程。这里与 7.3.4 小节相同。
learning_rate = 0.01
logit = inference(image_batch)
loss = calc_loss(logit, label_batch)
train_step = tf.train.GradientDescentOptimizer(learning_rate) \
```

```
                    .minimize(loss)

# 定义测试用的 Dataset。与训练时不同，测试数据的 Dataset 不需要经过随机翻转等预处
# 理操作，也不需要打乱顺序和重复多个 epoch。这里使用与训练数据相同的 parser 进行解
# 析，调整分辨率到网络输入层大小，然后直接进行 batching 操作。
test_dataset = tf.data.TFRecordDataset(test_files)
test_dataset = test_dataset.map(parser).map(
    lambda image, label : (
        tf.image.resize_images(image, [image_size, image_size]), label))
test_dataset = test_dataset.batch(batch_size)

# 定义测试数据上的迭代器。
test_iterator = test_dataset.make_initializable_iterator()
test_image_batch, test_label_batch = test_iterator.get_next()

# 定义预测结果为 logit 值最大的分类。
test_logit = inference(test_image_batch)
predictions = tf.argmax(test_logit, axis=-1, output_type=tf.int32)

# 声明会话并运行神经网络的优化过程。
with tf.Session() as sess:
    # 初始化变量。
    sess.run((tf.global_variables_initializer(),
            tf.local_variables_initializer()))

    # 初始化训练数据的迭代器。
    sess.run(iterator.initializer)

    # 循环进行训练，直到数据集完成输入、抛出 OutOfRangeError 错误。
    while True:
        try:
            sess.run(train_step)
        except tf.errors.OutOfRangeError:
            break

    # 初始化测试数据的迭代器。
    sess.run(test_iterator.initializer)
    # 获取预测结果。
    test_results = []
    test_labels = []
    while True:
        try:
            pred, label = sess.run([predictions, test_label_batch])
            test_results.extend(pred)
            test_labels.extend(label)
        except tf.errors.OutOfRangeError:
```

```
        break

# 计算准确率。
correct = [float(y == y_) for (y, y_) in zip (test_results, test_labels)]
accuracy = sum(correct) / len(correct)
print("Test accuracy is:", accuracy)

在 MINST 数据上运行以上程序，可以得到类似下面的结果：
Test accuracy is: 0.9052
```

小结

本章通过图像数据预处理的流程，介绍了 TensorFlow 使用多线程处理输入数据的框架。虽然本章以图像数据处理为例，但读者可以很容易将该框架移植到其他类型的数据预处理上。根据输入数据处理的步骤，在本章的三节中分别介绍了 TensorFlow 推荐的输入数据格式、图像预处理算法和输入数据处理的框架。首先在 7.1 节中介绍了如何通过 TensorFlow 提供的 TFRecord 格式来统一不同格式的输入数据。这一节给出了样例程序将原始的输入数据转化为 Example Protocol Buffer，并存储到 TFRecord 文件中，也给出了具体代码从 TFRecord 文件中读取数据。

接着 7.2 节介绍了 TensorFlow 中主要的图像处理函数，并给出了一个完整的图像预处理过程。TensorFlow 提供了图像解码、图像大小调整、图像旋转、图像色彩调整和图像标注框处理等方法。根据具体问题，可以采用其中的部分方法来弱化与此问题无关的因素。比如对于数字手写体识别问题，图像的颜色、亮度等与识别的结果无关，所以可以通过 7.2 节中介绍的方法来弱化这些因素对最终分析结果的影响。

7.3 节介绍了 TensorFlow 提供的多线程数据预处理流程。这一节讲解了 TensorFlow 通过队列实现多线程的机制，并介绍了 TensorFlow 提供的函数来进一步支持并行化的处理输入数据。在这一节中还给出了一个完整的数据预处理流程图和 TensorFlow 程序框架。虽然目前 TensorFlow 已经推出了更简便的数据集框架，但队列处理流程仍在许多开源模型代码中得到应用。

7.4 节介绍了最新的数据集框架（Dataset）。该框架将整个数据来源封装为一个抽象的数据集对象，并提供了对数据集进行随机打乱（shuffle）、batching、数据复制（repeat）等高层操作。这使开发者可以方便地处理数据而无须关心内部的实现细节。7.4 节最后给出了一个使用数据集进行训练和测试的完整例子。

第 8 章　循环神经网络

第 6 章中讲解了卷积神经网络的网络结构，并介绍了如何使用卷积神经网络解决图像识别问题。本章中将介绍另外一种常用的神经网络结构——循环神经网络（recurrent neural network，RNN）以及循环神经网络中的一个重要结构——长短时记忆网络（long short-term memory，LSTM）。本章还将介绍循环神经网路在时序分析问题中的应用。

首先在 8.1 节将介绍循环神经网络的基本知识并通过机器翻译问题说明循环神经网络是如何被应用的。这一节中将给出一个具体的样例来说明一个最简单的循环神经网络的前向传播时是如何工作的。然后在 8.2 节中将介绍循环神经网络中最重要的结构——长短时记忆网络（long short term memory，LSTM）的网络结构。在这一节中将大致介绍 LSTM 结构中的主要元素，并给出具体的 TensorFlow 程序来实现一个使用了 LSTM 结构的循环神经网络。接着在 8.3 节中将介绍一些常用的循环神经网络的变种。最后在 8.4 节中将结合 TensorFlow 对这些网络结构的支持，介绍如何时序预测问题设计和使用循环神经网络。

8.1　循环神经网络简介[①]

循环神经网络（recurrent neural network，RNN）源自于 1982 年由 Saratha Sathasivam 提出的霍普菲尔德网络。[②]霍普菲尔德网络因为实现困难，在其提出时并且没有被合适地应用。该网络结构也于 1986 年后被全连接神经网络以及一些传统的机器学习算法所取代。然而，传统的机器学习算法非常依赖于人工提取的特征，使得基于传统机器学习的图像识别、语音识别以及自然语言处理等问题存在特征提取的瓶颈。而基于全连接神经网络的方法也存在参数太多、无法利用数据中时间序列信息等问题。随着更加有效的循环神经网络结构

---

① 本节内容部分参考了资料 http://colah.github.io/posts/2015-08-Understanding-LSTMs/。

② Sathasivam S. *Logic Learning in Hopfield Networks* [J]. Modern Applied Science, 2009.

被不断提出，循环神经网络挖掘数据中的时序信息以及语义信息的深度表达能力被充分利用，并在语音识别、语言模型、机器翻译以及时序分析等方面实现了突破。

　　循环神经网络的主要用途是处理和预测序列数据。在之前介绍的全连接神经网络或卷积神经网络模型中，网络结构都是从输入层到隐含层再到输出层，层与层之间是全连接或部分连接的，但每层之间的节点是无连接的。考虑这样一个问题，如果要预测句子的下一个单词是什么，一般需要用到当前单词以及前面的单词，因为句子中前后单词并不是独立的。比如，当前单词是"很"，前一个单词是"天空"，那么下一个单词很大概率是"蓝"。循环神经网络的来源就是为了刻画一个序列当前的输出与之前信息的关系。从网络结构上，循环神经网络会记忆之前的信息，并利用之前的信息影响后面结点的输出。也就是说，循环神经网络的隐藏层之间的结点是有连接的，隐藏层的输入不仅包括输入层的输出，还包括上一时刻隐藏层的输出。

　　图 8-1 展示了一个典型的循环神经网络。在每一时刻 t，循环神经网络会针对该时刻的输入结合当前模型的状态给出一个输出，并更新模型状态。从图 8-1 中可以看到，循环神经网络的主体结构 A 的输入除了来自输入层 x_t，还有一个循环的边来提供上一时刻的隐藏状态（hidden state）h_{t-1}。在每一个时刻，循环神经网络的模块 A 在读取了 x_t 和 h_{t-1} 之后会生成新的隐藏状态 h_t，并产生本时刻的输出 o_t。[1]由于模块 A 中的运算和变量在不同时刻是相同的，因此循环神经网络理论上可以被看作是同一神经网络结构被无限复制的结果。正如卷积神经网络在不同的空间位置共享参数，循环神经网络是在不同时间位置共享参数，从而能够使用有限的参数处理任意长度的序列。[2]

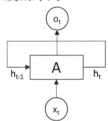

图 8-1　循环神经网络经典结构示意图[3]

　　将完整的输入输出序列展开，可以得到图 8-2 所展示的结构。在图 8-2 中可以更加清

---

① 在很多模型中隐藏状态 h_t 也被直接用于输出，这类模型可以看作 $o_t = h_t$ 的特例。一些资料直接用 h_t 同时代表这两个输出。

② 这里描述的是最典型的应用。在最近的研究中，也有的模型将循环神经网络应用于空间位置，或是将卷积神经网络应用于时间序列。前者的例子可参见 DeepMind 提出的 PixelRNN 模型；后者的例子可以参见 DeepMind 提出的 WaveNet 模型和 Facebook 提出的 ConvS2S 模型。

③ 本章关于循环神经网络的介绍图片部分参考了资料 http://colah.github.io/posts/2015-08-Understanding-LSTMs/。

楚地看到循环神经网络在每一个时刻会有一个输入 x_t，然后根据循环神经网络前一时刻的状态 h_{t-1} 计算新的状态 h_t，并输出 o_t。循环神经网络当前的状态 h_t 是根据上一时刻的状态 h_{t-1} 和当前的输入 x_t 共同决定的。在时刻 t，状态 h_{t-1} 浓缩了前面序列 x_0，x_1，…，x_{t-1} 的信息，用于作为输出 o_t 的参考。由于序列的长度可以无限延长，维度有限的 h 状态不可能将序列的全部信息都保存下来，因此模型必须学习只保留与后面任务 o_t，o_{t+1}，…相关的最重要的信息。

循环网络的展开在模型训练中有重要意义。从 8-2 图中可以看到，循环神经网络对长度为 N 的序列展开之后，可以视为一个有 N 个中间层的前馈神经网络。这个前馈神经网路没有循环链接，因此可以直接使用反向传播算法进行训练，而不需要任何特别的优化算法。这样的训练方法称为"沿时间反向传播"（Back-Propagation Through Time），是训练循环神经网络最常见的方法。

从循环神经网络的结构特征可以很容易看出它最擅长解决与时间序列相关的问题。循环神经网络也是处理这类问题时最自然的神经网络结构。对于一个序列数据，可以将这个序列上不同时刻的数据依次传入循环神经网络的输入层，而输出可以是对序列中下一个时刻的预测，也可以是对当前时刻信息的处理结果（比如语音识别结果）。循环神经网络要求每一个时刻都有一个输入，但是不一定每个时刻都需要有输出。在过去几年中，循环神经网络已经被广泛地应用在语音识别、语言模型、机器翻译以及时序分析等问题上，并取得了巨大的成功。

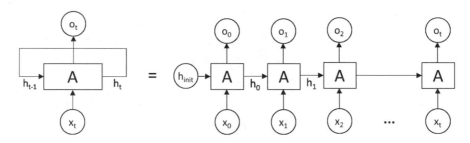

图 8-2　循环神经网络按时间展开后的结构

以机器翻译为例来介绍循环神经网络是如何解决实际问题的。循环神经网络中每一个时刻的输入为需要翻译的句子中的单词。如图 8-3 所示，需要翻译的句子为 ABCD，那么循环神经网络第一段每一个时刻的输入就分别是 A、B、C 和 D，然后用"_"作为待翻译句子的结束符。[①]在第一段中，循环神经网络没有输出。从结束符"_"开始，循环神经网络进入翻译阶段。该阶段中每一个时刻的输入是上一个时刻的输出，而最终得到的输出就

---

① 句子结束符可以用符号或字符串表示，只要文本正文中没有出现过即可。

是句子 ABCD 翻译的结果。从图 8-3 中可以看到句子 ABCD 对应的翻译结果就是 XYZ，当网络输出 "_" 时翻译结束。机器翻译的相关模型将在第 9 章中进行进一步介绍。

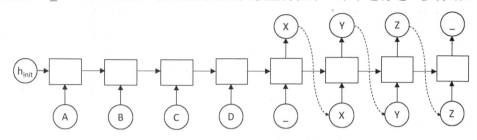

图 8-3　循环神经网络实现机器翻译示意图

如之前所介绍，循环神经网络可以看作是同一神经网络结构在时间序列上被复制多次的结果，这个被复制多次的结构被称之为循环体。如何设计循环体的网络结构是循环神经网络解决实际问题的关键。图 8-4 展示了一个最简单的循环体结构。这个循环体中只使用了一个类似全连接层的神经网络结构。下面将通过图 8-4 中所展示的神经网络来介绍循环神经网络前向传播的完整流程。

循环神经网络中的状态是通过一个向量来表示的，这个向量的维度也称为循环神经网络隐藏层的大小，假设其为 n。从图 8-4 中可以看出，循环体中的神经网络的输入有两部分，一部分为上一时刻的状态，另一部分为当前时刻的输入样本。对于时间序列数据来说（比如不同时刻商品的销量），每一时刻的输入样例可以是当前时刻的数值（比如销量值）；对于语言模型来说，输入样例可以是当前单词对应的单词向量（word embedding）。[1]

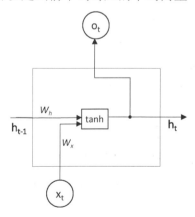

图 8-4　使用单层全连接神经网络作为循环体的循环神经网络结构图[2]

---

[1] 单词向量将在第 9 章中做进一步介绍。

[2] 图中中间标有 tanh 的小方框表示一个使用了 tanh 作为激活函数的全连接神经网络。

假设输入向量的维度为 x，隐藏状态的维度为 n，那么图 8-4 中循环体的全连接层神经网络的输入大小为 $n+x$。也就是将上一时刻的状态与当前时刻的输入拼接成一个大的向量作为循环体中神经网络的输入。[①]因为该全连接层的输出为当前时刻的状态，于是输出层的节点个数也为 n，循环体中的参数个数为 $(n+x) \times n + n$ 个。从图 8-4 中可以看到，循环体中的神经网络输出不但提供给了下一时刻作为状态，同时也会提供给当前时刻的输出。注意到循环体状态与最终输出的维度通常不同，因此为了将当前时刻的状态转化为最终的输出，循环神经网络还需要另外一个全连接神经网络来完成这个过程。这和卷积神经网络中最后的全连接层的意义是一样的。类似的，不同时刻用于输出的全连接神经网络中的参数也是一致的。为了让读者对循环神经网络的前向传播有一个更加直观的认识，图 8-5 展示了一个循环神经网络前向传播的具体计算过程。

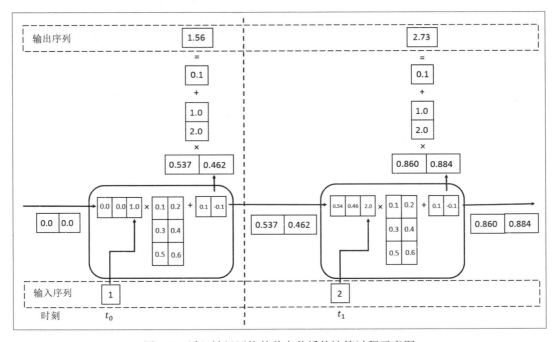

图 8-5　循环神经网络的前向传播的计算过程示意图

在图 8-5 中，假设状态的维度为 2，输入、输出的维度都为 1，而且循环体中的全连接层中权重为：

---

① 也有资料中将会将上一时刻状态对应的权重和当前时刻输入对应的权重特意分开，但它们的实质是一样的。本节展示样例中为了方便显示，采用了向量拼接的方式；在本节的代码中为了方便代码编写，采用了分开的方式。

$$w_{rnn} = \begin{bmatrix} 0.1 & 0.2 \\ 0.3 & 0.4 \\ 0.5 & 0.6 \end{bmatrix}$$

偏置项的大小为 $b_{rnn} = [0.1, -0.1]$，用于输出的全连接层权重为：

$$w_{output} = \begin{bmatrix} 1.0 \\ 2.0 \end{bmatrix}$$

偏置项大小为 $b_{output} = 0.1$。那么在时刻 t_0，因为没有上一时刻，所以将状态初始化为 $h_{init} = [0,0]$，而当前的输入为 1，所以拼接得到的向量为[0,0,1]，通过循环体中的全连接层神经网络得到的结果为：

$$tanh \left([0,0,1] \times \begin{bmatrix} 0.1 & 0.2 \\ 0.3 & 0.4 \\ 0.5 & 0.6 \end{bmatrix} + [0.1, -0.1] \right) = tanh([0.6, 0.5]) = [0.537, 0.462]$$

这个结果将作为下一时刻的输入状态，同时循环神经网络也会使用该状态生成输出。将该向量作为输入提供给用于输出的全连接神经网络可以得到 t_0 时刻的最终输出：

$$[0.537, 0.462] \times \begin{bmatrix} 1.0 \\ 2.0 \end{bmatrix} + 0.1 = 1.56$$

使用 t_0 时刻的状态可以类似地推导得出 t_1 时刻的状态为[0.860, 0.884]，而 t_1 时刻的输出为 2.73。在得到循环神经网络的前向传播结果之后，可以和其他神经网络类似地定义损失函数。循环神经网络唯一的区别在于因为它每个时刻都有一个输出，所以循环神经网络的总损失为所有时刻（或者部分时刻[①]）上的损失函数的总和。以下代码实现了这个简单的循环神经网络前向传播的过程。

```python
import numpy as np

X = [1, 2]
state = [0.0, 0.0]
# 分开定义不同输入部分的权重以方便操作。
w_cell_state = np.asarray([[0.1, 0.2], [0.3, 0.4]])
w_cell_input = np.asarray([0.5, 0.6])
b_cell = np.asarray([0.1, -0.1])

# 定义用于输出的全连接层参数。
w_output = np.asarray([[1.0], [2.0]])
```

---

① 例如在图 8-3 的机器翻译模型中，在训练时总损失就是最后 4 个时刻（"X""Y""Z""_"）的损失函数的总和。

```
b_output = 0.1

# 按照时间顺序执行循环神经网络的前向传播过程。
for i in range(len(X)):
    # 计算循环体中的全连接层神经网络。
    before_activation = np.dot(state, w_cell_state) +
                        X[i] * w_cell_input + b_cell
    state = np.tanh(before_activation)

    # 根据当前时刻状态计算最终输出。
    final_output = np.dot(state, w_output) + b_output

    # 输出每个时刻的信息。
    print "before activation: ", before_activation
    print "state: ", state
    print "output: ", final_output

'''
运行以上程序可以得到输出：
before activation: [ 0.6  0.5]
state: [ 0.53704957  0.46211716]
output: [ 1.56128388]
before activation: [ 1.2923401   1.39225678]
state: [ 0.85973818  0.88366641]
output: [ 2.72707101]
该输出和图 8-5 中的数字是一致的。
'''
```

　　和其他神经网络类似，在定义完损失函数之后，套用第 4 章中介绍的优化框架 TensorFlow 就可以自动完成模型训练的过程。这里唯一需要特别指出的是，理论上循环神经网络可以支持任意长度的序列，然而在实际训练过程中，如果序列过长，一方面会导致优化时出现梯度消散和梯度爆炸的问题[①]，另一方面，展开后的前馈神经网络会占用过大的内存，所以实际中一般会规定一个最大长度，当序列长度超过规定长度之后会对序列进行截断。

8.2　长短时记忆网络（LSTM）结构

　　循环神经网络通过保存历史信息来帮助当前的决策，例如使用之前出现的单词来加强

---

① Gustavsson A, Magnuson A, Blomberg B, et al. *On the difficulty of training Recurrent Neural Networks*[J]. Computer Science, 2013.

对当前文字的理解。循环神经网络可以更好地利用传统神经网络结构所不能建模的信息，但同时，这也带来了更大的技术挑战——长期依赖（long-term dependencies）问题。

在有些问题中，模型仅仅需要短期内的信息来执行当前的任务。比如预测短语"大海的颜色是蓝色"中的最后一个单词"蓝色"时，模型并不需要记忆这个短语之前更长的上下文信息——因为这一句话已经包含了足够的信息来预测最后一个词。在这样的场景中，相关的信息和待预测的词的位置之间的间隔很小，循环神经网络可以比较容易地利用先前信息。

但同样也会有一些上下文场景更加复杂的情况。比如当模型试着去预测段落"某地开设了大量工厂，空气污染十分严重……这里的天空都是灰色的"的最后一个单词时，仅仅根据短期依赖就无法很好的解决这种问题。因为只根据最后一小段，最后一个词可以是"蓝色的"或者"灰色的"。但如果模型需要预测清楚具体是什么颜色，就需要考虑先前提到但离当前位置较远的上下文信息。因此，当前预测位置和相关信息之间的文本间隔就有可能变得很大。当这个间隔不断增大时，类似图 8-4 中给出的简单循环神经网络有可能会丧失学习到距离如此远的信息的能力。或者在复杂语言场景中，有用信息的间隔有大有小、长短不一，循环神经网络的性能也会受到限制。

长短时记忆网络（long short-term memory，LSTM）的设计就是为了解决这个问题。在很多的任务上，采用 LSTM 结构的循环神经网络比标准的循环神经网络表现更好。LSTM 结构是由 Sepp Hochreiter 和 Jürgen Schmidhuber[1]于 1997 年提出的，它是一种特殊的循环体结构。如图 8-6 所示，与单一 tanh 循环体结构不同，LSTM 是一种拥有三个"门"结构的特殊网络结构。

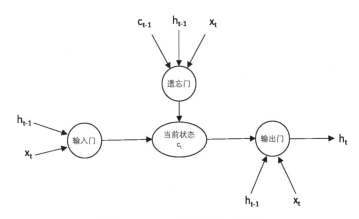

图 8-6　LSTM 单元结构示意图

---

① Sepp Hochreiter, Jürgen Schmidhuber. *Long short-term memory*[J]. Neural Computation. 9 (8): 1735~1780,1997.

LSTM 靠一些"门"的结构让信息有选择性地影响循环神经网络中每个时刻的状态。所谓"门"的结构就是一个使用 sigmoid 神经网络和一个按位做乘法的操作，这两个操作合在一起就是一个"门"的结构。之所以该结构叫做"门"是因为使用 sigmoid 作为激活函数的全连接神经网络层会输出一个 0 到 1 之间的数值，描述当前输入有多少信息量可以通过这个结构。于是这个结构的功能就类似于一扇门，当门打开时（sigmoid 神经网络层输出为 1 时），全部信息都可以通过；当门关上时（sigmoid 神经网络层输出为 0 时），任何信息都无法通过。本节下面的篇幅将介绍每一个"门"是如何工作的。

为了使循环神经网更有效的保存长期记忆，图 8-6 中"遗忘门"和"输入门"至关重要，它们是 LSTM 结构的核心。"遗忘门"的作用是让循环神经网络"忘记"之前没有用的信息。比如一段文章中先介绍了某地原来是绿水蓝天，但后来被污染了。于是在看到被污染了之后，循环神经网络应该"忘记"之前绿水蓝天的状态。这个工作是通过"遗忘门"来完成的。"遗忘门"会根据当前的输入 x_t 和上一时刻输出 h_{t-1} 决定哪一部分记忆需要被遗忘。假设状态 c 的维度为 n。"遗忘门"会根据当前的输入 x_t 和上一时刻输出 h_{t-1} 计算一个维度为 n 的向量 $f = \text{sigmoid}(W_1x + W_2h)$[1]，它在每一维度上的值都在(0,1)范围内。再将上一时刻的状态 c_{t-1} 与 f 向量按位相乘，那么 f 取值接近 0 的维度上的信息就会被"忘记"，而 f 取值接近 1 的维度上的信息会被保留。

在循环神经网络"忘记"了部分之前的状态后，它还需要从当前的输入补充最新的记忆。这个过程就是"输入门"完成的。如图 8-6 所示，"输入门"会根据 x_t 和 h_{t-1} 决定哪些信息加入到状态 c_{t-1} 中生成新的状态 c_t。比如当看到文章中提到环境被污染之后，模型需要将这个信息写入新的状态。这时"输入门"和需要写入的新状态都从 x_t 和 h_{t-1} 计算产生。通过"遗忘门"和"输入门"，LSTM 结构可以更加有效地决定哪些信息应该被遗忘，哪些信息应该得到保留。

LSTM 结构在计算得到新的状态 c_t 后需要产生当前时刻的输出，这个过程是通过"输出门"完成的。"输出门"会根据最新的状态 c_t、上一时刻的输出 h_{t-1} 和当前的输入 x_t 来决定该时刻的输出 h_t。比如当前的状态为被污染，那么"天空的颜色"后面的单词很可能就是"灰色的"。

相比图 8-4 中展示的循环神经网络，使用 LSTM 结构的循环神经网络的前向传播是一个相对比较复杂的过程。具体 LSTM 每个"门"的公式定义如下：

$$z = \tanh(W_z[h_{t-1}, x_t]) \quad （输入值）$$

$$i = \text{sigmoid}(W_i[h_{t-1}, x_t]) \quad （输入门）$$

---

[1] 为了简洁起见本节中忽略了偏置项。

$$f = \text{sigmoid}(W_f[h_{t-1}, x_t]) \quad \text{（遗忘门）}$$

$$o = \text{sigmoid}(W_o[h_{t-1}, x_t]) \quad \text{（输出门）}$$

$$c_t = f \cdot c_{t-1} + i \cdot z \quad \text{（新状态）}$$

$$h_t = o \cdot \tanh c_t \quad \text{（输出）}$$

其中 W_z、W_i、W_f、W_o 是 4 个维度为[2n, n]的参数矩阵。图 8-7 用流程图的形式表示了上面的公式。

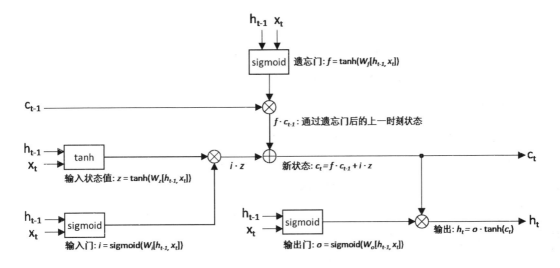

图 8-7　LSTM 单元细节图（输入：C_{t-1}、h_{t-1}、X_t，输出：C_t、h_t）

在 TensorFlow 中，LSTM 结构可以被很简单地实现。以下代码展示了在 TensorFlow 中实现使用 LSTM 结构的循环神经网络的前向传播过程。

```
# 定义一个 LSTM 结构。在 TensorFlow 中通过一句简单的命令就可以实现一个完整 LSTM 结构。
# LSTM 中使用的变量也会在该函数中自动被声明。
lstm = tf.nn.rnn_cell.BasicLSTMCell(lstm_hidden_size)

# 将 LSTM 中的状态初始化为全 0 数组。BasicLSTMCell 类提供了 zero_state 函数来生成
# 全零的初始状态。state 是一个包含两个张量的 LSTMStateTuple 类，其中 state.c 和
# state.h 分别对应了图 8-7 中的 c 状态和 h 状态。
# 和其他神经网络类似，在优化循环神经网络时，每次也会使用一个 batch 的训练样本。
# 以下代码中，batch_size 给出了一个 batch 的大小。
state = lstm.zero_state(batch_size, tf.float32)

# 定义损失函数。
```

```
loss = 0.0
# 虽然在测试时循环神经网络可以处理任意长度的序列，但是在训练中为了将循环网络展开成
# 前馈神经网络，我们需要知道训练数据的序列长度。在以下代码中，用 num_steps 来表示
# 这个长度。第 9 章将中介绍使用 dynamic_rnn 动态处理变长序列的方法。
for i in range(num_steps):
    # 在第一个时刻声明 LSTM 结构中使用的变量，在之后的时刻都需要复用之前定义好的变量。
    if i > 0: tf.get_variable_scope().reuse_variables()

    # 每一步处理时间序列中的一个时刻。将当前输入 current_input（图 8-7 中的 x_t）
    # 和前一时刻状态 state（h_{t-1} 和 c_{t-1}）传入定义的 LSTM 结构可以得到当前 LSTM
    # 的输出 lstm_output（h_t）和更新后状态 state（h_t 和 c_t）。lstm_output 用于输出给
    # 其他层，state 用于输出给下一时刻，它们在 dropout 等方面可以有不同的处理方式。
    lstm_output, state = lstm(current_input, state)
    # 将当前时刻 LSTM 结构的输出传入一个全连接层得到最后的输出。
    final_output = fully_connected(lstm_output)
    # 计算当前时刻输出的损失。
    loss += calc_loss(final_output, expected_output)
# 使用类似第 4 章中介绍的方法训练模型。
```

通过上面这段代码看出，通过 TensorFlow 可以非常方便地实现使用 LSTM 结构的循环神经网络，而且并不需要用户对 LSTM 内部结构有深入的了解。

8.3　循环神经网络的变种

在以上几节中已经完整地介绍了使用 LSTM 结构的循环神经网络。这一节将再介绍循环神经网络的几个常用变种以及它们所解决的问题，同时也会给出如何使用 TensorFlow 来实现这些变种。

8.3.1　双向循环神经网络和深层循环神经网络

在经典的循环神经网络中，状态的传输是从前往后单向的。然而，在有些问题中，当前时刻的输出不仅和之前的状态有关系，也和之后的状态相关。这时就需要使用双向循环神经网络（bidirectional RNN）来解决这类问题。例如预测一个语句中缺失的单词不仅需要根据前文来判断，也需要根据后面的内容，这时双向循环网络就可以发挥它的作用。双向循环神经网络是由两个独立的循环神经网络叠加在一起组成的。输出由这两个循环神经网络的输出拼接而成。图 8-8 展示了一个双向循环神经网络的结构图。

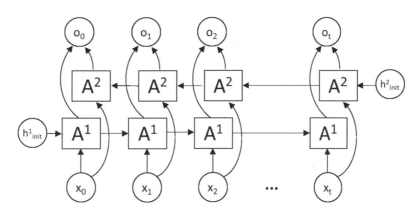

图 8-8　双向循环神经网络结构示意图

从图 8-8 中可以看到，双向循环神经网络的主体结构就是两个单向循环神经网络的结合。在每一个时刻 t，输入会同时提供给这两个方向相反的循环神经网络。两个网络独立进行计算，各自产生该时刻的新状态和输出，而双向循环网络的最终输出是这两个单向循环神经网络的输出的简单拼接。两个循环神经网络除方向不同以外，其余结构完全对称。每一层网络中的循环体可以自由选用任意结构，如前面介绍过的简单 RNN、LSTM 均作为双向循环网络的循环体。双向循环神经网络的前向传播过程和单向的循环神经网络十分类似，这里不再赘述。更多关于双向神经网络的介绍可以参考 Mike Schuster 和 Kuldip K. Paliwal 发表的论文 *Bidirectional recurrent neural networks*。[①]

深层循环神经网络（Deep RNN）是循环神经网络的另外一种变种。为了增强模型的表达能力，可以在网络中设置多个循环层，将每层循环网络的输出传给下一层进行处理。在图 8-2 描述的单层循环网络中，每一时刻的输入 x_t 到输出 o_t 之间只有一个全连接层，因此在 x_t 到 o_t 的路径上是一个很浅的神经网络，从输入中提取抽象信息的能力将受到限制。图 8-9 给出了深层循环神经网络的结构示意图。从图 8-9 中可以看到，在一个 L 层的深层循环网络中，每一时刻的输入 x_t 到输出 o_t 之间有 L 个循环体，网络因此可以从输入中抽取更加高层的信息。和卷积神经网络类似，每一层的循环体中参数是一致的，而不同层中的参数可以不同。为了更好地支持深层循环神经网络，TensorFlow 中提供了 MultiRNNCell 类来实现深层循环神经网络的前向传播过程。以下代码展示如何使用这个类。

---

① Schuster M, Paliwal K K. *Bidirectional recurrent neural networks*[J]. IEEE Transactions on Signal Processing, 1997.

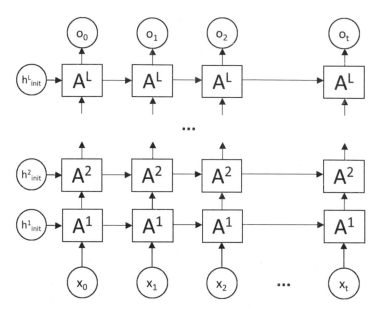

图 8-9　深层循环神经网络结构示意图 x_t

```
# 定义一个基本的 LSTM 结构作为循环体的基础结构。深层循环神经网络也支持使用其他的循环
# 体结构。
lstm_cell = tf.nn.rnn_cell.BasicLSTMCell
# 通过 MultiRNNCell 类实现深层循环神经网络中每一个时刻的前向传播过程。其中
# number_of_layers 表示有多少层，也就是图 8-9 中从 x_t 到 h_t 需要经过多少个 LSTM 结构。
# 注意从 TensorFlow 1.1 版本起，不能使用[lstm_cell(lstm_size)] * N 的形式来
# 初始化 MultiRNNCell，否则 TensorFlow 会在每一层之间共享参数。
stacked_lstm = tf.nn.rnn_cell.MultiRNNCell(
    [lstm_cell(lstm_size) for _ in range(number_of_layers)])

# 和经典的循环神经网络一样，可以通过 zero_state 函数来获取初始状态。
state = stacked_lstm.zero_state(batch_size, tf.float32)

# 和 8.2 节中给出的代码一样，计算每一时刻的前向传播结果。
for i in range(len(num_steps)):
    if i> 0: tf.get_variable_scope().reuse_variables()
    stacked_lstm_output, state = stacked_lstm(current_input, state)
    final_output = fully_connected(stacked_lstm_output)
    loss += calc_loss(final_output, expected_output)
```

从以上代码可以看到，在 TensorFlow 中只需要在 BasicLSTMCell 的基础上再封装一层
MultiRNNCell 就可以非常容易地实现深层循环神经网络了。

8.3.2　循环神经网络的 dropout

6.4 节介绍过在卷积神经网络上使用 dropout 的方法。通过 dropout，可以让卷积神经网络更加健壮（robust）。[①]类似的，在循环神经网络中使用 dropout 也有同样的功能。而且，类似卷积神经网络只在最后的全连接层中使用 dropout，循环神经网络一般只在不同层循环体结构之间使用 dropout，而不在同一层的循环体结构之间使用。也就是说从时刻 t-1 传递到时刻 t 时，循环神经网络不会进行状态的 dropout；而在同一个时刻 t 中，不同层循环体之间会使用 dropout。

图 8-9 展示了循环神经网络使用 dropout 的方法。假设要从 t-2 时刻的输入 $x_{t\text{-}2}$ 传递到 t+1 时刻的输出 y_{t+1}，那么 $x_{t\text{-}2}$ 将首先传入第一层循环体结构，这个过程会使用 dropout。但是从 t-2 时刻的第一层循环体结构传递到第一层的 t-1、t、t+1 时刻不会使用 dropout。在 t+1 时刻的第一层循环体结构传递到同一时刻内更高层的循环体结构时，会再次使用 dropout。

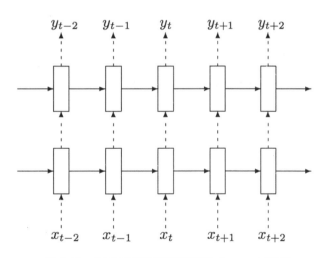

图 8-10　深层循环神经网络使用 dropout 示意图

（图中实线箭头表示不使用 dropout，虚线箭头表示使用 dropout）

在 Tensorflow 中，使用 tf.nn.rnn_cell.DropoutWrapper 类可以很容易实现 dropout 功能。以下代码展示了如何在 TensorFlow 中实现带 dropout 的循环神经网络。

```
# 定义 LSTM 结构。
lstm_cell = tf.nn.rnn_cell.BasicLSTMCell
```

① Zaremba W, Sutskever I, Vinyals O. *Recurrent Neural Network Regularization*[J]. Eprint Arxiv, 2014.

```
# 使用 DropoutWrapper 类来实现 dropout 功能。该类通过两个参数来控制 dropout 的概率，
# 一个参数为 input_keep_prob，它可以用来控制输入的 dropout 概率①；另一个为
# output_keep_prob，它可以用来控制输出的 dropout 概率。
# 在使用了 DropoutWrapper 的基础上定义 MultiRNNCell。
stacked_lstm = rnn_cell.MultiRNNCell(
    [tf.nn.rnn_cell.DropoutWrapper(lstm_cell(lstm_size))
     for _ in range(number_of_layers)])

# 和 8.3.1 节中深层循环网络样例程序类似，运行前向传播过程。
```

8.4　循环神经网络样例应用

在以上几节中已经介绍了不同循环神经网络的网络结构，并给出了具体的 TensorFlow 程序来实现这些循环神经网络的前向传播过程。这一节将以时序预测为例，利用循环神经网络实现对函数 $\sin x$ 取值的预测。图 8-11 给出了 sin 函数的函数图像。

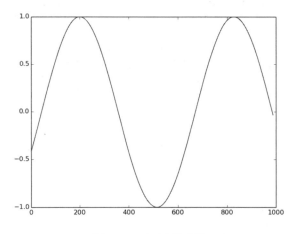

图 8-11　sin 函数曲线

下面的篇幅将给出具体的 TensorFlow 程序来实现预测正弦函数 sin。因为循环神经网络模型预测的是离散时刻的取值，所以在程序中需要将连续的 sin 函数曲线离散化。所谓离散化就是在一个给定的区间[0, MAX]内，通过有限个采样点模拟一个连续的曲线。比如在以下程序中每隔 SAMPLE_ITERVAL 对 sin 函数进行一次采样，采样得到的序列就是 sin 函数离散化之后的结果。以下程序为预测离散化之后的 sin 函数。

---

① 注意这里定义的实际上是节点被保留的概率。如果给出的数字为 0.9，那么只有 10%的节点会被 dropout。

```
# -*- coding: utf-8 -*-

import numpy as np
import tensorflow as tf

# 加载matplotlib工具包，使用该工具可以对预测的sin函数曲线进行绘图。
import matplotlib as mpl
mpl.use('Agg')
from matplotlib import pyplot as plt

HIDDEN_SIZE = 30                          # LSTM中隐藏节点的个数。
NUM_LAYERS = 2                            # LSTM的层数。

TIMESTEPS = 10                            # 循环神经网络的训练序列长度。
TRAINING_STEPS = 10000                    # 训练轮数。
BATCH_SIZE = 32                           # batch大小。

TRAINING_EXAMPLES = 10000                 # 训练数据个数。
TESTING_EXAMPLES = 1000                   # 测试数据个数。
SAMPLE_GAP = 0.01                         # 采样间隔。

def generate_data(seq):
    X = []
    y = []
    # 序列的第i项和后面的TIMESTEPS-1项在一起作为输入；第i + TIMESTEPS项作为输
    # 出。即用sin函数前面的TIMESTEPS个点的信息，预测第i+TIMESTEPS个点的函数值。
    for i in range(len(seq) - TIMESTEPS):
        X.append([seq[i: i + TIMESTEPS]])
        y.append([seq[i + TIMESTEPS]])
    return np.array(X, dtype=np.float32), np.array(y, dtype=np.float32)

def lstm_model(X, y, is_training):
    # 使用多层的LSTM结构。
    cell = tf.nn.rnn_cell.MultiRNNCell([
        tf.nn.rnn_cell.BasicLSTMCell(HIDDEN_SIZE)
        for _ in range(NUM_LAYERS)])

    # 使用TensorFlow接口将多层的LSTM结构连接成RNN网络并计算其前向传播结果。
    outputs, _ = tf.nn.dynamic_rnn(cell, X, dtype=tf.float32)
    # outputs是顶层LSTM在每一步的输出结果，它的维度是[batch_size, time,
    # HIDDEN_SIZE]。在本问题中只关注最后一个时刻的输出结果。
    output = outputs[:, -1, :]

    # 对LSTM网络的输出再做加一层全链接层并计算损失。注意这里默认的损失为平均
```

```
    # 平方差损失函数。
    predictions = tf.contrib.layers.fully_connected(
        output, 1, activation_fn=None)

    # 只在训练时计算损失函数和优化步骤。测试时直接返回预测结果。
    if not is_training:
        return predictions, None, None

    # 计算损失函数。
    loss = tf.losses.mean_squared_error(labels=y, predictions=predictions)

    # 创建模型优化器并得到优化步骤。
    train_op = tf.contrib.layers.optimize_loss(
        loss, tf.train.get_global_step(),
        optimizer="Adagrad", learning_rate=0.1)
    return predictions, loss, train_op


def train(sess, train_X, train_y):
    # 将训练数据以数据集的方式提供给计算图。
    ds = tf.data.Dataset.from_tensor_slices((train_X, train_y))
    ds = ds.repeat().shuffle(1000).batch(BATCH_SIZE)
    X, y = ds.make_one_shot_iterator().get_next()

    # 调用模型，得到预测结果、损失函数，和训练操作。
    with tf.variable_scope("model"):
        predictions, loss, train_op = lstm_model(X, y, True)

    # 初始化变量。
    sess.run(tf.global_variables_initializer())
    for i in range(TRAINING_STEPS):
        _, l = sess.run([train_op, loss])
        if i % 100 == 0:
            print("train step: " + str(i) + ", loss: " + str(l))

def run_eval(sess, test_X, test_y):
    # 将测试数据以数据集的方式提供给计算图。
    ds = tf.data.Dataset.from_tensor_slices((test_X, test_y))
    ds = ds.batch(1)
    X, y = ds.make_one_shot_iterator().get_next()

    # 调用模型得到计算结果。这里不需要输入真实的 y 值
    with tf.variable_scope("model", reuse=True):
        prediction, _, _ = lstm_model(X, [0.0], False)
```

```
    # 将预测结果存入一个数组。
    predictions = []
    labels = []
    for i in range(TESTING_EXAMPLES):
        p, l = sess.run([prediction, y])
        predictions.append(p)
        labels.append(l)

    # 计算 rmse 作为评价指标。
    predictions = np.array(predictions).squeeze()
    labels = np.array(labels).squeeze()
    rmse = np.sqrt(((predictions - labels) ** 2).mean(axis=0))
    print ("Mean Square Error is: %f" % rmse)

    #对预测的 sin 函数曲线进行绘图，得到的结果如图 8-12 所示。
    plt.figure()
    plt.plot(predictions, label='predictions')
    plt.plot(labels, label='real_sin')
    plt.legend()
    plt.show()

# 用正弦函数生成训练和测试数据集合。
# numpy.linspace 函数可以创建一个等差序列的数组，它常用的参数有三个参数，第一个参数
# 表示起始值，第二个参数表示终止值，第三个参数表示数列的长度。例如，linspace(1,10,10)
# 产生的数组是 arrray([1,2,3,4,5,6,7,8,9,10])。
test_start = (TRAINING_EXAMPLES + TIMESTEPS)* SAMPLE_GAP
test_end = test_start+(TESTING_EXAMPLES + TIMESTEPS) * SAMPLE_GAP
train_X, train_y = generate_data(np.sin(np.linspace(
    0, test_start, TRAINING_EXAMPLES + TIMESTEPS, dtype=np.float32)))
test_X, test_y = generate_data(np.sin(np.linspace(
    test_start, test_end, TESTING_EXAMPLES + TIMESTEPS, dtype=np.float32)))

with tf.Session() as sess:
    # 训练模型。
    train(sess, train_X, train_y)
    # 使用训练好的模型对测试数据进行预测。
    run_eval(sess, test_X, test_y)

'''
运行以上程序可以得到输出：
train step: 0, loss: 0.444037
train step: 100, loss: 0.00600867
train step: 200, loss: 0.00496772
```

```
train step: 300, loss: 0.00326087
...
train step: 9900, loss: 3.15211e-06
Root Mean Square Error is: 0.001906
从输出可以看出通过循环神经网络可以非常精确的预测正弦函数 sin 的取值。
'''
```

从图 8-12 中可以看出，预测得到的结果和真实的 sin 函数几乎是重合的。也就是说通过循环神经网络可以非常好地预测 sin 函数的取值。

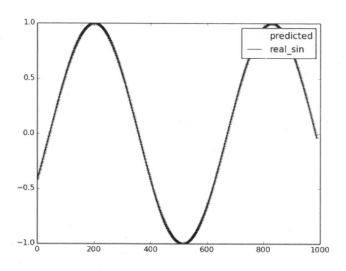

图 8-12　通过循环神经网络预测 sin 函数得到的结果

小结

本章介绍了循环神经网络的基本架构，同时介绍了循环神经网络中最常用的 LSTM 结构。本章也给出了具体的样例来介绍如何将循环神经网络应用于实际问题之中。首先，8.1 节中讲解了什么是循环神经网络。循环神经网络是在序列的时间轴上重复使用循环模块所得到的网络结构。在训练时，循环神经网络展开成前馈神经网络，而在测试时则循环地将上一步的输出作为下一步的输入来获取新的输出。然后，8.2 节中介绍循环神经网络中使用最为广泛的 LSTM 结构。LSTM 结构通过"门"结构来控制记忆的读写，较好地解决了序列模型中的长期依赖问题。本节提供了具体的 TensorFlow 样例程序实现了使用 LSTM 结构的循环神经网络。接着，8.3 节中介绍了 LSTM 结构的一些主流变种，包括双向循环神经网络、深层循环神经网络等。最后，8.4 节中介绍了如何通过 LSTM 实现时序预测问题。

第 9 章　自然语言处理

上一章讲解了循环神经网络的基本知识，这一章将继续利用循环神经网络来搭建自然语言处理方面的一些经典应用，如语言模型、机器翻译等。

在自然语言处理研究的早期，人们试图整理出关于自然语言的语法，并根据这些语法去理解和生成句子。然而，现实中使用的自然语言总是过于复杂，人们为了沟通方便，使用句子时常常不拘泥于固定的语法，每个单词的含义在不同语境下也有多种变化。从 20 世纪 80 年代起，随着硬件计算能力的增强和大型语料库的出现，使用统计方法对语言进行概率建模的方式开始变成主流。从 2010 年起，基于循环神经网络的方法在许多自然语言处理的问题上超越了传统的统计模型，在学术界和工业界都得到广泛应用。

这一章将具体介绍如何使用深度学习方法解决自然语言处理问题。9.1 节将介绍语言模型的基本概念。9.2 节将介绍基于循环神经网络的语言模型，以及语言模型中单词向量（embedding）的概念。9.2 节还将以 PTB 数据集为例介绍对文本数据进行预处理的步骤。9.3 节将介绍机器翻译的 seq2seq 模型和注意力（attention）机制，并使用公开数据集搭建一个英中翻译模型。

9.1　语言模型的背景知识

语言模型是自然语言处理问题中一类最基本的问题，它有着非常广泛的应用，也是理解后文中更加复杂的自然语言处理问题的基础。9.1.1 小节将首先介绍语言模型的基本概念。然后 9.1.2 小节将介绍评价语言模型好坏的标准，并给出了使用 TensorFlow 实现该损失函数的具体代码。

9.1.1　语言模型简介

假设一门语言中所有可能的句子服从某一个概率分布，每个句子出现的概率加起来为

1，那么"语言模型"的任务就是预测每个句子在语言中出现的概率。对于语言中常见的句子，一个好的语言模型应得出相对较高的概率；而对于不合语法的句子，计算出的概率则应接近于零。把句子看成单词的序列，语言模型可以表示为一个计算 $p(w_1,w_2,w_3,...,w_m)$ 的模型。语言模型仅仅对句子出现的概率进行建模，并不尝试去"理解"句子的内容含义。比如说，语言模型能告诉我们什么样的句子是常用句子，但无法告诉我们两句话的意思是否相似或者相反。

语言模型有很多应用。很多生成自然语言文本的应用都依赖语言模型来优化输出文本的流畅性。生成的句子在语言模型中的概率越高，说明其越有可能是一个流畅、自然的句子。例如在输入法中，假设输入的拼音串为"xianzaiquna"，输出可能是"西安在去哪"，也可能是"现在去哪"，这时输入法就利用语言模型比较两个输出的概率，得出"现在去哪"更有可能是用户所需要的输出。在统计机器翻译的噪声信道模型（Noisy Channel Model）中，每个候选翻译的概率由一个翻译模型和一个语言模型共同决定，其中的语言模型就起到了在目标语言中挑选较为合理的句子的作用。在 9.3 小节中将看到，神经网络机器翻译的 Seq2Seq 模型可以看作是一个条件语言模型（Conditional Language Model），它相当于是在给定输入的情况下对目标语言的所有句子估算概率，并选择其中概率最大的句子作为输出。

那么如何计算一个句子的概率呢？首先一个句子可以被看成是一个单词序列：

$$S = (w_1, w_2, w_3, w_4, \cdots, w_m)$$

其中 m 为句子的长度。那么，它的概率可以表示为：

$$p(S) = p(w_1, w_2, w_3, w_4, \cdots, w_m)$$
$$= p(w_1)p(w_2|w_1)p(w_3|w_1,w_2)\cdots p(w_m|w_1,w_2,w_3,\cdots,w_{m-1})$$

$p(w_m|w_1,w_2,w_3,\cdots,w_{m-1})$ 表示，已知前 m-1 个单词时，第 m 个单词为 w_m 的条件概率。如果能对这一项建模，那么只要把每个位置的条件概率相乘，就能计算一个句子出现的概率。然而一般来说，任何一门语言的词汇量都很大，词汇的组合更是不计其数。假设一门语言的词汇量为 V，如果要将 $p(w_m|w_1,w_2,w_3,\cdots,w_{m-1})$ 的所有参数保存在一个模型里，将需要 V^m 个参数，一般的句子长度远远超出了实际可行的范围。为了估计这些参数的取值，常见的方法有 n-gram 模型、决策树、最大熵模型、条件随机场、神经网络语言模型等。这里先以其中最简单的 n-gram 模型来介绍语言模型问题。为了控制参数数量，n-gram 模型做了一个有限历史假设：当前单词的出现概率仅仅与前面的 n-1 个单词相关，因此以上公式可以近似为：

$$p(S) = p(w_1, w_2, w_3, \cdots, w_m) = \prod_i^m p(w_i|w_{i-n+1}, \cdots, w_{i-1})$$

n-gram 模型里的 n 指的是当前单词依赖它前面的单词的个数。通常 n 可以取 1、2、3、4，其中 n 取 1、2、3 时分别称为 unigram、bigram 和 trigram。n-gram 模型中需要估计的参数为条件概率 $p(w_i|w_{i-n+1},\cdots,w_{i-1})$。假设某种语言的单词表大小为 V，那么 n-gram 模型需要估计的不同参数数量为 $O(V^n)$ 量级。当 n 越大时，n-gram 模型在理论上越准确，但也越

复杂，需要的计算量和训练语料数据量也就越大，因此 n 取≥4 的情况非常少。

n-gram 模型的参数一般采用最大似然估计（Maximum Likelihood Estimation，MLE）方法计算：

$$p(w_i|w_{i-n+1},\cdots,w_{i-1}) = \frac{C(w_{i-n+1},\cdots,w_{i-1},w_i)}{C(w_{i-n+1},\cdots,w_{i-1})}$$

其中 $C(X)$ 表示单词序列 X 在训练语料中出现的次数。训练语料的规模越大，参数估计的结果越可靠。但即使训练数据的规模非常大时，还是有很多单词序列在训练语料中不会出现，这就会导致很多参数为 0。举例来说，IBM 使用了 366M 英语语料训练 trigram，发现 14.7%的 trigram 和 2.2%的 bigram 在训练中没有出现。为了避免因为乘以 0 而导致整个句概率为 0，使用最大似然估计方法时需要加入平滑避免参数取值为 0。使用 n-gram 建立语言模型的细节不再详细介绍，感兴趣的读者推荐阅读 Michael Collins 的讲义[①]。

9.1.2　语言模型的评价方法

语言模型效果好坏的常用评价指标是复杂度（perplexity）。在一个测试集上得到的 perplexity 越低，说明建模的效果越好。计算 perplexity 值的公式如下：

$$perplexity(S) = p(w_1,w_2,w_3,\cdots,w_m)^{-1/m}$$
$$= \sqrt[m]{\frac{1}{p(w_1,w_2,w_3,\cdots,w_m)}}$$
$$= \sqrt[m]{\prod_{i=1}^{m}\frac{1}{p(w_i|w_1,\cdots,w_{i-1})}}$$

简单来说，perplexity 值刻画的是语言模型预测一个语言样本的能力。比如已经知道 $(w_1,w_2,w_3,\cdots,w_m)$ 这句话会出现在语料库之中，那么通过语言模型计算得到的这句话的概率越高，说明语言模型对这个语料库拟合得越好。

从上面的定义中可以看出，perplexity 实际是计算每一个单词得到的概率倒数的几何平均，因此 perplexity 可以理解为平均分支系数（average branching factor），即模型预测下一个词时的平均可选择数量。例如，考虑一个由 0~9 这 10 个数字随机组成的长度为 m 的序列，由于这 10 个数字出现的概率是随机的，所以每个数字出现的概率是 $\frac{1}{10}$。因此，在任意时刻，模型都有 10 个等概率的候选答案可以选择，于是 perplexity 就是 10（有 10 个合理的答案）。perplexity 的计算过程如下：

① http://www.cs.columbia.edu/~mcollins/lm-spring2013.pdf

$$perplexity(S) = \sqrt[m]{\prod_{i=1}^{m} \frac{1}{\left(\frac{1}{10}\right)}} = 10$$

目前在 PTB（Penn Tree Bank）数据集上最好的语言模型 perplexity 为 47.7[①]，也就是说，平均情况下，该模型预测下一个词时，有 47.7 个词等可能地可以作为下一个词的合理选择。

在语言模型的训练中，通常采用 perplexity 的对数表达形式：

$$\log(perplexity(S)) = -\frac{1}{m} \sum_{i=1}^{m} \log p(w_i | w_1, \cdots, w_{i-1})$$

相比乘积求平方根的方式，使用加法的形式可以加速计算，同时避免概率乘积数值过小而导致浮点数向下溢出的问题。

在数学上，log perplexity 可以看成真实分布与预测分布之间的交叉熵（Cross Entropy）。交叉熵描述了两个概率分布之间的一种距离。假设 x 是一个离散变量，$u(x)$ 和 $v(x)$ 是两个与 x 相关的概率分布，那么 u 和 v 之间交叉熵的定义是在分布 u 下-log($v(x)$)的期望值：

$$H(u, v) = E_u[-\log v(x)] = -\sum_x u(x) \log v(x)$$

把 x 看作单词，$u(x)$ 为每个位置上单词的真实分布，$v(x)$ 为模型的预测分布 $p(w_i | w_1, \cdots, w_{i-1})$，就可以看出 log perplexity 和交叉熵是等价的。唯一的区别在于，由于语言的真实分布是未知的，因此在 log perplexity 的定义中，真实分布用测试语料中的取样代替，即认为在给定上文 $w_1, w_2, \cdots, w_{i-1}$ 的条件下，语料中出现单词 w_i 的概率为 1，出现其他单词的概率均为 0。

$$u(x | w_1, \cdots, w_{i-1}) = \begin{cases} 1, & x = w_i \\ 0, & x \neq w_i \end{cases}$$

$$\begin{aligned} H(u, v) &= -\sum_x u(x) \log v(x) \\ &= -\frac{1}{m} \sum_{i=1}^{m} \left(\sum_x u(x | w_1, \cdots, w_{i-1}) \log p(x | w_1, \cdots, w_{i-1}) \right) \\ &= -\frac{1}{m} \sum_{i=1}^{m} \left(1.0 \times \log p(w_i | w_1, \cdots, w_{i-1}) \right. \\ &\qquad \left. + \sum_{x \neq w_i} 0.0 \times \log p(x | w_1, \cdots, w_{i-1}) \right) \\ &= -\frac{1}{m} \sum_{i=1}^{m} \log p(w_i | w_1, \cdots, w_{i-1}) \\ &= \log(perplexity(S)) \end{aligned}$$

[①] 该结果来自论文 Breaking the Softmax Bottleneck: A High-Rank RNN Language Model (Yang et al 2017, https://arxiv.org/abs/1711.03953)。

在神经网络模型中，$p(w_i|w_1,\cdots,w_{i-1})$分布通常是由一个 softmax 层产生的，这时 TensorFlow 中提供了两个方便计算交叉熵的函数：tf.nn.softmax_cross_entropy_with_logits 和 tf.nn.sparse_softmax_cross_entropy_with_logits。两个函数之间的区别可以看下面的例子。

```
# 假设词汇表的大小为 3，语料包含两个单词"2 0"
word_labels = tf.constant([2, 0])

# 假设模型对两个单词预测时，产生的 logit 分别是[2.0, -1.0, 3.0]和[1.0, 0.0, -0.5]
# 注意这里的 logit 不是概率，因此它们不是 0.0~1.0 范围之间的数字。如果需要计算概率，
# 则需要调用 prob=tf.nn.softmax(logits)。但这里计算交叉熵的函数直接输入 logits
# 即可。
predict_logits = tf.constant([[2.0, -1.0, 3.0], [1.0, 0.0, -0.5]])

# 使用 sparse_softmax_cross_entropy_with_logits 计算交叉熵。
loss = tf.nn.sparse_softmax_cross_entropy_with_logits(
    labels=word_labels, logits=predict_logits)

# 运行程序，计算 loss 的结果是[0.32656264, 0.46436879]，这对应两个预测的
# perplexity 损失。
sess = tf.Session()
sess.run(loss)

# softmax_cross_entropy_with_logits 与上面的函数相似，但是需要将预测目标以
# 概率分布的形式给出。
word_prob_distribution = tf.constant([[0.0, 0.0, 1.0], [1.0, 0.0, 0.0]])
loss = tf.nn.softmax_cross_entropy_with_logits(
    labels=word_prob_distribution, logits=predict_logits)
# 运行结果与上面相同：[ 0.32656264, 0.46436879]
sess.run(loss)

# 由于 softmax_cross_entropy_with_logits 允许提供一个概率分布，因此在使用时有更大
# 的自由度。举个例子，一种叫 label smoothing 的技巧是将正确数据的概率设为一个比 1.0
# 略小的值，将错误数据的概率设为比 0.0 略大的值，这样可以避免模型与数据过拟合，在某些时
# 候可以提高训练效果。
word_prob_smooth = tf.constant([[0.01, 0.01, 0.98], [0.98, 0.01, 0.01]])
loss = tf.nn.softmax_cross_entropy_with_logits(
    labels=word_prob_smooth, logits=predict_logits)
# 运行结果为[ 0.37656265, 0.48936883]
sess.run(loss)
```

9.2 神经语言模型

上一节中曾提到，*n*-gram 模型为了控制参数数量，需要将上下文信息控制在几个单词以内。也就是说，在预测下个单词时，*n*-gram 模型只能考虑前 *n* 个单词的信息（通常 *n*≤4），这就对语言模型的能力造成了很大的限制。与之相比，循环神经网络可以将任意长度的上文信息存储在隐藏状态中[①]，因此使用循环神经网络作为语言模型有着天然的优势。

考虑如图 9-1 所示的循环神经网络，每个时刻的输入为一个句子中的单词 w_i，而每个时刻的输出为一个概率分布，表示句子中下一个位置为不同单词的概率 $p(w_{i+1}|w_1,w_2,w_3,\cdots,w_i)$。比如在图 9-1 中，第一个时刻输入的单词为"大海"，而输出为 $p(x|$"大海"$)$，即知道第一个词为"大海"后，其他不同单词出现在下一个位置的概率。若 $p($"的"$|$"大海"$)=0.8$，则"大海"之后的单词为"的"出现的概率为 0.8。

类似地，通过循环神经网络可以求得概率 $p($"颜色"$|$"大海"，"的"$)$、$p($"是"$|$"大海"，"的"，"颜色"$)$、$p($"蓝色"$|$"大海"，"的"，"颜色"，"是"$)$。将每个位置上的概率取对数再平均起来，就可以得到在这个句子上计算的 log perplexity。

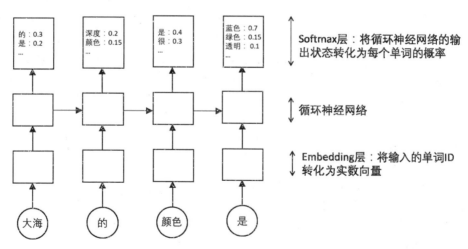

图 9-1　使用循环神经网络实现自然语言建模示意图

本节将给出在 PTB 数据上使用循环神经网络建立语言模型的具体样例。和之前章节中

---

① 当然，由于隐藏状态的维度有限，它并不能真的存储"所有"的上文信息。通常来说，距离越远的上文对下一个单词的影响越小，因此存储"所有"信息也并非必要。根据论文 N-gram Language Modeling using Recurrent Neural Network Estimation (Cheiba et al 2017)，在神经语言模型中保留 13 个单词的上文信息大致可以取得与保留所有上文信息相同的效果。

介绍的图像数据不同，自然语言文本数据无法直接被当成数值提供给神经网络，所以 9.2.1 小节将先介绍如何对本文数据进行预处理，从而使得它能作为神经网络的输入。接着 9.2.2 小节将介绍如何对处理后的文本数据进行更加有效的 batching 来提升计算效率。最后 9.2.3 小节将给出完整的代码来实现通过循环神经网络对自然语言进行建模。

9.2.1 PTB 数据集的预处理

PTB（Penn Treebank Dataset）文本数据集是目前语言模型学习中使用最为广泛的数据集。本小节将以 PTB 为例，介绍对自然语言数据进行预处理的方法。虽然这一小节的内容与深度学习和 TensorFlow 并不直接相关，但正确理解数据的预处理对于理解后面的内容和工程实践都是非常必要的。

首先，需要下载来源于 Tomas Mikolov 网站上的 PTB 数据。数据的下载地址为：

```
http://www.fit.vutbr.cz/~imikolov/rnnlm/simple-examples.tgz
```

将下载下来的文件解压之后可以得到如下文件夹列表：

```
1-train/
2-nbest-rescore/
3-combination/
4-data-generation/
5-one-iter/
6-recovery-during-training/
7-dynamic-evaluation/
8-direct/
9-char-based-lm/
data/
models/
rnnlm-0.2b/
```

本书中只需要关心 data 文件夹下的三个文件：

```
ptb.test.txt     # 测试集数据文件
ptb.train.txt    # 训练集数据文件
ptb.valid.txt    # 验证集数据文件
```

这三个数据文件中的数据已经过预处理，相邻单词之间用空格隔开。数据集中共包含了 9998 个不同的单词词汇，加上稀有词语的特殊符号<unk>和语句结束标记符（在文本中就是换行符）在内，一共是 10000 个词汇。在使用 perplexity 比较不同的语言模型时，文本的预处理和词汇表必须保持一致。举个例子，如果一个语言模型将"don't"视为一个单词，而另一个语言模型在预处理时将其拆为"don"和"'t"两个单词，那么这两个语言模型得到的 perplexity 值就是不可比较的。近年来关于语言模型方面的论文大多采用了 Mikolov 提供的这一预处理后的数据版本，由此保证了论文之间具有可比性。

下面展示了训练数据中的一行：

```
mr. <unk> is chairman of <unk> n.v. the dutch publishing group
```

为了将文本转化为模型可以读入的单词序列，需要将这 10000 个不同的词汇分别映射到 0~9999 之间的整数编号。下面的辅助程序首先按照词频顺序为每个词汇分配一个编号，然后将词汇表保存到一个独立的 vocab 文件中。

```python
import codecs
import collections
from operator import itemgetter

RAW_DATA = "/path/to/data/ptb.train.txt"    # 训练集数据文件
VOCAB_OUTPUT = "ptb.vocab"                   # 输出的词汇表文件

counter = collections.Counter()             # 统计单词出现频率
with codecs.open(RAW_DATA, "r", "utf-8") as f:
    for line in f:
        for word in line.strip().split():
            counter[word] += 1

# 按词频顺序对单词进行排序。
sorted_word_to_cnt = sorted(counter.items(),
                            key=itemgetter(1),
                            reverse=True)
sorted_words = [x[0] for x in sorted_word_to_cnt]

# 稍后我们需要在文本换行处加入句子结束符"<eos>"，这里预先将其加入词汇表。
sorted_words = ["<eos>"] + sorted_words
# 在 9.3.2 小节处理机器翻译数据时，除了"<eos>"，还需要将"<unk>"和句子起始符"<sos>"
# 加入词汇表，并从词汇表中删除低频词汇。在 PTB 数据中，因为输入数据已经将低频词汇替换
# 成了"<unk>"，因此不需要这一步骤。
# sorted_words = ["<unk>", "<sos>", "<eos>"] + sorted_words
# if len(sorted_words) > 10000:
#     sorted_words = sorted_words[:10000]

with codecs.open(VOCAB_OUTPUT, 'w', 'utf-8') as file_output:
    for word in sorted_words:
        file_output.write(word + "\n")
```

下面展示了以上程序统计输出的词汇文件的前几行。从结果中可以看出，这些单词都是使用频率非常高的。

```
<eos>
the
<unk>
N
of
to
a
```

在确定了词汇表之后，再将训练文件、测试文件等都根据词汇文件转化为单词编号。每个单词的编号就是它在词汇文件中的行号。

```
import codecs
import sys

RAW_DATA = "/path/to/data/ptb.train.txt"    # 原始的训练集数据文件
VOCAB = "ptb.vocab"                          # 上面生成的词汇表文件
OUTPUT_DATA = "ptb.train"                    # 将单词替换为单词编号后的输出文件

# 读取词汇表，并建立词汇到单词编号的映射。
with codecs.open(input_vocab_file, "r", "utf-8") as f_vocab:
    vocab = [w.strip() for w in f_vocab.readlines()]
word_to_id = {k: v for (k, v) in zip(vocab, range(len(vocab)))}

# 如果出现了被删除的低频词，则替换为"<unk>"。
def get_id(word):
    return word_to_id[word] if word in word_to_id else word_to_id["<unk>"]

fin = codecs.open(RAW_DATA, "r", "utf-8")
fout = codecs.open(OUTPUT_DATA, 'w', 'utf-8')
for line in fin:
    words = line.strip().split() + ["<eos>"]  # 读取单词并添加<eos>结束符
    # 将每个单词替换为词汇表中的编号
    out_line = ' '.join([str(get_id(w)) for w in words]) + '\n'
    fout.write(out_line)
fin.close()
fout.close()
```

经过上面的处理，"mr. <unk> is chairman of <unk> n.v. the dutch publishing group"被替换成了如下内容：

```
23 2 13 142 4 1 5459 1 3106 1583 96 0
```

这个例子中简单地使用了文本文件来保存经过处理的数据。在实际工程中，通常使用TFRecords 格式来提高读写效率。虽然预处理原则上可以放在 TensorFlow 的 Dataset 框架中与读取文本同时进行，但在工程实践上，保存处理好的数据有几个重要的优点：第一，在调试模型的过程中，可以保证不同模型采取的预处理步骤相同；第二，减小文件体积，节省磁盘读取的时间；第三，方便对预处理步骤本身进行 debug，例如在模型训练效果不理想时，只需检查最终的数据文件就可以知道是不是预处理过程出了问题。

9.2.2　PTB 数据的 batching 方法

在文本数据中，由于每个句子的长度不同，又无法像图像一样调整到固定维度，因此在对文本数据进行 batching 时需要采取一些特殊操作。最常见的办法是使用填充（padding）将同一 batch 内的句子长度补齐。这个方法会在 9.3.2 小节中做详细介绍。在 PTB 数据集中，每个句子并非随机抽取的文本，而是在上下文之间有关联的内容。语言模型为了利用上下文信息，必须将前面句子的信息传递到后面的句子。为了实现这个目标，在 PTB 上下文有关联的数据集上，通常采用另一种 batching 方法。

如果模型大小没有限制，那最理想的设计是将整个文档前后连接起来，当作一个句子来训练，如图 9-2 所示。

| A₁ | A₂ | A₃ | B₁ | B₂ | C₁ | C₂ | C₃ | C₄ | D₁ | D₂ | D₃ | ... |

图 9-2　将整个文档前后连接的示意图

"A₁A₂A₃""B₁B₂""C₁C₂C₃C₄""D₁D₂D₃"等分别代表一个句子。

（图中省略了句子结束符"<eos>"）

但现实中这是无法实现的。例如 PTB 数据总共约有 19 万词，若将整个文档放入一个计算图，循环神经网络将展开成一个 19 万层的前馈网络。这样会导致计算图过大，另外序列过长可能造成训练中梯度爆炸的问题。[①] 对此问题的解决方法是，将长序列切割为固定长度的子序列。循环神经网络在处理完一个子序列后，它最终的隐藏状态将复制到下一个序列中作为初始值，这样在前向计算时，效果等同于一次性顺序地读取了整个文档；而在反向传播时，梯度则只在每个子序列内部传播。

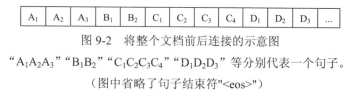

图 9-3　按固定长度切分文档的示意图

图 9-3 展示了在没有 batching 时切分文档的方法。为了利用计算时的并行能力，我们希望每一次计算可以对多个句子进行并行处理，同时又要尽量保证 batch 之间的上下文连续。解决方案是，先将整个文档切分成若干连续段落，再让 batch 中的每一个位置负责其

---

① 关于梯度爆炸的问题见 8.1 小节。

中一段。例如，如果 batch 大小是 4，则先将整个文档平均分成 4 个子序列，让 batch 中的每一个位置负责其中一个子序列，这样每个子文档内部的所有数据仍可以被顺序处理。

下面的代码从文本文件中读取数据，并按上面介绍的方案将数据整理成 batch。由于 PTB 数据集比较小，因此可以直接将整个数据集一次性读入内存。

```python
import numpy as np
import tensorflow as tf

TRAIN_DATA = "/path/to/ptb.train"   # 使用单词编号表示的训练数据
TRAIN_BATCH_SIZE = 20
TRAIN_NUM_STEP = 35

# 从文件中读取数据，并返回包含单词编号的数组。
def read_data(file_path):
    with open(file_path, "r") as fin:
        # 将整个文档读进一个长字符串。
        id_string = ' '.join([line.strip() for line in fin.readlines()])
    id_list = [int(w) for w in id_string.split()]  # 将读取的单词编号转为整数
    return id_list


def make_batches(id_list, batch_size, num_step):
    # 计算总的 batch 数量。每个 batch 包含的单词数量是 batch_size * num_step。
    num_batches = (len(id_list) - 1) // (batch_size * num_step)

    # 如 9-4 图所示，将数据整理成一个维度为[batch_size, num_batches * num_step]
    # 的二维数组。
    data = np.array(id_list[: num_batches * batch_size * num_step])
    data = np.reshape(data, [batch_size, num_batches * num_step])
    # 沿着第二个维度将数据切分成 num_batches 个 batch，存入一个数组。
    data_batches = np.split(data, num_batches, axis=1)

    # 重复上述操作，但是每个位置向右移动一位。这里得到的是 RNN 每一步输出所需要预测的
    # 下一个单词。
    label = np.array(id_list[1 : num_batches * batch_size * num_step + 1])
    label = np.reshape(label, [batch_size, num_batches * num_step])
    label_batches = np.split(label, num_batches, axis=1)
    # 返回一个长度为 num_batches 的数组,其中每一项包括一个data矩阵和一个label矩阵。
    return list(zip(data_batches, label_batches))


def main():
    train_batches = make_batches(read_data(TRAIN_DATA),
                                 TRAIN_BATCH_SIZE, TRAIN_NUM_STEP)
    # 在这里插入模型训练的代码。训练代码将在下一小节详细介绍。
    ...
```

```
if __name__ == "__main__":
    main()
```

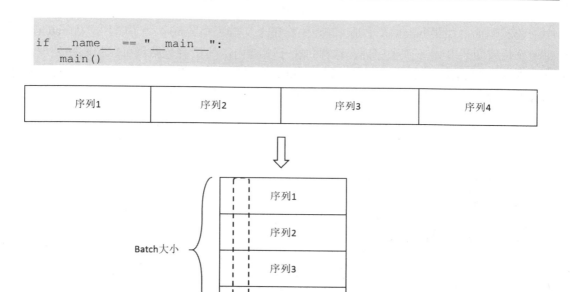

图 9-4　将一个长序列分成 batch 并截断的操作示意图

9.2.3　基于循环神经网络的神经语言模型

在介绍了语言模型的理论和使用到的数据集之后，下面介绍神经语言模型的结构。在图 9-1 中可以看到，与第 8 章介绍的循环神经网络相比，NLP 应用中主要多了两个层：词向量层（embedding）和 softmax 层。下面对这两个层分别进行介绍。

词向量层

在输入层，每一个单词用一个实数向量表示，这个向量被称为"词向量"（word embedding，也可翻译为"词嵌入"）。词向量可以形象地理解为将词汇表嵌入到一个固定维度的实数空间里。将单词编号转化为词向量主要有两大作用。

1. 降低输入的维度。如果不使用词向量层，而直接将单词以 one-hot vector 的形式输入循环神经网络，那么输入的维度大小将与词汇表大小相同，通常在 10000 以上。而词向量的维度通常在 200~1000 之间，这将大大减少循环神经网络的参数数量与计算量。

2. 增加语义信息。简单的单词编号是不包含任何语义信息的。两个单词之间编号相近，并不意味着它们的含义有任何关联。而词向量层将稀疏的编号转化为稠密的向量表示，这使得词向量有可能包含更为丰富的信息。在自然语言应用中学习得到的词向量通常会将含义相似的词赋予取值相近的词向量值，使得上层的网络可以更容易地抓住相似单词之间的共性。举例来说，因为猫和狗都需要吃东西，因此在预测下文中出现单词"吃"的概率时，上文中出现"猫"或者"狗"带来的影响可能是相似的。在这样的任务训练出来的词向量中，代表"猫"和"狗"的词向量取值很可能是相近的。

假设词向量的维度是 EMB_SIZE，词汇表的大小为 VOCAB_SIZE，那么所有单词的词向量可以放入一个大小为 VOCAB_SIZE × EMB_SIZE 的矩阵内。在读取词向量时，可以调用 tf.nn.embedding_lookup 方法。

```
embedding = tf.get_variable("embedding", [VOCAB_SIZE, EMB_SIZE])

# 输出的矩阵比输入数据多一个维度，新增维度的大小是 EMB_SIZE。在语言模型中，一般
# input_data 的维度是 batch_size × num_steps，而输出的 input_embedding 的维度是
# batch_size × num_steps × EMB_SIZE。
input_embedding = tf.nn.embedding_lookup(embedding, input_data)
```

Softmax 层

Softmax 层的作用是将循环神经网络的输出转化为一个单词表中每个单词的输出概率。为此需要有两个步骤：

第一，使用一个线性映射将循环神经网络的输出映射为一个维度与词汇表大小相同的向量。这一步的输出叫作 logits。

```
# 定义线性映射用到的参数。
# HIDDEN_SIZE 是循环神经网络的隐藏状态维度，VOCAB_SIZE 是词汇表的大小。
weight = tf.get_variable("weight", [HIDDEN_SIZE, VOCAB_SIZE])
bias = tf.get_variable("bias", [VOCAB_SIZE])
# 计算线性映射。
# output 是 RNN 的输出，其维度为[batch_size * num_steps, HIDDEN_SIZE]
logits = tf.nn.bias_add(tf.matmul(output, weight), bias)
```

第二，调用 softmax 方法将 logits 转化为加和为 1 的概率。softmax 在 4.2.1 小节中已经在分类问题中介绍过。事实上，语言模型的每一步输出都可以看作一个分类问题：在 VOCAB_SIZE 个可能的类别中决定这一步最可能输出的单词。

```
# probs 的维度与 logits 的维度相同。
probs = tf.nn.softmax(logits)
```

模型训练通常并不关心概率的具体取值，而更关心最终的 log perplexity，因此可以调用 tf.nn.sparse_softmax_cross_entropy_with_logits 方法直接从 logits 计算 log perplexity 作为损失函数：

```
# labels 是一个大小为[batch_size * num_steps]的一维数组，它包含每个位置正确的
```

```
# 单词编号。
# logits 的维度是[batch_size * num_steps, HIDDEN_SIZE]
# loss 的维度与 labels 相同，代表每个位置上的 log perplexity。
loss = tf.nn.sparse_softmax_cross_entropy_with_logits(
    labels=tf.reshape(self.targets, [-1]), logits=logits)
```

通过共享参数减少参数数量

Softmax 层和词向量层的参数数量都与词汇表大小 VOCAB_SIZE 成正比。由于 VOCAB_SIZE 的数值通常较大，而 HIDDEN_SIZE 相对较小，导致 softmax 和 embdding 在整个网络的参数数量中占有很大比例。举个例子，假如 VOCAB_SIZE 为 10000，HIDDEN_SIZE 和 EMB_SIZE 都是 512，循环神经网络采用双层 LSTM，那么词向量层和 Softmax 层的参数数量均为 $10000 \times 512 = 5120000$，而循环网络本身的参数数量仅仅为 $2 \times 4 \times 2 \times 512 \times 512 = 4194304$[1]，少于词向量层和 Softmax 层的参数数量，仅占总参数数量的 29%。

注意，在上面的例子中，词向量层和 Softmax 层的参数数量是相等的，它们都为每一个单词分配了一个长度为 512 的向量。有研究[2]指出，如果共享词向量层和 Softmax 层的参数，不仅能大幅减少参数数量，还能提高最终模型效果。下面的完整代码样例中实现了这一方法。

完整的训练程序

上面已经介绍了一个神经语言模型所需要的数据处理、词向量层以及 Softmax 层。将这些组件与第 8 章介绍过的循环神经网络结合起来，就可以搭建一个完整的神经语言模型。下面的代码给出了一个完整的训练程序，它使用一个双层 LSTM 作为循环神经网络的主体，并共享 Softmax 层和词向量层的参数。

```
# coding: utf-8
import numpy as np
import tensorflow as tf


TRAIN_DATA = "ptb.train"          # 训练数据路径。
EVAL_DATA = "ptb.valid"           # 验证数据路径。
TEST_DATA = "ptb.test"            # 测试数据路径。
HIDDEN_SIZE = 300                 # 隐藏层规模。
```

---

[1] LSTM 有 4 个参数矩阵，每个参数矩阵的维度是[$2 \times$ HIDDEN_SIZE, HIDDEN_SIZE]。这里忽略了偏置项。关于 LSTM 的详细介绍参见 8.2 小节。

[2] 参见论文 Tying Word Vectors and Word Classifiers: A Loss Framework for Language Modeling. （https://arxiv.org/abs/1611.01462）和 Using the output embedding to improve language models（https://arxiv.org/abs/1608.05859）。

```
NUM_LAYERS = 2                          # 深层循环神经网络中 LSTM 结构的层数。
VOCAB_SIZE = 10000                      # 词典规模。
TRAIN_BATCH_SIZE = 20                   # 训练数据 batch 的大小。
TRAIN_NUM_STEP = 35                     # 训练数据截断长度。

EVAL_BATCH_SIZE = 1                     # 测试数据 batch 的大小。
EVAL_NUM_STEP = 1                       # 测试数据截断长度。
NUM_EPOCH = 5                           # 使用训练数据的轮数。
LSTM_KEEP_PROB = 0.9                    # LSTM 节点不被 dropout 的概率。
EMBEDDING_KEEP_PROB = 0.9               # 词向量不被 dropout 的概率。
MAX_GRAD_NORM = 5                       # 用于控制梯度膨胀的梯度大小上限。
SHARE_EMB_AND_SOFTMAX = True            # 在 Softmax 层和词向量层之间共享参数。

# 通过一个 PTBModel 类来描述模型，这样方便维护循环神经网络中的状态。
class PTBModel(object):
    def __init__(self, is_training, batch_size, num_steps):
        # 记录使用的 batch 大小和截断长度。
        self.batch_size = batch_size
        self.num_steps = num_steps

        # 定义每一步的输入和预期输出。两者的维度都是[batch_size, num_steps]。
        self.input_data = tf.placeholder(tf.int32, [batch_size, num_steps])
        self.targets = tf.placeholder(tf.int32, [batch_size, num_steps])

        # 定义使用 LSTM 结构为循环体结构且使用 dropout 的深层循环神经网络。
        dropout_keep_prob = LSTM_KEEP_PROB if is_training else 1.0
        lstm_cells = [
            tf.nn.rnn_cell.DropoutWrapper(
                tf.nn.rnn_cell.BasicLSTMCell(HIDDEN_SIZE),
                output_keep_prob=dropout_keep_prob)
            for _ in range(NUM_LAYERS)]
        cell = tf.nn.rnn_cell.MultiRNNCell(lstm_cells)

        # 初始化最初的状态，即全零的向量。这个量只在每个 epoch 初始化第一个 batch
        # 时使用。
        self.initial_state = cell.zero_state(batch_size, tf.float32)

        # 定义单词的词向量矩阵。
        embedding = tf.get_variable("embedding", [VOCAB_SIZE, HIDDEN_SIZE])

        # 将输入单词转化为词向量。
        inputs = tf.nn.embedding_lookup(embedding, self.input_data)

        # 只在训练时使用 dropout。
        if is_training:
            inputs = tf.nn.dropout(inputs, EMBEDDING_KEEP_PROB)
```

```
    # 定义输出列表。在这里先将不同时刻 LSTM 结构的输出收集起来，再一起提供给
    # softmax 层。
    outputs = []
    state = self.initial_state
    with tf.variable_scope("RNN"):
        for time_step in range(num_steps):
            if time_step > 0: tf.get_variable_scope().reuse_variables()
            cell_output, state = cell(inputs[:, time_step, :], state)
            outputs.append(cell_output)
    # 把输出队列展开成[batch, hidden_size*num_steps]的形状，然后再
    # reshape 成[batch*numsteps, hidden_size]的形状。
    output = tf.reshape(tf.concat(outputs, 1), [-1, HIDDEN_SIZE])

    # Softmax 层：将 RNN 在每个位置上的输出转化为各个单词的 logits。
    if SHARE_EMB_AND_SOFTMAX:
        weight = tf.transpose(embedding)
    else:
        weight = tf.get_variable("weight", [HIDDEN_SIZE, VOCAB_SIZE])
    bias = tf.get_variable("bias", [VOCAB_SIZE])
    logits = tf.matmul(output, weight) + bias

    # 定义交叉熵损失函数和平均损失。
    loss = tf.nn.sparse_softmax_cross_entropy_with_logits(
        labels=tf.reshape(self.targets, [-1]),
        logits=logits)
    self.cost = tf.reduce_sum(loss) / batch_size
    self.final_state = state

    # 只在训练模型时定义反向传播操作。
    if not is_training: return

    trainable_variables = tf.trainable_variables()
    # 控制梯度大小，定义优化方法和训练步骤。
    grads, _ = tf.clip_by_global_norm(
        tf.gradients(self.cost, trainable_variables), MAX_GRAD_NORM)
    optimizer = tf.train.GradientDescentOptimizer(learning_rate=1.0)
    self.train_op = optimizer.apply_gradients(
        zip(grads, trainable_variables))

# 使用给定的模型 model 在数据 data 上运行 train_op 并返回在全部数据上的 perplexity 值。
def run_epoch(session, model, batches, train_op, output_log, step):
    # 计算平均 perplexity 的辅助变量。
    total_costs = 0.0
    iters = 0
    state = session.run(model.initial_state)
    # 训练一个 epoch。
    for x, y in batches:
        # 在当前 batch 上运行 train_op 并计算损失值。交叉熵损失函数计算的就是下一个单
```

```
            # 词为给定单词的概率。
            cost, state, _ = session.run(
                [model.cost, model.final_state, train_op],
                {model.input_data: x, model.targets: y,
                 model.initial_state: state})
            total_costs += cost
            iters += model.num_steps

            # 只有在训练时输出日志。
            if output_log and step % 100 == 0:
                print("After %d steps, perplexity is %.3f" % (
                        step, np.exp(total_costs / iters)))
            step += 1

        # 返回给定模型在给定数据上的 perplexity 值。
        return step, np.exp(total_costs / iters)

def read_data(file_path):
    ... # 与前面 9.2.2 小节中数据 batching 部分讲解的代码相同。

def make_batches(id_list, batch_size, num_step):
    ... # 与前面 9.2.2 小节中数据 batching 部分讲解的代码相同。

def main():
    # 定义初始化函数。
    initializer = tf.random_uniform_initializer(-0.05, 0.05)

    # 定义训练用的循环神经网络模型。
    with tf.variable_scope("language_model",
                            reuse=None, initializer=initializer):
        train_model = PTBModel(True, TRAIN_BATCH_SIZE, TRAIN_NUM_STEP)

    # 定义测试用的循环神经网络模型。它与 train_model 共用参数，但是没有 dropout。
    with tf.variable_scope("language_model",
                            reuse=True, initializer=initializer):
        eval_model = PTBModel(False, EVAL_BATCH_SIZE, EVAL_NUM_STEP)

    # 训练模型。
    with tf.Session() as session:
        tf.global_variables_initializer().run()
        train_batches = make_batches(
            read_data(TRAIN_DATA), TRAIN_BATCH_SIZE, TRAIN_NUM_STEP)
        eval_batches = make_batches(
            read_data(EVAL_DATA), EVAL_BATCH_SIZE, EVAL_NUM_STEP)
        test_batches = make_batches(
            read_data(TEST_DATA), EVAL_BATCH_SIZE, EVAl_NUM_STEP)

        step = 0
```

```
        for i in range(NUM_EPOCH):
            print("In iteration: %d" % (i + 1))
            step, train_pplx = run_epoch(session, train_model, train_batches,
                                    train_model.train_op, True, step)
            print("Epoch: %d Train Perplexity: %.3f" % (i + 1, train_pplx))

            _, eval_pplx = run_epoch(session, eval_model, eval_batches,
                                    tf.no_op(), False, 0)
            print("Epoch: %d Eval Perplexity: %.3f" % (i + 1, eval_pplx))

            _, test_pplx = run_epoch(session, eval_model, test_batches,
                                    tf.no_op(), False, 0)
        print("Test Perplexity: %.3f" % test_pplx)

if __name__ == "__main__":
    main()
```

运行以上程序可以得到类似如下的输出结果：

```
In iteration: 1
After 0 steps, perplexity is 10011.672
After 100 steps, perplexity is 1835.183
After 200 steps, perplexity is 1217.401
After 300 steps, perplexity is 948.607
After 400 steps, perplexity is 776.578
...
After 6400 steps, perplexity is 75.838
After 6500 steps, perplexity is 75.161
After 6600 steps, perplexity is 74.335
Epoch: 5 Train Perplexity: 74.497
Epoch: 5 Eval Perplexity: 107.432
Test Perplexity: 104.704
```

从输出结果可以看出，迭代开始时，perplexity 值为 10 011.672，这基本相当于从 1 万个单词中随机选择下一个单词。而在训练结束后，训练数据上的 perplexity 值降低到了 104.704。这表明通过训练过程，将选择下一个单词的范围从 1 万个减小到了大约 105 个。通过调整 LSTM 隐藏层的节点个数和大小以及训练迭代的轮数还可以将 perplexity 值降到更低。

9.3 神经网络机器翻译

上一节介绍的语言模型是很多自然语言处理应用的基石，非常多自然语言处理应用的技术都是基于语言模型，这一节将介绍的机器翻译就是一个例子。9.3.1 小节将更加详细地介绍机器翻译的背景以及最基础的机器翻译算法——Seq2Seq 模型。9.3.2 小节将介绍机器翻译的数据集以及数据预处理方法。9.3.3 小节中将给出完整的 Seq2Seq 模型样例代码。9.3.4小节将介绍 Seq2Seq 模型的一个重要改进——注意力（attention）机制。

9.3.1　机器翻译背景与 Seq2Seq 模型介绍

　　机器翻译的研究始于 20 世纪 50 年代，是人工智能最早的研究领域之一。当时的主要做法是依靠人工编写翻译规则，将源语言的句式和词汇按照固定规则转换为目标语言。然而人们很快认识到语言的复杂程度是难以用规则涵盖的。到 20 世纪 80 年代为止，机器翻译只在天气预报等语法简单、词汇固定的个别领域实现了应用。20 世纪 90 年代起，IBM提出了统计机器翻译，他们提出的 IBM 模型实现了在平行预料上自动学习单词之间的对应，再与语言模型结合，实现了基于单词的机器翻译系统。在此基础上，2003 年提出的"基于短语的机器翻译"将单词之间的对应扩展到词组之间的对应，实现了当时最优的翻译效果，随即被工业界广泛采纳。

　　与传统的统计翻译模型相比，2014 年提出的循环神经网络 Seq2Seq 在概念上要简单得多。在统计翻译模型中，模型的训练步骤可以分为预处理、词对齐、短语对齐、抽取短语特征（feature）、训练语言模型、学习特征权重等诸多步骤。而 Seq2Seq 模型的基本思想非常简单——使用一个循环神经网络读取输入句子，将整个句子的信息压缩到一个固定维度的编码中；再使用另一个循环神经网络读取这个编码，将其"解压"为目标语言的一个句子。这两个循环神经网络分别称为编码器（Encoder）和解码器（Decoder），这个模型也称为encoder-decoder 模型。

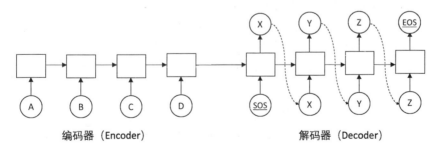

图 9-5　Seq2Seq 模型示意图

（虚线表示在测试时每一步的输入来自上一步的输出）

　　解码器部分的结构与语言模型几乎完全相同：输入为单词的词向量，输出为 softmax层产生的单词概率，损失函数为 log perplexity。事实上，解码器可以理解为一个以输入编码为前提的语言模型（Conditional Language Model）。语言模型中使用的一些技巧，如共享 softmax 层和词向量的参数，都可以直接应用到 Seq2Seq 模型的解码器中。

编码器部分则更为简单。它与解码器一样拥有词向量层和循环神经网络，但是由于在编码阶段并未输出，因此不需要 softmax 层。

在训练过程中，编码器顺序读入每个单词的词向量，然后将最终的隐藏状态复制到解码器作为初始状态。解码器的第一个输入是一个特殊的<sos>（Start-Of-Sentence）字符，每一步预测的单词是训练数据的目标句子，预测序列的最后一个单词是与语言模型相同的<eos>（End-Of-Sentence）字符。

在机器翻译应用中，在真实应用场景下的测试步骤与语言模型的测试步骤有所不同。上一节介绍过，语言模型中测试的标准是给定目标句子上的 perplexity。而机器翻译的测试方法是，让解码器在没有"正确答案"的情况下自主生成一个翻译句子，然后采用人工或自动的方法对翻译句子的质量进行评测。让解码器生成句子的过程也称为"解码"（decoding）。这样的测试方法更贴近于用户实际使用机器翻译产品的体验。在解码过程中，每一步预测的单词中概率最大的单词被选为这一步的输出[①]，并复制到下一步的输入中（在图 9-3 中用虚线表示）。

下面先介绍机器翻译领域的数据集和数据处理方法，在一个较小的数据集上实现一个基础的 Seq2Seq 翻译模型。

9.3.2　机器翻译文本数据的预处理

机器翻译领域最重要的公开数据集是 WMT 数据集。[②]WMT 的全称是 Workshop on Statistical Machine Translation[③]，每年，这个会议都会组织一次机器翻译领域的竞赛，其提供的训练和测试数据也成为了机器翻译领域论文的标准数据集。然而由于 WMT 数据集较大（取决于不同语言，通常在百万句到千万句不等），训练时间很长，因此本书中将采用一个较小的 IWLST TED 演讲数据集作为示例。该数据集的下载地址是 https://wit3.fbk.eu/mt.php?release=2015-01。下面以英文-中文数据为例，它的英文-中文训练数据包含约 21 万个句子对，内容是 TED 演讲的中英字幕。

对于平行语料的预处理，其步骤和 9.2.1 小节中关于 PTB 数据的预处理基本是一样的。

---

① 这里描述的是最简单的贪心算法，在真实应用中普遍采用集束搜索（Beam Search）方法来获得更好的翻译效果。

② http://data.statmt.org/wmt17/translation-task/

③ 该会议从 2016 年起改为 Conference on Machine Translation。

首先，需要统计预料中出现的单词，为每个单词分配一个 ID，将词汇表存入一个 vocab 文件，然后将文本转化为用单词编号的形式来表示。

与前面不同的地方主要在于，下载的文本没有经过预处理，尤其是没有经过切词。举个例子来说，由于每个英文单词和标点符号之间是紧密相连的，导致不能像处理 PTB 数据那样直接用空格对单词进行分割。为此需要用一些独立的工具来进行切词操作。

最常用的开源切词工具是 moses。可以在 GitHub 上下载 moses 切词工具的代码：

```
https://github.com/moses-smt/mosesdecoder/blob/master/scripts/tokenizer/
tokenizer.perl
```

它的使用方法如下：

```
# train.raw.en 是原始输入数据，格式为每行一句话；train.txt.en 是输出的文件名。
# -no-escape 参数表示不把标点符号替换为 HTML 编码（如把引号替换为"&quot;"）。
# -l en 参数表示输入文件的语言是英文。
perl ./moses_tokenizer.perl -no-escape -l en < ./train.raw.en > train.txt.en
```

切词前的文本如下：

```
And we knew it was volcanic back in the '60s, '70s.
```

切词后的文本如下，注意单引号和数字、逗号和句号之前都增加了空格：

```
And we knew it was volcanic back in the ' 60s , ' 70s .
```

对于中文文本而言，为了方便起见，本书的例子中直接以字为单位进行切割。

```
# train.raw.zh 是原始输入数据，格式为每行一句话；train.txt.zh 是输出的文件名。
# sed 's/ //g' 表示去除文本中已有的空格。's/\B/ /g'将每个字之间的边界替换为空格。
sed 's/ //g; s/\B/ /g' ./train.raw.zh > train.txt.zh
```

切词前的文本如下：

```
六七十年代时我们只知道这是一座火山。
```

切词后的文本如下。每个字和符号之间都增加了空格

```
六 七 十 年 代 时 我 们 只 知 道 这 是 一 座 火 山 。
```

完成切词后，再使用和 9.2.1 小节处理 PTB 数据相同的方法，分别生成英文文本和中文文本词汇文件，并将文本转化为单词编号。生成词汇文件时，需要注意将<sos>、<eos>、<unk>这 3 个词手动加入到词汇表中，并且要限制词汇表大小，将词频过低的词替换为<unk>。相应代码在前面处理 PTB 相关数据的代码中都以注释的形式给出了。下面的例子中，假定英文词汇表大小为 10000，中文词汇表大小为 4000。

下面来看一下关于机器翻译语料的填充（padding）和 batching 的内容。

在 PTB 数据中，由于句子之间有上下文关联，因此可以直接将连续的句子连接起来称

为一个大的段落。而在机器翻译的训练样本中，每个句子对通常是作为独立的数据来训练的。由于每个句子的长短不一致，因此在将这些句子放入同一个 batch 时，需要将较短的句子补齐到与同 batch 内最长句子相同的长度。用于填充长度而填入的位置叫作填充（padding）。[①]在 TensorFlow 中，tf.data.Dataset 的 padded_batch 函数提供了这一功能。

下表给出了一个填充示例。假设一个数据集中有 4 句话，分别是"$A_1A_2A_3A_4$""B_1B_2""$C_1C_2C_3C_4C_5C_6C_7$"和"D_1"，将它们加入必要的填充并组成大小为 2 的 batch 后，得到的 batch 如图 9-4 所示。

A_1	A_2	A_3	A_4
B_1	B_2	0	0

C_1	C_2	C_3	C_4	C_5	C_6	C_7
D_1	0	0	0	0	0	0

图 9-6　文本数据的 padding 示意图

循环神经网络在读取数据时会将填充位置的内容与其他内容一样纳入计算，因此为了不让填充影响训练，有两方面需要注意：

第一，循环神经网络在读取填充时，应当跳过这一位置的计算。以编码器为例，如果编码器在读取填充时，像正常输入一样处理填充输入，那么在读取"B_1B_200"之后产生的最后一位隐藏状态就和读取"B_1B_2"之后的隐藏状态不同，会产生错误的结果。

TensorFlow 提供了 tf.nn.dynamic_rnn 方法来实现这一功能。dynamic_rnn 对每一个 batch 的数据读取两个输入：输入数据的内容（维度为[batch_size, time]）和输入数据的长度（维度为[time]）。对于输入 batch 里的每一条数据，在读取了相应长度的内容后，dynamic_rnn 就跳过后面的输入，直接把前一步的计算结果复制到后面的时刻。这样可以保证 padding 是否存在不影响模型效果。

另外值得注意的是，使用 dyanmic_rnn 时每个 batch 的最大序列长度不需要相同。例如在上面的例子中，第一个 batch 的维度是 2×4，而第二个 batch 的维度是 2×7。在训练中 dynamic_rnn 会根据每个 batch 的最大长度动态展开到需要的层数，这就是它被称为"dynamic"的原因。

第二，在设计损失函数时需要特别将填充位置的损失的权重设置为 0，这样在填充位置产生的预测不会影响梯度的计算。

下面的代码使用 tf.data.Dataset.padded_batch 来进行填充和 batching，并记录每个句子的序列长度以用作 dynamic_rnn 的输入。与前面 PTB 的例子不同，这里没有将所有数据读

---

① 在 6.3 节介绍卷积神经网路时也曾在图像上使用全 0 填充来填充图片维度，两者的意义有相似之处。

入内存，而是使用 Dataset 从磁盘动态读取数据。

```
MAX_LEN = 50  # 限定句子的最大单词数量。
SOS_ID  = 1    # 目标语言词汇表中<sos>的 ID。

# 使用 Dataset 从一个文件中读取一个语言的数据。
# 数据的格式为每行一句话，单词已经转化为单词编号。
def MakeDataset(file_path):
    dataset = tf.data.TextLineDataset(file_path)
    # 根据空格将单词编号切分开并放入一个一维向量。
    dataset = dataset.map(lambda string: tf.string_split([string]).values)
    # 将字符串形式的单词编号转化为整数。
    dataset = dataset.map(
        lambda string: tf.string_to_number(string, tf.int32))
    # 统计每个句子的单词数量，并与句子内容一起放入 Dataset 中。
    dataset = dataset.map(lambda x: (x, tf.size(x)))
    return dataset

# 从源语言文件 src_path 和目标语言文件 trg_path 中分别读取数据，并进行填充和
# batching 操作。
def MakeSrcTrgDataset(src_path, trg_path, batch_size):
    # 首先分别读取源语言数据和目标语言数据。
    src_data = MakeDataset(src_path)
    trg_data = MakeDataset(trg_path)
    # 通过 zip 操作将两个 Dataset 合并为一个 Dataset。现在每个 Dataset 中每一项数据 ds
    # 由 4 个张量组成:
    #   ds[0][0]是源句子
    #   ds[0][1]是源句子长度
    #   ds[1][0]是目标句子
    #   ds[1][1]是目标句子长度
    dataset = tf.data.Dataset.zip((src_data, trg_data))

    # 删除内容为空（只包含<eos>）的句子和长度过长的句子。
    def FilterLength(src_tuple, trg_tuple):
        ((src_input, src_len), (trg_label, trg_len)) = (src_tuple, trg_tuple)
        src_len_ok = tf.logical_and(
            tf.greater(src_len, 1), tf.less_equal(src_len, MAX_LEN))
        trg_len_ok = tf.logical_and(
            tf.greater(trg_len, 1), tf.less_equal(trg_len, MAX_LEN))
        return tf.logical_and(src_len_ok, trg_len_ok)
    dataset = dataset.filter(FilterLength)

    # 从图 9-5 可知，解码器需要两种格式的目标句子:
    #   1.解码器的输入(trg_input)，形式如同"<sos> X Y Z"
    #   2.解码器的目标输出(trg_label)，形式如同"X Y Z <eos>"
```

249

```
    # 上面从文件中读到的目标句子是"X Y Z <eos>"的形式，我们需要从中生成"<sos> X Y Z"
    # 形式并加入到 Dataset 中。
    def MakeTrgInput(src_tuple, trg_tuple):
        ((src_input, src_len), (trg_label, trg_len)) = (src_tuple, trg_tuple)
        trg_input = tf.concat([[SOS_ID], trg_label[:-1]], axis=0)
        return ((src_input, src_len), (trg_input, trg_label, trg_len))
    dataset = dataset.map(MakeTrgInput)

    # 随机打乱训练数据。
    dataset = dataset.shuffle(10000)

    # 规定填充后输出的数据维度。
    padded_shapes = (
        (tf.TensorShape([None]),      # 源句子是长度未知的向量
         tf.TensorShape([])),         # 源句子长度是单个数字
        (tf.TensorShape([None]),      # 目标句子（解码器输入）是长度未知的向量
         tf.TensorShape([None]),      # 目标句子（解码器目标输出）是长度未知的向量
         tf.TensorShape([])))         # 目标句子长度是单个数字
    # 调用 padded_batch 方法进行 batching 操作。
    batched_dataset = dataset.padded_batch(batch_size, padded_shapes)
    return batched_dataset
```

9.3.3 Seq2Seq 模型的代码实现

这小节中将在 TensorFlow 中完整实现一个 Seq2Seq 模型。在本小节中，模型的训练和测试将分为两个程序来实现。

首先讲解模型训练的实现。该实现与 9.2 节中语言模型的实现相似，也使用一个双层 LSTM 作为循环神经网络的主体，并在 Softmax 层和词向量层之间共享参数。与 9.2 节中的语言模型相比，下面代码的主要变化有以下几点：

- 增加了一个循环神经网络作为编码器。
- 使用 Dataset 动态读取数据，而不是直接将所有数据读入内存。
- 每个 batch 完全独立，不需要在 batch 之间传递状态。
- 每训练 200 步便将模型参数保存到一个 checkpoint 中。之后将讲解怎样从 checkpoint 中读取模型并对新的句子进行翻译。

```
# coding: utf-8
import tensorflow as tf

# 假设输入数据已经用 9.2.1 小节中的方法转换成了单词编号的格式。
SRC_TRAIN_DATA = "/path/to/data/train.en"      # 源语言输入文件。
TRG_TRAIN_DATA = "/path/to/data/train.zh"      # 目标语言输入文件。
```

```
CHECKPOINT_PATH = "/path/to/seq2seq_ckpt"        # checkpoint 保存路径。
HIDDEN_SIZE = 1024                   # LSTM 的隐藏层规模。
NUM_LAYERS = 2                       # 深层循环神经网络中 LSTM 结构的层数。
SRC_VOCAB_SIZE = 10000               # 源语言词汇表大小。
TRG_VOCAB_SIZE = 4000                # 目标语言词汇表大小。
BATCH_SIZE = 100                     # 训练数据 batch 的大小。
NUM_EPOCH = 5                        # 使用训练数据的轮数。
KEEP_PROB = 0.8                      # 节点不被 dropout 的概率。
MAX_GRAD_NORM = 5                    # 用于控制梯度膨胀的梯度大小上限。
SHARE_EMB_AND_SOFTMAX = True         # 在 Softmax 层和词向量层之间共享参数。

# 定义 NMTModel 类来描述模型。
class NMTModel(object):
    # 在模型的初始化函数中定义模型要用到的变量。
    def __init__(self):
        # 定义编码器和解码器所使用的 LSTM 结构。
        self.enc_cell = tf.nn.rnn_cell.MultiRNNCell(
          [tf.nn.rnn_cell.BasicLSTMCell(HIDDEN_SIZE)
           for _ in range(NUM_LAYERS)])
        self.dec_cell = tf.nn.rnn_cell.MultiRNNCell(
          [tf.nn.rnn_cell.BasicLSTMCell(HIDDEN_SIZE)
           for _ in range(NUM_LAYERS)])

        # 为源语言和目标语言分别定义词向量。
        self.src_embedding = tf.get_variable(
            "src_emb", [SRC_VOCAB_SIZE, HIDDEN_SIZE])
        self.trg_embedding = tf.get_variable(
            "trg_emb", [TRG_VOCAB_SIZE, HIDDEN_SIZE])

        # 定义 softmax 层的变量
        if SHARE_EMB_AND_SOFTMAX:
            self.softmax_weight = tf.transpose(self.trg_embedding)
        else:
            self.softmax_weight = tf.get_variable(
                "weight", [HIDDEN_SIZE, TRG_VOCAB_SIZE])
        self.softmax_bias = tf.get_variable(
            "softmax_bias", [TRG_VOCAB_SIZE])

    # 在 forward 函数中定义模型的前向计算图。
    # src_input, src_size, trg_input, trg_label, trg_size 分别是上面
    # MakeSrcTrgDataset 函数产生的五种张量。
    def forward(self, src_input, src_size, trg_input, trg_label, trg_size):
        batch_size = tf.shape(src_input)[0]

        # 将输入和输出单词编号转为词向量。
        src_emb = tf.nn.embedding_lookup(self.src_embedding, src_input)
```

```python
trg_emb = tf.nn.embedding_lookup(self.trg_embedding, trg_input)

# 在词向量上进行 dropout。
src_emb = tf.nn.dropout(src_emb, KEEP_PROB)
trg_emb = tf.nn.dropout(trg_emb, KEEP_PROB)

# 使用 dynamic_rnn 构造编码器。
# 编码器读取源句子每个位置的词向量，输出最后一步的隐藏状态 enc_state。
# 因为编码器是一个双层 LSTM，因此 enc_state 是一个包含两个 LSTMStateTuple 类
# 的 tuple，每个 LSTMStateTuple 对应编码器中一层的状态。
# enc_outputs 是顶层 LSTM 在每一步的输出，它的维度是 [batch_size,
# max_time, HIDDEN_SIZE]。Seq2Seq 模型中不需要用到 enc_outputs，而
# 后面介绍的 attention 模型会用到它。
with tf.variable_scope("encoder"):
    enc_outputs, enc_state = tf.nn.dynamic_rnn(
        self.enc_cell, src_emb, src_size, dtype=tf.flcat32)

# 使用 dyanmic_rnn 构造解码器。
# 解码器读取目标句子每个位置的词向量，输出的 dec_outputs 为每一步
# 顶层 LSTM 的输出。dec_outputs 的维度是 [batch_size, max_time,
# HIDDEN_SIZE]。
# initial_state=enc_state 表示用编码器的输出来初始化第一步的隐藏状态。
with tf.variable_scope("decoder"):
    dec_outputs, _ = tf.nn.dynamic_rnn(
        self.dec_cell, trg_emb, trg_size, initial_state=enc_state)

# 计算解码器每一步的 log perplexity。这一步与语言模型代码相同。
output = tf.reshape(dec_outputs, [-1, HIDDEN_SIZE])
logits = tf.matmul(output, self.softmax_weight) + self.softmax_bias
loss = tf.nn.sparse_softmax_cross_entropy_with_logits(
    labels=tf.reshape(trg_label, [-1]), logits=logits)

# 在计算平均损失时，需要将填充位置的权重设置为 0，以避免无效位置的预测干扰
# 模型的训练。
label_weights = tf.sequence_mask(
    trg_size, maxlen=tf.shape(trg_label)[1], dtype=tf.float32)
label_weights = tf.reshape(label_weights, [-1])
cost = tf.reduce_sum(loss * label_weights)
cost_per_token = cost / tf.reduce_sum(label_weights)

# 定义反向传播操作。反向操作的实现与语言模型代码相同。
trainable_variables = tf.trainable_variables()

# 控制梯度大小，定义优化方法和训练步骤。
grads = tf.gradients(cost / tf.to_float(batch_size),
                     trainable_variables)
```

```
        grads, _ = tf.clip_by_global_norm(grads, MAX_GRAD_NORM)
        optimizer = tf.train.GradientDescentOptimizer(learning_rate=1.0)
        train_op = optimizer.apply_gradients(
            zip(grads, trainable_variables))
        return cost_per_token, train_op

# 使用给定的模型 model 上训练一个 epoch，并返回全局步数。
# 每训练 200 步便保存一个 checkpoint。
def run_epoch(session, cost_op, train_op, saver, step):
    # 训练一个 epoch。
    # 重复训练步骤直至遍历完 Dataset 中所有数据。
    while True:
        try:
            # 运行 train_op 并计算损失值。训练数据在 main() 函数中以 Dataset 方式提供。
            cost, _ = session.run([cost_op, train_op])
            if step % 10 == 0:
                print("After %d steps, per token cost is %.3f" % (step, cost))
            # 每 200 步保存一个 checkpoint。
            if step % 200 == 0:
                saver.save(session, CHECKPOINT_PATH, global_step=step)
            step += 1
        except tf.errors.OutOfRangeError:
            break
    return step

def main():
    # 定义初始化函数。
    initializer = tf.random_uniform_initializer(-0.05, 0.05)

    # 定义训练用的循环神经网络模型。
    with tf.variable_scope("nmt_model", reuse=None,
                            initializer=initializer):
        train_model = NMTModel()

    # 定义输入数据。
    data = MakeSrcTrgDataset(SRC_TRAIN_DATA, TRG_TRAIN_DATA, BATCH_SIZE)
    iterator = data.make_initializable_iterator()
    (src, src_size), (trg_input, trg_label, trg_size) = iterator.get_next()

    # 定义前向计算图。输入数据以张量形式提供给 forward 函数。
    cost_op, train_op = train_model.forward(src, src_size, trg_input,
                                            trg_label, trg_size)

    # 训练模型。
    saver = tf.train.Saver()
    step = 0
```

```
    with tf.Session() as sess:
       tf.global_variables_initializer().run()
       for i in range(NUM_EPOCH):
           print("In iteration: %d" % (i + 1))
           sess.run(iterator.initializer)
           step = run_epoch(sess, cost_op, train_op, saver,
                            step)
if __name__ == "__main__":
   main()
```

运行以上程序，得到如下结果：

```
In iteration: 1
After 0 steps, per token cost is 8.298
After 10 steps, per token cost is 8.908
After 20 steps, per token cost is 7.428
After 30 steps, per token cost is 7.137
After 40 steps, per token cost is 7.044
...
After 8980 steps, per token cost is 2.488
After 8990 steps, per token cost is 2.402
After 9000 steps, per token cost is 2.524
After 9010 steps, per token cost is 2.516
```

上面的程序完成了机器翻译模型的训练步骤，并将训练好的模型保存到 checkpoint 中。下面讲解怎样从 checkpoint 中读取模型并对一个新的句子进行翻译。对新输入的句子进行翻译的过程也称为解码（decoding）或推理（inference）。

在解码的程序中，解码器的实现与训练时有很大不同。这是因为训练时解码器可以从输入中读取完整的目标训练句子，因此可以用 dynamic_rnn 简单地展开成前馈网络。而在解码过程中，模型只能看到输入句子，却不能看到目标句子。解码器在第一步读取<sos>符，预测目标句子的第一个单词，然后需要将这个预测的单词复制到第二步作为输入，再预测第二个单词，直到预测的单词为<eos>为止。这个过程需要使用一个循环结构来实现。在 TensorFlow 中，循环结构是由 tf.while_loop 来实现的。tf.while_loop 的使用方法如下：

```
# cond 是一个函数，负责判断继续执行循环的条件。
# loop_body 是每个循环体内执行的操作，负责对循环状态进行更新。
# init_state 为循环的起始状态，它可以包含多个 Tensor 或者 TensorArray。
# 返回的结果是循环结束时的循环状态。
final_state = tf.while_loop(cond, loop_body, init_state)
```

如果用伪代码来表示运行逻辑的话，那 tf.while_loop 的功能与下面的代码相当：

```
def while_loop(cond, loop_body, init_state):
   state = init_state
   while(cond(state)):                    # 使用 cond 函数判断循环结束条件。
```

```
            state = loop_body(state)        # 使用 loop_body 函数对 state 进行更新。
    return state
```

但是与上面的伪代码不同的是，tf.while_loop 建立计算图的过程中并没有真的进行循环，而是建立了一个包含循环逻辑的计算节点。在建立计算图的过程中，loop_body 函数内的代码只执行一次。

下面的代码展示了如何用 tf.while_loop 来实现解码过程。

```python
import tensorflow as tf

# 读取 checkpoint 的路径。9000 表示是训练程序在第 9000 步保存的 checkpoint。
CHECKPOINT_PATH = "/path/to/seq2seq_ckpt-9000"

# 模型参数。必须与训练时的模型参数保持一致。
HIDDEN_SIZE = 1024                      # LSTM 的隐藏层规模。
NUM_LAYERS = 2                          # 深层循环神经网络中 LSTM 结构的层数。
SRC_VOCAB_SIZE = 10000                  # 源语言词汇表大小。
TRG_VOCAB_SIZE = 4000                   # 目标语言词汇表大小。
SHARE_EMB_AND_SOFTMAX = True            # 在 Softmax 层和词向量层之间共享参数。

# 词汇表中<sos>和<eos>的 ID。在解码过程中需要用<sos>作为第一步的输入，并将检查
# 是否是<eos>，因此需要知道这两个符号的 ID。
SOS_ID = 1
EOS_ID = 2

# 定义 NMTModel 类来描述模型。
class NMTModel(object):
    # 在模型的初始化函数中定义模型要用到的变量。
    def __init__(self):
        ... # 与训练时的__init__函数相同。通常在训练程序和解码程序中复用 NMTModel
            # 类及其__init__函数，以确保解码时和训练时定义的变量是相同的。

    def inference(self, src_input):
        # 虽然输入只有一个句子，但因为 dynamic_rnn 要求输入是 batch 的形式，因此这里
        # 将输入句子整理为大小为 1 的 batch。
        src_size = tf.convert_to_tensor([len(src_input)], dtype=tf.int32)
        src_input = tf.convert_to_tensor([src_input], dtype=tf.int32)
        src_emb = tf.nn.embedding_lookup(self.src_embedding, src_input)

        # 使用 dynamic_rnn 构造编码器。这一步与训练时相同。
        with tf.variable_scope("encoder"):
            enc_outputs, enc_state = tf.nn.dynamic_rnn(
                self.enc_cell, src_emb, src_size, dtype=tf.float32)

        # 设置解码的最大步数。这是为了避免在极端情况出现无限循环的问题。
```

```
         MAX_DEC_LEN=100

         with tf.variable_scope("decoder/rnn/multi_rnn_cell"):
             # 使用一个变长的 TensorArray 来存储生成的句子。
             init_array = tf.TensorArray(dtype=tf.int32, size=0,
                 dynamic_size=True, clear_after_read=False)
             # 填入第一个单词<sos>作为解码器的输入。
             init_array = init_array.write(0, SOS_ID)
             # 构建初始的循环状态。循环状态包含循环神经网络的隐藏状态，保存生成句子的
             # TensorArray，以及记录解码步数的一个整数 step。
             init_loop_var = (enc_state, init_array, 0)

             # tf.while_loop 的循环条件：
             # 循环直到解码器输出<eos>，或者达到最大步数为止。
             def continue_loop_condition(state, trg_ids, step):
                 return tf.reduce_all(tf.logical_and(
                     tf.not_equal(trg_ids.read(step), EOS_ID),
                     tf.less(step, MAX_DEC_LEN-1)))

             def loop_body(state, trg_ids, step):
                 # 读取最后一步输出的单词，并读取其词向量。
                 trg_input = [trg_ids.read(step)]
                 trg_emb = tf.nn.embedding_lookup(self.trg_embedding,
                                                  trg_input)
                 # 这里不使用 dynamic_rnn，而是直接调用 dec_cell 向前计算一步。
                 dec_outputs, next_state = self.dec_cell.call(
                     state=state, inputs=trg_emb)
                 # 计算每个可能的输出单词对应的 logit，并选取 logit 值最大的单词作为
                 # 这一步的而输出。
                 output = tf.reshape(dec_outputs, [-1, HIDDEN_SIZE])
                 logits = (tf.matmul(output, self.softmax_weight)
                           + self.softmax_bias)
                 next_id = tf.argmax(logits, axis=1, output_type=tf.int32)
                 # 将这一步输出的单词写入循环状态的 trg_ids 中。
                 trg_ids = trg_ids.write(step+1, next_id[0])
                 return next_state, trg_ids, step+1

             # 执行 tf.while_loop，返回最终状态。
             state, trg_ids, step = tf.while_loop(
                 continue_loop_condition, loop_body, init_loop_var)
             return trg_ids.stack()

def main():
    # 定义训练用的循环神经网络模型。
    with tf.variable_scope("nmt_model", reuse=None):
        model = NMTModel()
```

```
# 定义一个测试例子。这里的例子是经过预处理后的 "This is a test."
test_sentence = [90, 13, 9, 689, 4, 2]
# 建立解码所需的计算图。
output_op = model.inference(test_sentence)
sess = tf.Session()
saver = tf.train.Saver()
saver.restore(sess, CHECKPOINT_PATH)
# 读取翻译结果。
output = sess.run(output_op)
print(output)
sess.close()

if __name__ == "__main__":
    main()
```

运行以上程序，得到的翻译结果是[1, 10, 7, 12, 411, 271, 6, 2]，按中文 vocab 文件转化为文字，就是"<sos>这是一个测试。<eos>"，翻译成功！

9.3.4　注意力机制

在 Seq2Seq 模型中，编码器将完整的输入句子压缩到一个维度固定的向量中，然后解码器根据这个向量生成输出句子。当输入句子较长时，这个中间向量难以存储足够的信息，就成为这个模型的一个瓶颈。注意力（"Attention"）机制就是为了解决这个问题而设计的。注意力机制允许解码器随时查阅输入句子中的部分单词或片段，因此不再需要在中间向量中存储所有信息。

这个过程可以类比于人的翻译过程：在翻译句子时，人们经常回头查阅原文的某个词或者片段，来提高对于这个词或者片段的翻译精确度。举个例子，假如一个人要把"The sea is blue"翻译成中文，当他翻译出"大海的颜色是——"的时候，如果突然想不起来原文中写的是什么颜色了，就会回头到原文相关部分去查阅。这时如果不允许他查询原文（类比于 Seq2Seq 模型），那么他就只能根据常理推断来选择一个最可能的颜色，准确率就会下降。图 9-7 和图 9-8 展示了使用注意力机制的 Seq2Seq 模型，其中图 9-7 概括性地展示了注意力机制的主要框架，而图 9-8 给出了注意力模型中的细节。解码器在解码的每一步将隐藏状态作为查询的输入来"查询"编码器的隐藏状态，在每个输入的位置计算一个反映与查询输入相关程度的权重，再根据这个权重对各输入位置的隐藏状态求加权平均。加权平均后得到的向量称为"context"，表示它是与翻译当前单词最相关的原文信息。在解码下一个单词时，将 context 作为额外信息输入到循环神经网络中，这样循环神经网络可以时刻读取原文中最相关的信息，而不必完全依赖于上一时刻的隐藏状态。

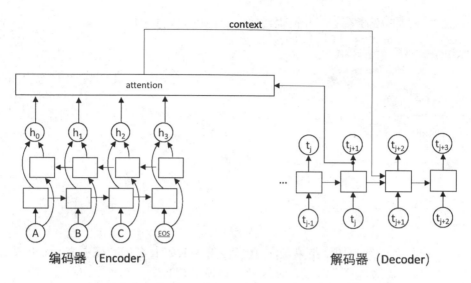

图 9-7　使用了注意力机制的 Seq2Seq 模型示意图

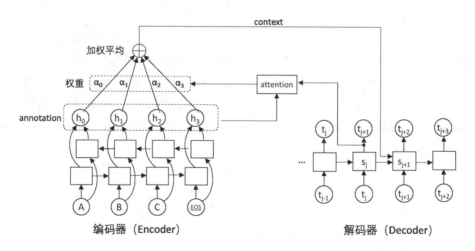

图 9-8　注意力机制的实现细节

　　下面介绍注意力机制的数学定义。在图 9-8 中，h_i 表示编码器在第 i 个单词上的输出，s_j 是编码器在预测第 j 个单词时的状态。计算 j 时刻的 context 的方法如下：

$$\alpha_{i,j} = \frac{exp\left(e\left(h_i, s_j\right)\right)}{\sum_i exp\left(e\left(h_i, s_j\right)\right)}$$

$$context_j = \sum_i \alpha_{i,j} h_i$$

其中 $e(h_i, s_j)$ 是计算原文各单词与当前解码器状态的"相关度"的函数。最常用的 $e(h, s)$ 函数定义是一个带有单个隐藏层的前馈神经网络：

$$e(h, s) = U \tanh(Vh + Ws)$$

其中 U，V，W 是模型的参数参数，$e(h, s)$ 构成了一个包含一个隐藏层的全连接神经网络。这个模型是 Dzmitry Bahdanau 等在第一次提出注意力机制的论文[①]中采用的模型，因此也称为 Bahdanau Attention。除此之外，注意力机制还有多种其他设计，如 Minh-Thang Luong 等提出的 $e(h, s) = h^T W s$，或直接使用两个状态之间的点乘 $e(h, s) = h^T s$。无论 $e(h, s)$ 采用哪个模型，通过 softmax 计算权重 α 和通过加权平均计算 context 的方法都是一样的。

在计算得到第 j 步的 context 向量之后，context 被加入到 j+1 时刻作为循环层的输入。假设 h 的维度是 hidden_src，词向量的维度是 hidden_emb，那么在计算隐藏状态 s_j 时，输入的维度是 hidden_src + hidden_emb。通过 context 向量，解码器可以在解码的每一步查询最相关的原文信息，从而避免 Seq2Seq 模型中信息瓶颈问题。

比较图 9-5 和图 9-7，除增加了注意力机制以外，还可以看到两点不同。第一，编码器采用了一个双向循环网络。虽然 Seq2Seq 模型中也可以使用双向循环网络作为编码器，但在使用注意力机制时，这一选择将变得尤为重要。这是因为在解码器通过注意力查询一个单词时，通常也需要知道该单词周围的部分信息，例如在查询"颜色"时，可能更需要知道查询的是"大海"的颜色，而不是别的物体的颜色。如果使用单向循环网络，那么每个单词的 annotation 就只包含它左边的文字的信息，而不包含它右边的信息，而双向循环网络使得每个单词的 annotation 可以同时包含左右两侧的信息。

第二，这里取消了编码器和解码器之间的连接，解码器完全依赖于注意力机制获取原文信息。取消这一连接使得编码器和解码器可以自由选择模型。例如它们可以选择不同层数、不同维度、不同结构的循环神经网络，可以在编码器中使用双向 LSTM，而在解码器使用单向 LSTM，甚至可以用卷积网络作为编码器、用循环神经网络作为解码器等。

注意力机制的实现较为复杂。为了方便开发者，TensorFlow 已经提供了几种预置的实现。tf.contrib.seq2seq.AttentionWrapper 将解码器的循环神经网络层和注意力层结合，成为一个更高层的循环神经网络。[②]每一步计算的 context 在相邻解码步骤之间的传递，可以视为一个隐藏状态在相邻时刻之间的传递。将注意力机制封装成循环神经网络后，就可以使用 dynamic_rnn 调用新的包含注意力的循环神经网络。

---

① Neural Machine Translation by Jointly Learning to Align and Translate（https://arxiv.org/abs/1409.0473）

② AttentionWrapper 类实现的注意力机制是 Thang Luong 等在论文 Effective Approaches to Attention-based Neural Machine Translation 中提出的，与图 9-7 描述的 Bahdanau 机制略有不同。主要区别在于，在 Luong 机制中，j 时刻产生的 $context_j$ 不仅用于 j+1 时刻 RNN 的输入，同时还输入给 j 时刻的 softmax 层。这里我们不过多关注模型细节，有兴趣的读者可以阅读上述论文。

下面的代码在 9.3.3 小节关于 Seq2Seq 模型的代码基础上稍作修改，展示了使用 AttentionWrapper 的方法。

```
# 下面 self.enc_cell_fw 和 self.enc_cell_bw 定义了编码器中的前向和后向循环网络。
# 它们取代了 Seq2Seq 样例代码中 __init__ 函数里的 self.enc_cell。
self.enc_cell_fw = tf.nn.rnn_cell.BasicLSTMCell(HIDDEN_SIZE)
self.enc_cell_bw = tf.nn.rnn_cell.BasicLSTMCell(HIDDEN_SIZE)

# 下面的代码取代了 Seq2Seq 样例代码中 forward 函数里的相应部分。
with tf.variable_scope("encoder"):
    # 构造编码器时，使用 bidirectional_dynamic_rnn 构造双向循环网络。
    # 双向循环网络的顶层输出 enc_outputs 是一个包含两个张量的 tuple，每个张量的
    # 维度都是[batch_size, max_time, HIDDEN_SIZE]，代表两个 LSTM 在每一步的输出。
    enc_outputs, enc_state = tf.nn.bidirectional_dynamic_rnn(
        self.enc_cell_fw, self.enc_cell_bw, src_emb, src_size,
        dtype=tf.float32)
    # 将两个 LSTM 的输出拼接为一个张量。
    enc_outputs = tf.concat([enc_outputs[0], enc_outputs[1]], -1)

with tf.variable_scope("decoder"):
    # 选择注意力权重的计算模型。BahdanauAttention 是使用一个隐藏层的前馈神经网络。
    # memory_sequence_length 是一个维度为[batch_size]的张量，代表 batch
    # 中每个句子的长度，Attention 需要根据这个信息把填充位置的注意力权重设置为 0。
    attention_mechanism = tf.contrib.seq2seq.BahdanauAttention(
        HIDDEN_SIZE, enc_outputs,
        memory_sequence_length=src_size)

    # 将解码器的循环神经网络 self.dec_cell 和注意力一起封装成更高层的循环神经网络。
    attention_cell = tf.contrib.seq2seq.AttentionWrapper(
        self.dec_cell, attention_mechanism,
        attention_layer_size=HIDDEN_SIZE)

    # 使用 attention_cell 和 dynamic_rnn 构造编码器。
    # 这里没有指定 init_state，也就是没有使用编码器的输出来初始化输入，而完全依赖
    # 注意力作为信息来源。
    dec_outputs, _ = tf.nn.dynamic_rnn(
        attention_cell, trg_emb, trg_size, dtype=tf.float32)
```

注意力机制是一种高效获取信息的方式。一方面，它使得解码器可以在每一步主动查询最相关的信息，而暂时忽略不相关的信息；另一方面，它大大缩短了信息流动的距离，比如在传统的 Seq2Seq 模型中，如果解码器生成最后一个单词时需要用到编码器读入的第一个单词的信息，那么这个信息需要通过 src_len + trg_len 个 LSTM 节点才能从编码器的最前端传递到编码器的最后端，而有了注意力机制后，解码器在任意时刻只需一步就可以查阅输入的任意单词。

鉴于这些优点，注意力机制在很多模型中得到了广泛应用。例如，ConvSeq2Seq 模型[①]使用卷积神经网络取代了 Seq2Seq 模型的循环神经网络，同时仍使用相似的注意力机制在编码器和解码器之间传递信息。Transformer 模型[②]既不使用循环神经网络，也不使用卷积神经网络，而完全使用注意力机制在不同神经层之间传递信息，实现了一个仅依靠注意力机制的机器翻译模型并取得了当前最好的效果。在图像领域中，注意力机制和卷积神经网络结合，也在图像分类[③]、图片描述生成[④]等应用上取得了很好的效果。

小结

本章以循环神经网络为基础，搭建了自然语言处理方面的两个经典应用：语言模型和机器翻译。语言模型的基本方法是由一个循环神经网络每步预测一个单词来实现的，在训练时采用 log perplexity 作为优化的目标函数。机器翻译的 Seq2Seq 模型可以看作增加了一个编码器的语言模型，其中编码器和解码器各自由一个循环神经网络实现。注意力机制在Seq2Seq 的基础上增加了对单词编码的动态查询，使得解码器不必完全依赖于循环神经网络的隐藏状态来存储所有信息。在讲解模型的过程中，本章还介绍了词向量（embedding）和 softmax 机制，文字数据的预处理步骤和填充（padding）、batching 方法，以及 tf.while_loop 的使用方法。

---

① Convolutional Sequence to Sequence Learning（https://arxiv.org/abs/1705.03122）

② Attention is All You Need（https://arxiv.org/abs/1706.03762）

③ Residual Attention Network for Image Classification（https://arxiv.org/abs/1704.06904）

④ Show, Attend and Tell: Neural Image Caption Generation with Visual Attention（https://arxiv.org/abs/1502.03044）

第 10 章   TensorFlow 高层封装

虽然原生态的 TensorFlow API 可以很灵活地支持不同的神经网络结构，但是其代码相对冗长，写起来比较麻烦。为了让用户更方便快捷地实现常用的神经网络结构，不同的组织和个人为 TensorFlow 提供了多种高层封装。在第 6 章中已经简单介绍了一种 TensorFlow 的高层封装，并使用它实现了卷积神经网络。在这一章中将更加详细地介绍几种最常用的 TensorFlow 高层封装。因为 TensorFlow 的高层封装有很多，所以在 10.1 节中将先列举一些相对常用的高层 API，并介绍它们各自的特点和共性。在后面的 10.2 和 10.3 节中将重点介绍使用最广的高层封装 Keras 和 Google 官方推荐的 Estimator。

10.1   TensorFlow 高层封装总览

目前比较主流的 TensorFlow 高层封装主要有 4 个，分别是 TensorFlow-Slim、TFLearn、Keras 和 Estimator。

TensorFlow-Slim 是 Google 官方给出的相对较早的 TensorFlow 高层封装，Google 通过 TensorFlow-Slim 开源了一些已经训练好的图像分析的模型[①]，所以目前在图像识别问题中 TensorFlow-Slim 仍被较多地使用。以下代码给出了一个简单的样例，介绍了如何使用 TensorFlow-Slim 在 MNIST 数据集上实现 LeNet-5 模型。

```
import tensorflow as tf
import tensorflow.contrib.slim as slim
import numpy as np

from tensorflow.examples.tutorials.mnist import input_data
```

---

① 在第 6 章中简单介绍了 TensorFlow-Slim 在图像分析问题中的使用。

```
# 通过 TensorFlow-Slim 来定义 LeNet-5 的网络结构。
def lenet5(inputs):
    # 将输入数据转化为一个 4 维数组,其中第一维表示 batch 大小,另三维表示一张图片。
    inputs = tf.reshape(inputs, [-1, 28, 28, 1])
    # 定义第一层卷积层。从下面的代码可以看到通过 TensorFlow-Slim 定义的网络结构并
    # 不需要用户去关心如何声明和初始化变量,而只需要定义网络结构即可。下一行代码中
    # 定了一个卷积层,该卷积层的深度为 32,过滤器的大小为 5×5,使用全 0 填充。
    net = slim.conv2d(inputs, 32, [5, 5],
                            padding='SAME', scope='layer1-conv')
    # 定义一个最大池化层,其过滤器大小为 2×2,步长为 2。
    net = slim.max_pool2d(net, 2, stride=2, scope='layer2-max-pool')
    # 类似的定义其他网络层结构。
    net = slim.conv2d(net, 64, [5, 5], padding='SAME', scope='layer3-conv')
    net = slim.max_pool2d(net, 2, stride=2, scope='layer4-max-pool')
    # 直接使用 TensorFlow-Slim 封装好的 flatten 函数将 4 维矩阵转为 2 维,这样可以
    # 方便后面的全连接层的计算。通过封装好的函数,用户不再需要自己计算通过卷积层之后
    # 矩阵的大小。
    net = slim.flatten(net, scope='flatten')
    # 通过 TensorFlow-Slim 定义全连接层,该全连接层有 500 个隐藏节点。
    net = slim.fully_connected(net, 500, scope='layer5')
    net = slim.fully_connected(net, 10, scope='output')
    return net

# 通过 TensorFlow-Slim 定义网络结构,并使用之前章节中给出的方式训练定义好的模型。
def train(mnist):
    # 定义输入。
    x = tf.placeholder(tf.float32, [None, 784], name='x-input')
    y_ = tf.placeholder(tf.float32, [None, 10], name='y-input')
    # 使用 TensorFlow-Slim 定义网络结构。
    y = lenet5(x)

    # 定义损失函数和训练方法。
    cross_entropy = tf.nn.sparse_softmax_cross_entropy_with_logits(
        logits=y, labels=tf.argmax(y_, 1))
        loss = tf.reduce_mean(cross_entropy)
    train_op = tf.train.GradientDescentOptimizer(0.01).minimize(loss)

    # 训练过程。
    with tf.Session() as sess:
        tf.global_variables_initializer().run()
        for i in range(10000):
            xs, ys = mnist.train.next_batch(100)
            _, loss_value = sess.run(
```

```
                    [train_op, loss], feed_dict={x: xs, y_: ys})

            if i % 1000 == 0:
                print("After %d training step(s), loss on training "
                      "batch is %g." % (i, loss_value))

def main(argv=None):
    mnist=input_data.read_data_sets("/path/to/MNIST_data",one_hot=True)
    train(mnist)


if __name__ == '__main__':
    main()

'''
运行以上代码可以得到类似以下的结果：
After 0 training step(s), loss on training batch is 2.30562.
After 1000 training step(s), loss on training batch is 0.783361.
After 2000 training step(s), loss on training batch is 0.737067.
After 3000 training step(s), loss on training batch is 0.767944.
After 4000 training step(s), loss on training batch is 0.553031.
…
After 8000 training step(s), loss on training batch is 0.195572.
After 9000 training step(s), loss on training batch is 0.276471.
'''
```

从以上代码可以看出，TensorFlow-Slim 主要的作用是使模型定义更加简洁，基本上每一层网络可以通过一句话来实现。除了对单层网络结构，TensorFlow-Slim 还对数据预处理、损失函数、学习过程、测试过程等都提供了高层封装。不过因为 TensorFlow-Slim 的这些封装使用得并不广泛，所以本书不做详细介绍，感兴趣的读者可以参考 GitHub 上 TensorFlow-Slim 的代码库。[①]TensorFlow-Slim 最特别的一个地方是它对一些标准的神经网络模型进行了封装，比如 VGG、Inception 以及 ResNet，而且 Google 开源的训练好的图像分类模型基本都是通过 TensorFlow-Slim 实现的。第 6 章介绍迁移学习时已经使用过通过 TensorFlow-Slim 定义的 Inception-v3 模型了。更加详细的、通过 TensorFlow-Slim 开源的训练好的模型列表可以在 GitHub 上找到。[②]

与 TensorFlow-Slim 相比，TFLearn 是一个更加简洁的 TensorFlow 高层封装。通过 TFLearn 可以更加容易地完成模型定义、模型训练以及模型评测的全过程。TFLearn 没有集

---

① TensorFlow-Slim 代码库地址为：https://github.com/tensorflow/tensorflow/tree/master/tensorflow/contrib/slim。

② https://github.com/tensorflow/models/tree/ master/research/slim。

成在 TensorFlow 的安装包中，故需要单独安装。通过以下命令就可以安装 TFLearn：

```
pip install tflearn
```

安装完 TFLearn 之后就可以通过 TFLearn 来实现神经网络了。以下代码展示了如何使用 TFLearn 在 MNIST 数据集上实现 LeNet-5 模型。

```python
# -*- coding: utf-8 -*-

import tflearn
from tflearn.layers.core import input_data, fully_connected
from tflearn.layers.conv import conv_2d, max_pool_2d
from tflearn.layers.estimator import regression

import tflearn.datasets.mnist as mnist

# 读取 MNIST 数据。
trainX, trainY, testX, testY = mnist.load_data(
    data_dir="/path/to/MNIST_data", one_hot=True)

# 将图像数据 reshape 成卷积神经网络输入的格式。
trainX = trainX.reshape([-1, 28, 28, 1])
testX = testX.reshape([-1, 28, 28, 1])

# 构建神经网络，这个过程和 TensorFlow-Slim 比较类似。input_data 定义了一个
# placeholder 来接入输入数据。
net = input_data(shape=[None, 28, 28, 1], name='input')
# 通过 TFLearn 封装好的 API 定义一个深度为 5，过滤器为 5×5，激活函数为 ReLU 的卷积层。
net = conv_2d(net, 32, 5, activation='relu')
# 定义一个过滤器为 2×2 的最大池化层。
net = max_pool_2d(net, 2)
# 类似地定义其他的网络结构。
net = conv_2d(net, 64, 5, activation='relu')
net = max_pool_2d(net, 2)
net = fully_connected(net, 500, activation='relu')
net = fully_connected(net, 10, activation='softmax')

# 使用 TFLearn 封装好的函数定义学习任务。指定优化器为 sgd，学习率为 0.01，损失函数为交
# 叉熵。
net = regression(net, optimizer='sgd', learning_rate=0.01,
                 loss='categorical_crossentropy')

# 通过定义的网络结构训练模型，并在指定的验证数据上验证模型的效果。TFLearn 将模型的训练
# 过程封装到了一个类中，这样可以减少非常多的冗余代码。
model = tflearn.DNN(net, tensorboard_verbose=0)
```

```
model.fit(trainX, trainY, n_epoch=20,
          validation_set=([testX, testY]),
          show_metric=True)

'''
运行以上代码可以得到类似以下的结果：
---------------------------------
Run id: 61VRFQ
Log directory: /tmp/tflearn_logs/
---------------------------------
Training samples: 55000
Validation samples: 10000
--
Training Step: 860  | total loss: 0.27329 | time: 185.113s
| SGD | epoch: 001 | loss: 0.27329 - acc: 0.9316 | val_loss: 0.26857 - val_acc:
0.9163 -- iter: 55000/55000
--
Training Step: 1720  | total loss: 0.20611 | time: 170.847s
| SGD | epoch: 002 | loss: 0.20611 - acc: 0.9475 | val_loss: 0.15714 - val_acc:
0.9527 -- iter: 55000/55000
…
Training Step: 17200  | total loss: 0.44106 | time: 189.344s
| SGD | epoch: 020 | loss: 0.44106 - acc: 0.9689 | val_loss: 0.03203 - val_acc:
0.9898 -- iter: 55000/55000
'''
```

从以上代码可以看出，使用 TFLearn 训练神经网络的流程也是一样的：先定义神经网络的结构，再使用训练数据来训练模型。与原生态 TensorFlow 不同的地方在于，TFLearn 不仅使神经网络结构定义更加简洁，还将模型训练的过程也进行了封装。另外，在定义神经网络的前向传播过程之后，TFLearn 可以通过 regression 函数来指定损失函数和优化方法。更方便的是，不仅 TFLearn 能很好地封装模型定义，tflearn.DNN 也能很好地封装模型训练的过程。通过 fit 函数可以指定训练中使用的数据和训练的轮数。这样避免了大量的冗余代码。

因为篇幅关系，本章不再详细介绍 TFLearn 的复杂使用方法，感兴趣的读者可以参考 TFLearn 官网（http://tflearn.org/）上的相关内容。与 TFLearn 类似，Keras 和 Estimator 在封装的方式上基本和 TFLearn 一致，主要也是针对模型定义和模型训练两个部分。与 TFLearn 不同的是，Keras 和 Estimator 都已经加入了 TensorFlow 代码库，而且它们是使用最为广泛的 TensorFlow 高层封装。下面两节将更加详细地介绍 Keras 和 Estimator 的使用方法。

10.2　Keras 介绍

Keras 是目前使用最为广泛的深度学习工具之一，它的底层可以支持 TensorFlow、MXNet、CNTK 和 Theano。如今，Keras 更是被直接引入了 TensorFlow 的核心代码库，成为 TensorFlow 官方提供的高层封装之一。10.2.1 小节中将首先介绍最基本的 Keras API，并给出一个简单的样例。10.2.2 小节中将介绍如何使用 Keras 定义更加复杂的模型以及如何将 Keras 和原生态 TensorFlow 结合起来。

10.2.1　Keras 基本用法

和 TFLearn API 类似，Keras API 也对模型定义、损失函数、训练过程等进行了封装，而且封装之后的整个训练过程和 TFLearn 是基本一致的，可以分为数据处理、模型定义和模型训练三个部分。使用原生态的 Keras API 需要先安装 Keras 包，安装的方法如下：

```
pip install keras
```

以下代码展示了如何使用原生态 Keras 在 MNIST 数据集上实现 LeNet-5 模型。

```
# -*- coding: utf-8 -*-

import keras
from keras.datasets import mnist
from keras.models import Sequential
from keras.layers import Dense, Flatten, Conv2D, MaxPooling2D
from keras import backend as K

num_classes = 10
img_rows, img_cols = 28, 28

# 通过 Keras 封装好的 API 加载 MNIST 数据。其中 trainX 就是一个 60000 × 28 × 28 的数
# 组，trainY 是每一张图片对应的数字。
(trainX, trainY), (testX, testY) = mnist.load_data()

# 因为不同的底层（TensorFlow 或者 MXNet）对输入的要求不一样，所以这里需要根据对图像编
# 码的格式要求来设置输入层的格式。
if K.image_data_format() == 'channels_first':
    trainX = trainX.reshape(trainX.shape[0], 1, img_rows, img_cols)
    testX = testX.reshape(testX.shape[0], 1, img_rows, img_cols)
    # 因为 MNIST 中的图片是黑白的，所以第一维的取值为 1。
    input_shape = (1, img_rows, img_cols)
else:
```

```
    trainX = trainX.reshape(trainX.shape[0], img_rows, img_cols, 1)
    testX = testX.reshape(testX.shape[0], img_rows, img_cols, 1)
    input_shape = (img_rows, img_cols, 1)

# 将图像像素转化为 0 到 1 之间的实数。
trainX = trainX.astype('float32')
testX = testX.astype('float32')
trainX /= 255.0
testX /= 255.0

# 将标准答案转化为需要的格式（one-hot 编码）。
trainY = keras.utils.to_categorical(trainY, num_classes)
testY = keras.utils.to_categorical(testY, num_classes)

# 使用 Keras API 定义模型。
model = Sequential()
# 一层深度为 32，过滤器大小为 5×5 的卷积层。
model.add(
    Conv2D(32,kernel_size=(5,5),activation='relu',input_shape=input_shape))
# 一层过滤器大小为 2×2 的最大池化层。
model.add(MaxPooling2D(pool_size=(2, 2)))
# 一层深度为 64，过滤器大小为 5×5 的卷积层。
model.add(Conv2D(64, (5, 5), activation='relu'))
# 一层过滤器大小为 2×2 的最大池化层。
model.add(MaxPooling2D(pool_size=(2, 2)))
# 将卷积层的输出拉直后作为下面全连接层的输入。
model.add(Flatten())
# 全连接层，有 500 个节点。
model.add(Dense(500, activation='relu'))
# 全连接层，得到最后的输出。
model.add(Dense(num_classes, activation='softmax'))

# 定义损失函数、优化函数和评测方法。
model.compile(loss=keras.losses.categorical_crossentropy,
              optimizer=keras.optimizers.SGD(),
              metrics=['accuracy'])

# 类似 TFLearn 中的训练过程，给出训练数据、batch 大小、训练轮数和验证数据，Keras 可以
# 自动完成模型训练过程。
model.fit(trainX, trainY,
          batch_size=128,
          epochs=20,
          validation_data=(testX, testY))

# 在测试数据上计算准确率。
```

```
score = model.evaluate(testX, testY)
print('Test loss:', score[0])
print('Test accuracy:', score[1])

'''
运行以上代码可以得到类似以下的结果：

Using TensorFlow backend.

Epoch 1/20
60000/60000 [==============================] - 91s 2ms/step - loss: 1.0321
- acc: 0.7458 - val_loss: 0.3143 - val_acc: 0.9061
Epoch 2/20
60000/60000 [==============================] - 97s 2ms/step - loss: 0.2609
- acc: 0.9232 - val_loss: 0.1919 - val_acc: 0.9443
Epoch 3/20
60000/60000 [==============================] - 101s 2ms/step - loss: 0.1854
- acc: 0.9450 - val_loss: 0.1413 - val_acc: 0.9608
…
Epoch 20/20
60000/60000 [==============================] - 81s 1ms/step - loss: 0.0456
- acc: 0.9860 - val_loss: 0.0488 - val_acc: 0.9840
10000/10000 [==============================] - 5s 481us/step
('Test loss:', 0.048786141543649138)
('Test accuracy:', 0.98399999999999999)
'''
```

　　从以上代码可以看出使用 Keras API 训练模型可以先定义一个 Sequential 类[①]，然后在 Sequential 实例中通过 add 函数添加网络层。Keras 把卷积层、池化层、RNN 结构（LSTM、GRN）、全连接层等常用的神经网络结构都做了封装，可以很方便地实现深层神经网络。[②]在神经网络结构定义好之后，Sequential 实例可以通过 compile 函数，指定优化函数[③]、损失函数[④]以及训练过程中需要监控的指标[⑤]等。Keras 对优化函数、损失函数以及监控指标都有封装，同时也支持使用自定义的方式，在 Keras 的 API 文档中有详细的介绍，这里不再赘述。最后在网络结构、损失函数和优化函数都定义好之后，Sequential 实例可以通过 fit 函

---

① 在一个 Sequential 类中只能支持顺序连接的网络结构，在 10.2.2 小节中将继续介绍如何构建更加复杂的模型。
② 关于 Keras 封装的神经网络层结构更加具体的内容可以参考：https://keras.io/layers/about-keras-layers/。
③ 关于 Keras 封装的优化函数更加具体的内容可以参考：https://keras.io/optimizers/。
④ 关于 Keras 封装的损失函数更加具体的内容可以参考：https://keras.io/losses/。
⑤ 关于 Keras 封装的监控指标更加具体的内容可以参考：https://keras.io/metrics/。

数来训练模型。类似 TFLearn 中的 fit 函数，Keras 的 fit 函数只须给出训练数据、batch 大小和训练轮数，Keras 就可以自动完成模型训练的整个过程。

　　除了能够很方便地处理图像问题，Keras 对于循环神经网络的支持也是非常出色的。有了 Keras API，循环神经网络的循环体结构也可以通过简单的一句命令完成。以下代码给出了如何通过 Keras 实现自然语言情感分类问题。使用循环神经网络判断语言的情感（比如在以下例子中需要判断的一个评价是好评还是差评）和自然语言建模问题类似[①]，唯一的区别在于除了最后一个时间点的输出是有意义的，其他时间点的输出都可以忽略。图 10-1 展示了使用循环神经网络处理情感分析问题的模型结构。

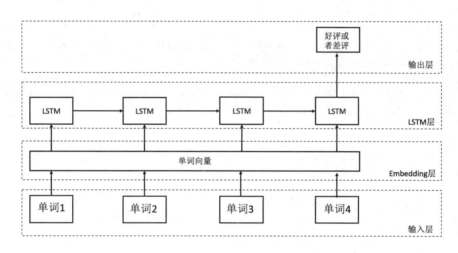

图 10-1　使用循环神经网络实现情感分析模型

```
# -*- coding: utf-8 -*-

from keras.preprocessing import sequence
from keras.models import Sequential
from keras.layers import Dense, Embedding
from keras.layers import LSTM
from keras.datasets import imdb

# 最多使用的单词数。
max_features = 20000
# 循环神经网络的截断长度。
maxlen = 80
batch_size = 32
```

---

① 第 9 章中详细介绍了如何通过循环神经网络对自然语言进行建模。

```
# 加载数据并将单词转化为 ID，max_features 给出了最多使用的单词数。和自然语言模型类似，
# 会将出现频率较低的单词替换为统一的 ID。通过 Keras 封装的 API 会生成 25000 条训练数据
# 和 25000 条测试数据，每一条数据可以被看成一段话，并且每段话都有一个好评或者差评的标签。
(trainX, trainY), (testX, testY) = imdb.load_data(num_words=max_features)
print(len(trainX), 'train sequences')
print(len(testX), 'test sequences')

# 在自然语言中，每一段话的长度是不一样的，但循环神经网络的循环长度是固定的，所以这里需
# 要先将所有段落统一成固定长度。对于长度不够的段落，要使用默认值 0 来填充，对于超过长度
# 的段落则直接忽略掉超过的部分。
trainX = sequence.pad_sequences(trainX, maxlen=maxlen)
testX = sequence.pad_sequences(testX, maxlen=maxlen)
'''
# 输出统一长度之后的数据维度：
# ('x_train shape:', (25000, 80))
# ('x_test shape:', (25000, 80))
'''
print('trainX shape:', trainX.shape)
print('testX shape:', testX.shape)

# 在完成数据预处理之后构建模型
model = Sequential()
# 构建 embedding 层。128 代表了 embedding 层的向量维度。
model.add(Embedding(max_features, 128))
# 构建 LSTM 层。
model.add(LSTM(128, dropout=0.2, recurrent_dropout=0.2))
# 构建最后的全连接层。注意在上面构建 LSTM 层时只会得到最后一个节点的输出，
# 如果需要输出每个时间点的结果，那么可以将 return_sequences 参数设为 True。
model.add(Dense(1, activation='sigmoid'))

# 与 MNIST 样例类似地指定损失函数、优化函数和评测指标。
model.compile(loss='binary_crossentropy',
              optimizer='adam',
              metrics=['accuracy'])
# 与 MNIST 样例类似地指定训练数据、训练轮数、batch 大小以及验证数据。
model.fit(trainX, trainY,
          batch_size=batch_size,
          epochs=15,
          validation_data=(testX, testY))

# 在测试数据上评测模型。
score = model.evaluate(testX, testY, batch_size=batch_size)
print('Test loss:', score[0])
print('Test accuracy:', score[1])
```

```
'''
运行上面代码可以得到类似以下的输出：
Train on 25000 samples, validate on 25000 samples
Epoch 1/15
25000/25000 [==============================] - 247s 10ms/step - loss: 0.4645
- acc: 0.7778 - val_loss: 0.3881 - val_acc: 0.8267
Epoch 2/15
25000/25000 [==============================] - 231s 9ms/step - loss: 0.2980
- acc: 0.8780 - val_loss: 0.3904 - val_acc: 0.8348
…
Epoch 15/15
25000/25000 [==============================] - 167s 7ms/step - loss: 0.0126
- acc: 0.9964 - val_loss: 1.0459 - val_acc: 0.8098
25000/25000 [==============================] - 23s 921us/step
('Test score:', 1.0458565827691555)
('Test accuracy:', 0.80984)
'''
```

以上两个样例针对 Keras 的基本用法做了详细的介绍。虽然通过 Keras 的封装，很多经典的神经网络结构能够很快地被实现，不过要实现一些更加灵活的网络结构、损失函数或者数据输入方法，就需要对 Keras 的高级用法有更多的了解。10.2.2 小节中将对这些话题做更加深入的介绍。

10.2.2　Keras 高级用法

在 10.2.1 小节中一个最重要的封装就是 Sequential 类，所有的神经网络模型定义和训练都是通过 Sequential 实例来实现的。然而，从这个类的名称可以看出，它只支持顺序模型的定义。类似 Inception[①]这样的模型结构，通过 Sequential 类就不容易直接实现了。为了支持更加灵活的模型定义方法，Keras 支持以返回值的形式定义网络层结构。以下代码展示了如何使用这种方式定义模型。

```
# -*- coding: utf-8 -*-

import keras
from keras.datasets import mnist
from keras.layers import Input, Dense
from keras.models import Model
```

① 关于 Inception 模型更详细的介绍可以参考第 6 章。

```
# 使用 10.2.1 小节中介绍的类似方法生成 trainX、trainY、testX、testY，唯一的不同是这
# 里只用了全连接层，所以不需要将输入整理成三维矩阵。
…

# 定义输入，这里指定的维度不用考虑 batch 大小。
inputs = Input(shape=(784,))
# 定义一层全连接层，该层有 500 隐藏节点，使用 ReLU 激活函数。这一层的输入为 inputs。
x = Dense(500, activation='relu')(inputs)
# 定义输出层。注意因为 keras 封装的 categorical_crossentropy 并没有将神经网络的输出
# 再经过一层 softmax，所以这里需要指定 softmax 作为激活函数。
predictions = Dense(10, activation='softmax')(x)

# 通过 Model 类创建模型，和 Sequential 类不同的是 Model 类在初始化的时候需要指定模型的
# 输入和输出。
model = Model(inputs=inputs, outputs=predictions)

# 使用与 10.2.1 中类似的方法定义损失函数、优化函数和评测方法。
model.compile(loss=keras.losses.categorical_crossentropy,
              optimizer=keras.optimizers.SGD(),
              metrics=['accuracy'])
# 使用与 10.2.1 中类似的方法训练模型。
model.fit(trainX, trainY,
          batch_size=128,
          epochs=20,
          validation_data=(testX, testY))
```

通过这样的方式，Keras 就可以实现类似 Inception 这样的模型结构。以下代码展示了如何通过 Keras 实现 Inception 结构。

```
from keras.layers import Conv2D, MaxPooling2D, Input

# 定义输入图像尺寸。
input_img = Input(shape=(256, 256, 3))

# 定义第一个分支。
tower_1 = Conv2D(64, (1, 1), padding='same', activation='relu')(input_img)
tower_1 = Conv2D(64, (3, 3), padding='same', activation='relu')(tower_1)

# 定义第二个分支。与顺序模型不同，第二个分支的输入使用的是 input_img，而不是第一个分支
# 的输出。
tower_2 = Conv2D(64, (1, 1), padding='same', activation='relu')(input_img)
tower_2 = Conv2D(64, (5, 5), padding='same', activation='relu')(tower_2)

# 定义第三个分支。类似地，第三个分支的输入也是 input_img。
tower_3 = MaxPooling2D((3, 3), strides=(1, 1), padding='same')(input_img)
```

```
tower_3 = Conv2D(64, (1, 1), padding='same', activation='relu')(tower_3)

# 将三个分支通过 concatenate 的方式拼接在一起。
output = keras.layers.concatenate([tower_1, tower_2, tower_3], axis=1)
```

除了可以支持非顺序模型，Keras 也可以支持有多个输入或者输出的模型。以下代码实现了如图 10-2 所示的网络结构。

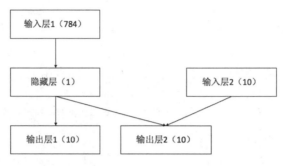

图 10-2　多输入输出网络结构示意图

图 10-2 是一个多输入、多输出的网络结构。输入层 1 含有 784 个节点，代表 MNIST 图片中 784 个像素。输入层 2 含有 10 个节点，代表该图片所对应的数字。输出层在预测时仅仅依赖维度为 1 的隐藏层，因此预测的准确度比较低；而输出层 2 的输入中直接包含了正确答案，因此预测的准确度很高。

```
# -*- coding: utf-8 -*-

import keras
from tflearn.layers.core import fully_connected
from keras.datasets import mnist
from keras.layers import Input, Dense
from keras.models import Model

# 类似 10.2.1 中的方式生成 trainX、trainY、testX、testY。

# 定义两个输入，一个输入为原始的图片信息，另一个输入为正确答案。
input1 = Input(shape=(784,), name = "input1")
input2 = Input(shape=(10,), name = "input2")

# 定义一个只有一个隐藏节点的全连接网络。
x = Dense(1, activation='relu')(input1)
# 定义只使用了一个隐藏节点的网络结构的输出层。
output1 = Dense(10, activation='softmax', name = "output1")(x)
```

```
# 将一个隐藏节点的输出和正确答案拼接在一起，这个将作为第二个输出层的输入。
y = keras.layers.concatenate([x, input2])
# 定义第二个输出层。
output2 = Dense(10, activation='softmax', name = "output2")(y)

# 定义一个有多个输入和多个输出的模型。这里只需要将所有的输入和输出给出即可。
model = Model(inputs=[input1, input2], outputs=[output1, output2])

# 定义损失函数、优化函数和评测方法。若多个输出的损失函数相同，可以只指定一个损失函数。
# 如果多个输出的损失函数不同，则可以通过一个列表或一个字典来指定每一个输出的损失函数。
# 比如可以使用：
#     loss={'output1':'binary_crossentropy','output2':'binary_crossentropy'}
# 来为不同的输出指定不同的损失函数。类似地，Keras 也支持为不同输出产生的损失指定权重，
# 这可以通过 loss_weights 参数来完成。在下面的定义中,输出 output1 的权重为 1,output2
# 的权重为 0.1。所以这个模型会更加偏向于优化第一个输出。
model.compile(loss=keras.losses.categorical_crossentropy,
              optimizer=keras.optimizers.SGD(),
              loss_weights = [1, 0.1],
              metrics=['accuracy'])

# 模型训练过程。因为有两个输入和输出，所以这里提供的数据也需要有两个输入和两个期待的正
# 确答案输出。通过列表的方式提供数据时，Keras 会假设数据给出的顺序和定义 Model 类时输
# 入输出给出的顺序是对应的。为了避免顺序不一致导致的问题，本书更推荐使用字典的形式给出：
#     model.fit(
#         {'input1': trainX, 'input2': trainY},
#         {'output1': trainY, 'output2': trainY},
#         …)
model.fit([trainX, trainY], [trainY, trainY],
          batch_size=128,
          epochs=20,
          validation_data=([testX, testY], [testY, testY]))

'''
运行以上代码可以得到类似以下的输出：
Train on 60000 samples, validate on 10000 samples
Epoch 1/20
60000/60000 [==============================] - 2s 28us/step - loss: 2.4584
- output1_loss: 2.2457 - output2_loss: 2.1266 - output1_acc: 0.1372 -
output2_acc: 0.3127 - val_loss: 2.3903 - val_output1_loss: 2.1786 -
val_output2_loss: 2.1168 - val_output1_acc: 0.1650 - val_output2_acc: 0.3778
Epoch 2/20
60000/60000 [==============================] - 1s 20us/step - loss: 2.3587
- output1_loss: 2.1488 - output2_loss: 2.0986 - output1_acc: 0.1714 -
output2_acc: 0.3684 - val_loss: 2.3126 - val_output1_loss: 2.1056 -
```

```
val_output2_loss: 2.0697 - val_output1_acc: 0.1833 - val_output2_acc: 0.3742
…
Epoch 20/20
60000/60000 [==============================] - 1s 20us/step - loss: 1.9393
- output1_loss: 1.8139 - output2_loss: 1.2537 - output1_acc: 0.2971 -
output2_acc: 0.9149 - val_loss: 1.9138 - val_output1_loss: 1.7910 -
val_output2_loss: 1.2288 - val_output1_acc: 0.2985 - val_output2_acc: 0.9210
'''
```

从以上输出可以看出 Keras 在训练过程中会显示每个输出层的 loss 和 accuracy。因为输出层 output1 只使用了一个维度为 1 的隐藏节点，所以正确率只有 29.85%。虽然输出层 output2 使用了正确答案作为输入，但是因为在损失函数中权重较低（只有 0.1），所以它的收敛速度较慢，在 20 个 epoch 时准确率也只有 92.1%。如果将两个输出层的损失权重设为一样，那么输出层 output1 在 20 个 epoch 时的准确率将只有 27%，而输出层 output2 的准确率可以达到 99.9%。

虽然通过返回值的方式已经可以实现大部分的神经网络模型，然而 Keras API 还存在两大问题。第一，原生态 Keras API 对训练数据的处理流程支持得不太好，基本上需要一次性将数据全部加载到内存。第二，原生态 Keras API 无法支持分布式训练。为了解决这两个问题，Keras 提供了一种与原生态 TensorFlow 结合得更加紧密的方式。以下代码显示了如何将 Keras 和原生态 TensorFlow API 联合起来解决 MNIST 问题。

```
# -*- coding: utf-8 -*-

import tensorflow as tf
from tensorflow.examples.tutorials.mnist import input_data

mnist_data=input_data.read_data_sets(
        /path/to/MNIST_data', one_hot=True)

# 通过 TensorFlow 中的 placeholder 定义输入。类似地，Keras 封装的网络层结构也可以支
# 持使用第 7 章中介绍的输入队列。这样可以有效避免一次性加载所有数据的问题。
x = tf.placeholder(tf.float32, shape=(None, 784))
y_ = tf.placeholder(tf.float32, shape=(None, 10))

# 直接使用 TensorFlow 中提供的 Keras API 定义网络层结构。①
net = tf.keras.layers.Dense(500, activation='relu')(x)
y = tf.keras.layers.Dense(10, activation='softmax')(net)

# 定义损失函数和优化方法。注意这里可以混用 Keras 的 API 和原生态 TensorFlow 的 API。
```

---

① Keras API 已经被完全整合到了 TensorFlow 中，所以本节上面给出的所有代码都可以直接通过 tensorflow.keras 库来定义。

```
loss = tf.reduce_mean(tf.keras.losses.categorical_crossentropy(y_, y))
train_step = tf.train.GradientDescentOptimizer(0.5).minimize(loss)

# 定义预测的正确率作为指标。
acc_value = tf.reduce_mean(tf.keras.metrics.categorical_accuracy(y_, y))

# 使用原生态 TensorFlow 的方式训练模型。这样可以有效地实现分布式。
with tf.Session() as sess:
    tf.global_variables_initializer().run()

    for i in range(10000):
        xs, ys = mnist_data.train.next_batch(100)
        _, loss_value = sess.run([train_step, loss],
                                  feed_dict={x: xs, y_: ys})
        if i % 1000 == 0:
            print("After %d training step(s), loss on training batch is "
                  "%g." % (i, loss_value))

    print acc_value.eval(feed_dict={x: mnist_data.test.images,
                                     y_: mnist_data.test.labels})

'''
运行以上代码可以得到类似以下的输出：
After 0 training step(s), loss on training batch is 2.42256.
After 1000 training step(s), loss on training batch is 0.0550451.
…
After 9000 training step(s), loss on training batch is 0.00107198.
0.9843
'''
```

通过和原生态 TensorFlow 更紧密地结合，可以使建模的灵活性进一步提高，但是同时也会损失一部分封装带来的易用性。所以在实际问题中读者可以根据需求合理地选择封装的程度。

10.3　Estimator 介绍

除了第三方提供的 TensorFlow 高层封装 API，TensorFlow 从 1.3 版本开始也推出了官方支持的高层封装 tf.estimator。为了引用方便，本书将 tf.estimator 简称为 Estimator。因为 Estimator 是 TensorFlow 官方提供的高层 API，所以它更好地整合了原生态 TensorFlow 提供的功能。10.3.1 小节中将介绍如何通过 TensorFlow 预先定义好的 Estimator 来实现深层全连接神经网络，以解决 MNIST 问题。然后 10.3.2 节中将进一步介绍如何使用自定义的 Estimator 模型。最后 10.3.3 节中将介绍如何使用 Dataset 作为 Estimator 的输入来实现输入队列。

10.3.1　Estimator 基本用法

类似其他的高层封装，本节先给出在 MNIST 数据集上，通过 Estimator 实现全连接神经网络的代码。

```
# -*- coding: utf-8 -*-

import numpy as np
import tensorflow as tf
from tensorflow.examples.tutorials.mnist import input_data

# 将 TensorFlow 日志信息输出到屏幕。
tf.logging.set_verbosity(tf.logging.INFO)
mnist = input_data.read_data_sets("/path/to/MNIST_data", one_hot=False)

# 指定神经网络的输入层。所有这里指定的输入都会拼接在一起作为整个神经网络的输入。
feature_columns = [tf.feature_column.numeric_column("image", shape=[784])]

# 通过 TensorFlow 提供的封装好的 Estimator 定义神经网络模型。feature_columns 参数
# 给出了神经网络输入层需要用到的数据，hidden_units 参数给出了神经网络的结构。注意
# 这 DNNClassifier 只能定义多层全连接层神经网络，而 hidden_units 列表中给出了每一
# 层隐藏层的节点个数。n_classes 给出了总共类目的数量，optimizer 给出了使用的优化函数。
# Estimator 会将模型训练过程中的 loss 变化以及一些其他指标保存到 model_dir 目录下，
# 通过 TensorBoard 可以可视化这些指标的变化过程①。图 10-3 展示了通过 TensorBoard 可
# 视化的监控指标的结果。
estimator = tf.estimator.DNNClassifier(
    feature_columns=feature_columns,
    hidden_units=[500],
    n_classes=10,
    optimizer=tf.train.AdamOptimizer(),
    model_dir="/path/to/log"))

# 定义数据输入。这里 x 中需要给出所有的输入数据。因为上面 feature_columns 只定义了一
# 组输入，所以这里只需要指定一个就好。如果 feature_columns 中指定了多个，那么这里也
# 需要对每一个指定的输入提供数据。y 中需要提供每一个 x 对应的正确答案，这里要求分类的
# 结果是一个正整数。num_epochs 指定了数据循环使用的轮数。比如在测试时可以将这个参数指
# 定为 1。batch_size 指定了一个 batch 的大小。shuffle 指定了是否需要对数据进行随
# 机打乱。
train_input_fn = tf.estimator.inputs.numpy_input_fn(
      x={"image": mnist.train.images},
      y=mnist.train.labels.astype(np.int32),
```

①　第 11 章中更加详细地介绍了 TensorBoard 的使用方法。

```
    num_epochs=None,
    batch_size=128,
    shuffle=True)

# 训练模型。注意这里没有指定损失函数，通过 DNNClassifier 定义的模型会使用交叉熵
# 作为损失函数。
estimator.train(input_fn=train_input_fn, steps=10000)

# 定义测试时的数据输入。指定的形式和训练时的数据输入基本一致。
test_input_fn = tf.estimator.inputs.numpy_input_fn(
    x={"image": mnist.test.images},
    y=mnist.test.labels.astype(np.int32),
    num_epochs=1,
    batch_size=128,
    shuffle=False)

# 通过 evaluate 评测训练好的模型的效果。
accuracy_score = estimator.evaluate(input_fn=test_input_fn)["accuracy"]
print("\nTest accuracy: %g %%" % (accuracy_score*100))

'''
运行以上代码可以得到类似以下的输出:
INFO:tensorflow:Using default config.
INFO:tensorflow:Using config: {'_save_checkpoints_secs': 600, '_session_
config': None, '_keep_checkpoint_max': 5, '_task_type': 'worker',
'_is_chief': True, '_cluster_spec': <tensorflow.python.training.server_
lib.ClusterSpec object at 0x115e03b50>, '_save_checkpoints_steps': None,
'_keep_checkpoint_every_n_hours': 10000, '_service': None, '_num_ps_
replicas': 0, '_tf_random_seed': None, '_master': '', '_num_worker_
replicas': 1, '_task_id': 0, '_log_step_count_steps': 100, '_model_dir':
'log', '_save_summary_steps': 100}
INFO:tensorflow:Saving checkpoints for 1 into log/model.ckpt.
INFO:tensorflow:loss = 301.948, step = 1
INFO:tensorflow:global_step/sec: 85.0254
INFO:tensorflow:loss = 21.2997, step = 101 (1.176 sec)
INFO:tensorflow:global_step/sec: 87.2444
…
INFO:tensorflow:global_step/sec: 83.644
INFO:tensorflow:loss = 0.00975741, step = 9901 (1.196 sec)
INFO:tensorflow:Saving checkpoints for 10000 into log/model.ckpt.
INFO:tensorflow:Loss for final step: 0.922314.
INFO:tensorflow:Starting evaluation at 2017-11-13-19:04:57
INFO:tensorflow:Restoring parameters from log/model.ckpt-10000
INFO:tensorflow:Finished evaluation at 2017-11-13-19:04:58
```

```
INFO:tensorflow:Saving dict for global step 10000: accuracy = 0.9814,
average_loss = 0.0839367, global_step = 10000, loss = 10.6249

Test accuracy: 98.14 %
'''
```

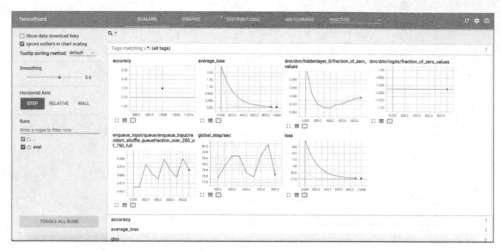

图 10-3　使用 TensorBoard 可视化 Estimator 训练过程中的监控指标

从以上代码可以看出，使用预先定义好的 Estimator 可以更加深层次地封装神经网络的定义和训练过程。在这个过程中，用户只需要关注模型的输入以及模型的结构，其他的工作都可以通过 Estimator 自动完成。然而预先定义好的 Estimator 功能有限，比如目前无法很好地实现卷积神经网络或者循环神经网络，也没有办法支持自定义的损失函数，所以为了更好地使用 Estimator，下一小节将介绍如何使用 Estimator 自定义模型。

10.3.2　Estimator 自定义模型

若使用预先定义好的模型，除了不能灵活选择模型的结构，模型使用的损失函数和每一层使用的激活函数等也都是预先定义好的。为了更加灵活地构建模型，Estimator 支持使用自定义的模型结构。以下代码展示了如何通过自定义的方式使用卷积神经网络解决 MNIST 问题。

```
# -*- coding: utf-8 -*-

import numpy as np
import tensorflow as tf
from tensorflow.examples.tutorials.mnist import input_data
```

```
tf.logging.set_verbosity(tf.logging.INFO)

# 通过 tf.layers 来定义模型结构。这里可以使用原生态 TensorFlow API 或者任何
# TensorFlow 的高层封装。X 给出了输入层张量，is_training 指明了是否为训练。该函数
# 返回前向传播的结果。
def lenet(x, is_training):
    # 将输入转化为卷积层需要的形状。
    x = tf.reshape(x, shape=[-1, 28, 28, 1])

    net = tf.layers.conv2d(x, 32, 5, activation=tf.nn.relu)
    net = tf.layers.max_pooling2d(net, 2, 2)
    net = tf.layers.conv2d(net, 64, 3, activation=tf.nn.relu)
    net = tf.layers.max_pooling2d(net, 2, 2)
    net = tf.contrib.layers.flatten(net)
    net = tf.layers.dense(net, 1024)
    net = tf.layers.dropout(net, rate=0.4, training=is_training)
    return tf.layers.dense(net, 10)

# 自定义 Estimator 中使用的模型。定义的函数有 4 个输入，features 给出了在输入函数中
# 会提供的输入层张量。注意这是一个字典，字典里的内容是通过
# tf.estimator.inputs.numpy_input_fn 中 x 参数的内容指定的。labels 是正确答案，
# 这个字段的内容是通过 numpy_input_fn 中 y 参数给出的。mode 的取值有 3 种可能，分别
# 对应 Estimator 类的 train、evaluate 和 predict 这 3 个函数。通过这个参数可以判断
# 当前是否是训练过程。最后 params 是一个字典，这个字典中可以给出模型相关的任何超参
# 数（hyper-parameter）。比如这里将学习率放在 params 中。
def model_fn(features, labels, mode, params):
    # 定义神经网络的结构并通过输入的到前向传播的结果。
    predict = lenet(
        features["image"], mode == tf.estimator.ModeKeys.TRAIN)

    # 如果在预测模式，那么只需要将结果返回即可。
    if mode == tf.estimator.ModeKeys.PREDICT:
        # 使用 EstimatorSpec 传递返回值，并通过 predictions 参数指定返回的结果。
        return tf.estimator.EstimatorSpec(
            mode=mode,
            predictions={"result": tf.argmax(predict, 1)})

    # 定义损失函数。
    loss = tf.reduce_mean(
        tf.nn.sparse_softmax_cross_entropy_with_logits(
            logits=predict, labels=labels))
    # 定义优化函数。
    optimizer = tf.train.GradientDescentOptimizer(
```

```
                learning_rate=params["learning_rate"])

        # 定义训练过程。
        train_op = optimizer.minimize(
            loss=loss, global_step=tf.train.get_global_step())

        # 定义评测标准，在运行 evaluate 时会计算这里定义的所有评测标准。
        eval_metric_ops = {
            "my_metric": tf.metrics.accuracy(
                tf.argmax(predict, 1), labels)
        }

        # 返回模型训练过程需要使用的损失函数、训练过程和评测方法。
        return tf.estimator.EstimatorSpec(
            mode=mode,
            loss=loss,
            train_op=train_op,
            eval_metric_ops=eval_metric_ops)

mnist = input_data.read_data_sets("/path/to/MNIST_data", one_hot=False)

# 通过自定义的方式生成 Estimator 类。这里需要提供模型定义的函数并通过 params 参数指定
# 模型定义时使用的超参数。
model_params = {"learning_rate": 0.01}
estimator = tf.estimator.Estimator(model_fn=model_fn, params=model_params)

# 和 10.3.1 小节中类似，训练和评测模型。
train_input_fn = tf.estimator.inputs.numpy_input_fn(
        x={"image": mnist.train.images},
        y=mnist.train.labels.astype(np.int32),
        num_epochs=None,
        batch_size=128,
        shuffle=True)
estimator.train(input_fn=train_input_fn, steps=30000)
test_input_fn = tf.estimator.inputs.numpy_input_fn(
        x={"image": mnist.test.images},
        y=mnist.test.labels.astype(np.int32),
        num_epochs=1,
        batch_size=128,
        shuffle=False)
test_results = estimator.evaluate(input_fn=test_input_fn)

# 这里使用的 my_metric 中的内容就是 model_fn 中 eval_metric_ops 定义的评测指标。
accuracy_score = test_results["my_metric"]
```

```
print("\nTest accuracy: %g %%" % (accuracy_score*100))

# 使用训练好的模型在新数据上预测结果。
predict_input_fn = tf.estimator.inputs.numpy_input_fn(
      x={"image": mnist.test.images[:10]},
      num_epochs=1,
      shuffle=False)
predictions = estimator.predict(input_fn=predict_input_fn)
for i, p in enumerate(predictions):
# 这里 result 就是 tf.estimator.EstimatorSpec 的参数 predictions 中指定的内容。
# 因为这个内容是一个字典，所以 Estimator 可以很容易支持多输出。
print("Prediction %s: %s" % (i + 1, p["result"]))

'''
运行以上代码可以得到类似以下的输出：
INFO:tensorflow:loss = 2.30326, step = 1
INFO:tensorflow:global_step/sec: 5.39873
INFO:tensorflow:loss = 1.94311, step = 101 (18.523 sec)
INFO:tensorflow:global_step/sec: 4.50934
…
INFO:tensorflow:loss = 0.0121069, step = 29901 (15.266 sec)
INFO:tensorflow:Saving checkpoints for 30000 into /var/***/model.ckpt.
INFO:tensorflow:Loss for final step: 0.0316249.
INFO:tensorflow:Starting evaluation at 2017-11-14-01:49:07
INFO:tensorflow:Restoring parameters from /var/***/model.ckpt-30000
INFO:tensorflow:Finished evaluation at 2017-11-14-01:49:12
INFO:tensorflow:Saving dict for global step 30000: accuracy = 0.9899,
global_step = 30000, loss = 0.030221

Test accuracy: 98.99 %
INFO:tensorflow:Restoring parameters from /var/***/model.ckpt- 30000
Prediction 1: 7
Prediction 2: 2
Prediction 3: 1
Prediction 4: 0
Prediction 5: 4
Prediction 6: 1
Prediction 7: 4
Prediction 8: 9
Prediction 9: 5
Prediction 10: 9
'''
```

从以上代码可以看出，Estimator 能非常好地支持自定义模型，而且模型结构的定义过程中也可以使用其他的 TensorFlow 高层封装（比如代码中使用到的 tf.layers）。Estimator 在支持自定义模型结构的同时，并不影响它对训练过程的封装。

10.3.3　使用数据集（Dataset）作为 Estimator 输入

Estimator 作为 TensorFlow 官方推荐的高层封装，它可以原生地支持 TensorFlow 中数据处理流程的接口。[①]为了更加方便地介绍数据集（Dataset）和 Estimator 的结合方法，本节将使用 iris 分类数据集。iris 数据集需要通过 4 个特征（feature）来分辨 3 种类型的植物。iris 数据集中总共包含了 150 个样本[②]，其中包括 120 条训练数据、30 条测试数据。这些数据都存储在 csv 文件中。以下代码介绍了如何通过 Estimator 和数据集相结合的方式完成整个数据读取和模型训练的过程。

```
# -*- coding: utf-8 -*-
import tensorflow as tf

tf.logging.set_verbosity(tf.logging.INFO)

# Estimator 的自定义输入函数需要每一次被调用时可以得到一个 batch 的数据（包括所有的
# 输入层数据和期待的正确答案标注），通过数据集可以很自然地实现这个过程。虽然 Estimator
# 要求的自定义输入函数不能有参数，但是通过 python 提供的 lambda 表达式可以快速将下面的
# 函数转化为不带参数的函数。
def my_input_fn(file_path, perform_shuffle=False, repeat_count=1):
    # 定义解析 csv 文件中一行的方法。
    def decode_csv(line):
        # 将一行中的数据解析出来。注意 iris 数据中最后一列为正确答案，前面 4 列为特征。
        parsed_line = tf.decode_csv(line, [[0.], [0.], [0.], [0.], [0]])
        # Estimator 的输入函数要求特征是一个字典，所以这里返回的也需要是一个字典。
        # 字典中 key 的定义需要和 DNNClassifier 中 feature_columns 的定义匹配。
        return {"x": parsed_line[:-1]}, parsed_line[-1:]

    # 使用数据集处理输入数据。数据集的具体使用方法可以参考第 7 章。
    dataset = (tf.contrib.data.TextLineDataset(file_path)\
                .skip(1)
                .map(decode_csv))
    if perform_shuffle:
        dataset = dataset.shuffle(buffer_size=256)
```

① 第 7 章中详细介绍了如何使用 DataSet 处理输入数据。
② 更多关于 iris 数据集的信息可以参考：http://archive.ics.uci.edu/ml/datasets/Iris。

```
    dataset = dataset.repeat(repeat_count)
    dataset = dataset.batch(32)
    iterator = dataset.make_one_shot_iterator()
    # 通过定义的数据集得到一个 batch 的输入数据。这个就是整个自定义的输入过程的返
    # 回结果。
    batch_features, batch_labels = iterator.get_next()
    # 如果是为预测过程提供输入数据，那么 batch_labels 可以直接使用 None。
    return batch_features, batch_labels

# 与 10.3.1 小节中类似地定义 Estimator。
feature_columns = [tf.feature_column.numeric_column("x", shape=[4])]
classifier = tf.estimator.DNNClassifier(
    feature_columns=feature_columns,
    hidden_units=[10, 10],
    n_classes=3)

# 使用 lambda 表达式将训练相关的信息传入自定义输入数据处理函数并生成 Estimator 需要
# 的输入函数。
classifier.train(
    input_fn=lambda: my_input_fn("path/to/iris_training.csv", True, 10))

# 使用 lambda 表达式将测试相关的信息传入自定义输入数据处理函数并生成 Estimator 需要
# 的输入函数。通过 lambda 表达式的方式可以大大减少冗余代码。
test_results = classifier.evaluate(
    input_fn=lambda: my_input_fn("/path/to/iris_test.csv", False, 1))
print("\nTest accuracy: %g %%" % (test_results["accuracy"]*100))

'''
运行以上代码可以得到类似以下的输出:
INFO:tensorflow:Saving checkpoints for 1 into /var/***/model.ckpt.
INFO:tensorflow:loss = 82.5525, step = 1
…
INFO:tensorflow:loss = 2.26899, step = 301 (0.291 sec)
INFO:tensorflow:Saving checkpoints for 375 into /var/***/model.ckpt.
INFO:tensorflow:Loss for final step: 2.0514.
INFO:tensorflow:Starting evaluation at 2017-11-14-18:01:45
INFO:tensorflow:Restoring parameters from /var/***/model.ckpt-375
INFO:tensorflow:Finished evaluation at 2017-11-14-18:01:45
INFO:tensorflow:Saving dict for global step 375: accuracy = 0.966667,
average_loss = 0.0769526, global_step = 375, loss = 2.30858

Test accuracy: 96.6667 %
'''
```

通过以上代码可以看出 Estimator 可以非常好地和数据集结合，这样就能够很容易地支

285

持海量数据读入或者复杂的数据预处理流程。

小结

本章介绍了几种常用的 TensorFlow 高层封装。首先，10.1 节列举了几种最常用的 TensorFlow 高层封装，分别是 TensorFlow-Slim、TFLearn、Keras 和 Estimator。这一节简单介绍了 TensorFlow-Slim 和 TFLearn 的使用方法，并指出了所有高层封装主要封装的内容就是神经网络结构的定义方式和神经网络的训练过程。接着 10.2 节中详细介绍了 Keras 的使用方法，通过 Keras 实现卷积神经网络、循环神经网络的方法，并讲解了如何通过返回值的方式在 Keras 中定义更加复杂的模型。最后 10.3 节中详细介绍了 Estimator 的使用方法。Estimator 是 TensorFlow 官方提供的高层封装，它和原生态 TensorFlow 的各种机制结合得最为紧密。另外，10.3 节也介绍了如何通过 Estimator 实现自定义模型以及如何将 Estimator 和数据集（Dataset）结合起来更好地支持海量数据和复杂数据的预处理过程。

第 11 章　TensorBoard 可视化

前面的章节已经介绍了如何使用 TensorFlow 实现常用的神经网络结构。在将这些神经网络用于实际问题之前，需要先优化神经网络中的参数。这就是训练神经网络的过程。训练神经网络十分复杂，有时需要几天甚至几周的时间。为了更好地管理、调试和优化神经网络的训练过程，TensorFlow 提供了一个可视化工具 TensorBoard。TensorBoard 可以有效地展示 TensorFlow 在运行过程中的计算图、各种指标随着时间的变化趋势以及训练中使用到的图像等信息。

本章将详细介绍 TensorBoard 的使用方法。首先，11.1 节将介绍 TensorBoard 的基础知识，并通过 TensorBoard 来可视化一个简单的 TensorFlow 样例程序。在这一节中将介绍如何启动 TensorBoard，并大致讲解 TensorBoard 提供的几类可视化信息。然后，11.2 节将介绍通过 TensorBoard 得到的 TensorFlow 计算图的可视化结果。TensorFlow 计算图保存了 TensorFlow 程序计算过程的所有信息。因为 TensorFlow 计算图中的信息含量较多，所以 TensorBoard 设计了一套交互过程来更加清晰地呈现这些信息。在这一节中将详细介绍 TensorBoard 的交互流程以及可视化结果中提供的信息。接着，11.3 节将详细讲解如何使用 TensorBoard 对训练过程进行监控，以及如何通过 TensorFlow 指定需要可视化的指标。在这一节中给出了完整的样例程序介绍如何得到可视化结果。最后在 11.4 节中将介绍如何通过 TensorBoard 来可视化高维向量。这里的高维向量可以是通过自然语言模型训练得到的单词向量，也可以是图片分类迁移学习得到的瓶颈层向量。

11.1　TensorBoard 简介

TensorBoard 是 TensorFlow 的可视化工具，它可以通过 TensorFlow 程序运行过程中输出的日志文件可视化 TensorFlow 程序的运行状态。TensorBoard 和 TensorFlow 程序跑在不同的进程中，TensorBoard 会自动读取最新的 TensorFlow 日志文件，并呈现当前 TensorFlow 程序运行的最新状态。以下代码展示了一个简单的 TensorFlow 程序，在这个程序中完成了 TensorBoard 日志输出的功能。

```
import tensorflow as tf

# 定义一个简单的计算图，实现向量加法的操作。
input1 = tf.constant([1.0, 2.0, 3.0], name="input1")
input2 = tf.Variable(tf.random_uniform([3]), name="input2")
output = tf.add_n([input1, input2], name="add")

# 生成一个写日志的 writer，并将当前的 TensorFlow 计算图写入日志。TensorFlow 提供了多
# 种写日志文件的 API，在 11.3 节中将详细介绍。
writer = tf.summary.FileWriter("/path/to/log", tf.get_default_graph())
writer.close()
```

以上程序输出了 TensorFlow 计算图的信息，所以运行 TensorBoard 时，可以看到这个向量相加程序计算图可视化之后的结果。TensorBoard 不需要额外的安装过程，TensorFlow 安装完成时，TensorBoard 会自动安装。运行以下命令便可以启动 TensorBoard。

```
# 运行 TensorBoard，并将日志的地址指向上面程序日志输出的地址。
tensorboard --logdir=/path/to/log
```

运行以上命令会启动一个服务，这个服务的端口默认为 6006。[1]通过浏览器打开 localhost:6006，可以看到图 11-1 所示的界面。在界面的上方，展示的内容是 "GRAPHS"，表示图中可视化的内容是 TensorFlow 的计算图。如图 11-1 所示，打开 TensorBoard 界面会默认进入 GRAPHS 界面，在该界面中可以看到上面程序 TensorFlow 计算图的可视化结果。11.2 节将详细介绍如何理解 TensorFlow 计算图的可视化结果中提供的信息。在图 11-1 的上方有一个 "INACTIVE" 选项，点开这个选项可以看到 TensorBoard 能够可视化的其他内容。"INACTIVE" 选项中列出的是当前没有可视化数据的项目。图 11-2 展示了使用上面代码得到的可视化结果中 INACTIVE 选项中的内容。从图 11-2 中可以看出，除了可视化 TensorFlow 计算图之外，TensorBoard 还提供了 SCALARS、IMAGES、AUDIO、DISTRIBUTIONS、HISTOGRAMS、PROJECTOR、TEXT 和 PROFILE 项目。TensorBoard 中每一栏都对应了一类信息的可视化结果，在下面的章节中将具体介绍每一栏的功能。[2]

---

① 使用--port 参数可以改变启动服务的端口。

② PROFILE 目前还是仅供内部使用，本书中不做详细介绍。

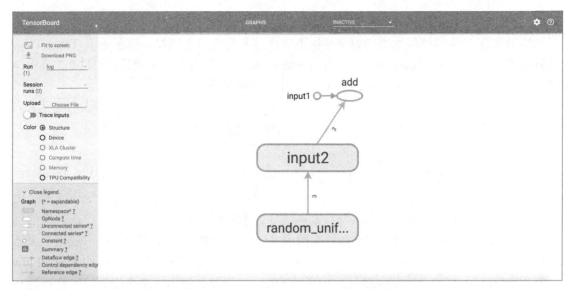

图 11-1　TensorBoard 可视化向量相加程序的 TensorFlow 计算图结果

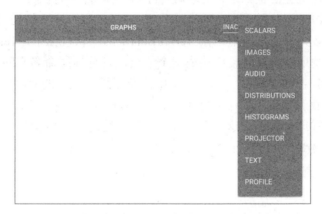

图 11-2　TensorBorad 可视化内容选项

11.2　TensorFlow 计算图可视化

图 11-1 给出了一个 TensorFlow 计算图的可视化效果图。然而，从 TensorBoard 可视化结果中可以获取的信息远不止图 11-1 中所示的这些。本节将详细介绍如何更好地利用 TensorFlow 计算图的可视化结果。首先，11.2.1 节将介绍通过 TensorFlow 节点的命名空间整理 TensorBoard 可视化得到的 TensorFlow 计算图。在第 3 章中介绍过，TensorFlow 会将所有的计算以图的形式组织起来。TensorBoard 可视化得到的图不仅是将 TensorFlow 计算

289

图中的节点和边直接可视化，它会根据每个 TensorFlow 计算节点的命名空间来整理可视化得到的效果图，使得神经网络的整体结构不会被过多的细节所淹没。除了显示 TensorFlow 计算图的结构，TensorBoard 还可以展示 TensorFlow 计算节点上的其他信息。11.2.2 节将详细介绍如何从可视化结果中获取 TensorFlow 计算图中的这些信息。

11.2.1　命名空间与 TensorBoard 图上节点

在 11.1 节给出的样例程序中只定义了一个有两个加数的加法操作，然而从图 11-1 中可以看到里面总共有 4 个节点。多出来的一个节点就是变量的初始化过程中系统生成的。更重要的是，这些节点的排列可能会比较乱，这导致主要的计算节点可能被埋没在大量信息量不大的节点中，使得可视化得到的效果图很难理解。虽然图 11-1 中得到的可视化结果还是比较满意的，但是当神经网络模型的结构更加复杂、运算更多时，其所对应的 TensorFlow 计算图会比 11.1 节中简单的向量加法样例程序的计算图复杂很多，那么没有经过整理得到的可视化效果图可能就无法很好地帮助理解神经网络模型的结构了。

为了更好地组织可视化效果图中的计算节点，TensorBoard 支持通过 TensorFlow 命名空间来整理可视化效果图上的节点。在 TensorBoard 的默认视图中，TensorFlow 计算图中同一个命名空间下的所有节点会被缩略成一个节点，只有顶层命名空间中的节点才会被显示在 TensorBoard 可视化效果图上。在 5.3 节中已经介绍过变量的命名空间，以及如何通过 tf.variable_scope 函数管理变量的命名空间。除了 tf.variable_scope 函数，tf.name_scope 函数也提供了命名空间管理的功能。这两个函数在大部分情况下是等价的，唯一的区别是在使用 tf.get_variable 函数时。以下代码简单地说明了这两个函数的区别。

```
import tensorflow as tf

with tf.variable_scope("foo"):
    # 在命名空间 foo 下获取变量 "bar"，于是得到的变量名称为 "foo/bar"。
    a = tf.get_variable("bar", [1])
    print a.name                          # 输出：foo/bar:0

with tf.variable_scope("bar"):
    # 在命名空间 bar 下获取变量 "bar"，于是得到的变量名称为 "bar/bar"。此时变量
    # "bar/bar" 和变量 "foo/bar" 并不冲突，于是可以正常运行。
    b = tf.get_variable("bar", [1])
    print b.name                          # 输出：bar/bar:0

with tf.name_scope("a"):
    # 使用 tf.Variable 函数生成变量会受 tf.name_scope 影响，于是这个变量的名称
    # 为 "a/Variable"。
    a = tf.Variable([1])
```

```
    print a.name                                    # 输出: a/Variable:0

    # tf.get_variable 函数不受 tf.name_scope 函数的影响，
    # 于是变量并不在 a 这个命名空间中。
    a = tf.get_variable("b", [1])
    print a.name                                    # 输出: b:0
with tf.name_scope("b"):
    # 因为 tf.get_variable 不受 tf.name_scope 影响，所以这里将试图获取名称
    # 为 "a" 的变量。然而这个变量已经被声明了，于是这里会报重复声明的错误:
    # ValueError: Variable bar already exists, disallowed. Did you mean
    # to set reuse=True in VarScope? Originally defined at: …
    tf.get_variable("b", [1])
```

通过对命名空间管理，可以改进 11.1 节中向量相加的样例代码，使得可视化得到的效果图更加清晰。以下代码展示了改进的方法。

```
import tensorflow as tf

# 将输入定义放入各自的命名空间中，从而使得 TensorBoard 可以根据命名空间来整理可视化效
# 果图上的节点。
with tf.name_scope("input1"):
    input1 = tf.constant([1.0, 2.0, 3.0], name="input1")
with tf.name_scope("input2"):
    input2 = tf.Variable(tf.random_uniform([3]), name="input2")
output = tf.add_n([input1, input2], name="add")

writer = tf.train.SummaryWriter("/path/to/log", tf.get_default_graph())
writer.close()
```

图 11-3 中显示了改进后的可视化效果图。从图中可以看到，图 11-1 中用于初始化的节点已经被缩略起来了。这样 TensorFlow 程序中定义的加法运算被清晰地展示了出来。需要查看 input2 节点中具体包含了哪些运算时，可以将鼠标移动到 input2 节点，并点开右上角的加号 "+"。[①]图 11-4 显示了展开 input2 节点之后的视图。

在 input2 的展开图中可以看到图 11-2 中数据初始化相关的操作都被整理到了一起。下面将给出一个样例程序来展示如何很好地可视化一个真实的神经网络结构图。本节将继续采用 5.5 节中给出的架构，以下代码给出了改造后的 mnist_train.py 程序。

```
import tensorflow as tf
from tensorflow.examples.tutorials.mnist import input_data
# mnist_inference 中定义的常量和前向传播的函数不需要改变，因为前向传播已经通过
# tf.variable_scope 实现了计算节点按照网络结构的划分。
import mnist_inference
```

① "+" 号会在鼠标移动到这个节点时显示在节点的右上角。

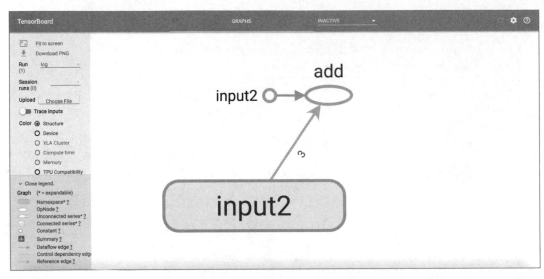

图 11-3　改进后向量加法程序 TensorFlow 计算图的可视化效果图

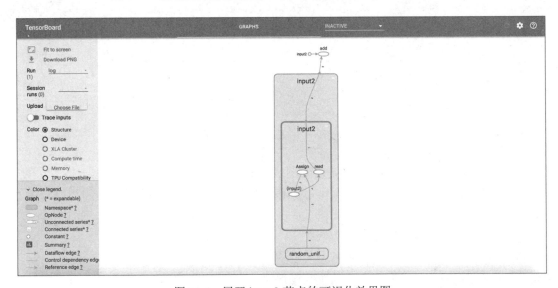

图 11-4　展开 input2 节点的可视化效果图

```
INPUT_NODE = 784
OUTPUT_NODE = 10
LAYER1_NODE = 500

def train(mnist):
    # 将处理输入数据的计算都放在名字为"input"的命名空间下。
    with tf.name_scope('input'):
```

```
    x = tf.placeholder(
        tf.float32, [None, mnist_inference.INPUT_NODE], name='x-input')
    y_ = tf.placeholder(
        tf.float32, [None, mnist_inference.OUTPUT_NODE],
        name='y-cinput')

regularizer = tf.contrib.layers.l2_regularizer(REGULARAZTION_RATE)
y = mnist_inference.inference(x, regularizer)
global_step = tf.Variable(0, trainable=False)

# 将处理滑动平均相关的计算都放在名为 moving_average 的命名空间下。
with tf.name_scope("moving_average"):
    variable_averages = tf.train.ExponentialMovingAverage(
        MOVING_AVERAGE_DECAY, global_step)
    variables_averages_op = variable_averages.apply(
        tf.trainable_variables())

# 将计算损失函数相关的计算都放在名为 loss_function 的命名空间下。
with tf.name_scope("loss_function"):
    cross_entropy = tf.nn.sparse_softmax_cross_entropy_with_logits(
        y, tf.argmax(y_, 1))
    cross_entropy_mean = tf.reduce_mean(cross_entropy)
    loss = cross_entropy_mean + tf.add_n(tf.get_collection('losses'))

# 将定义学习率、优化方法以及每一轮训练需要执行的操作都放在名字为“train_step”
# 的命名空间下。
with tf.name_scope("train_step"):
    learning_rate = tf.train.exponential_decay(
        LEARNING_RATE_BASE,
        global_step,
        mnist.train.num_examples / BATCH_SIZE,
        LEARNING_RATE_DECAY,
        staircase=True)
    train_step = tf.train.GradientDescentOptimizer(learning_rate)\
                    .minimize(loss, global_step=global_step)
    with tf.control_dependencies([train_step, variables_averages_op]):
        train_op = tf.no_op(name='train')

    # 使用和 5.5 节中一样的方式训练神经网络。
    ...

# 将当前的计算图输出到 TensorBoard 日志文件。
writer = tf.summary.FileWriter("/path/to/log", tf.get_default_graph())
writer.close()

def main(argv=None):
    mnist = input_data.read_data_sets("/path/to/mnist_data", one_hot=True)
    train(mnist)
```

```
if __name__ == '__main__':
    tf.app.run()
```

相比 5.5 节中给出的 mnist_train.py 程序，以上程序最大的改变就是将完成类似功能的计算放到了由 tf.name_scope 函数生成的上下文管理器中。这样 TensorBoard 可以将这些节点有效地合并，从而突出神经网络的整体结构。因为在 mnist_inference.py 程序中已经使用了 tf.variable_scope 来管理变量的命名空间，所以这里不需要再做调整。图 11-5 展示了新的 MNIST 程序的 TensorFlow 计算图可视化得到的效果图。

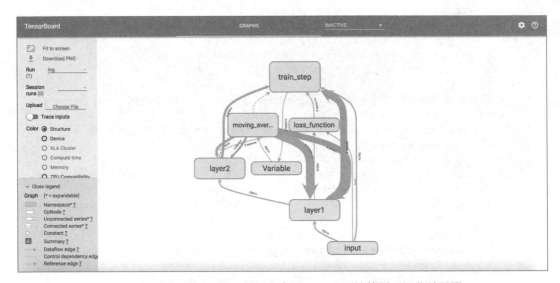

图 11-5　改进后的 MNIST 样例程序 TensorFlow 计算图可视化效果图

从图 11-5 中可以看到，TensorBoard 可视化效果图很好地展示了整个神经网络的结构。在图 11-5 中，input 节点代表了训练神经网络需要的输入数据，这些输入数据会提供给神经网络的第一层 layer1。然后神经网络第一层 layer1 的结果会被传到第二层 layer2，进过 layer2 的计算得到前向传播的结果。loss_function 节点表示计算损失函数的过程，这个过程既依赖于前向传播的结果来计算交叉熵（layer2 到 loss_function 的边），又依赖于每一层中所定义的变量来计算 L2 正则化损失（layer1 和 layer2 到 loss_function 的边）。loss_function 的计算结果会提供给神经网络的优化过程，也就是图中 train_step 所代表的节点。综上所述，通过 TensorBoard 可视化得到的效果图可以对整个神经网络的网络结构有一个大致了解。

在图 11-5 中可以发现节点之间有两种不同的边。一种边是通过实线表示的，这种边刻画了数据传输，边上箭头方向表达了数据传输的方向。比如 layer1 和 layer2 之间的边表示了 layer1 的输出将会作为 layer2 的输入。TensorBoard 可视化效果图的边上还标注了张量的维度信息。图 11-6 放大了可视化得到的效果图，从图中可以看出，节点 input 和 layer1 之间传输的张量的维度为?×784。这说明了训练时提供的 batch 大小不是固定的（也就是定义的时候是 None），输入层节点的个数为 784。当两个节点之间传输的张量多于 1 时，可视化效果图上将只显示张量的个数。效果图上边的粗细表示的是两个节点之间传输的标量维度的总大小，而不是传输的标量个数。比如 layer2 和 train_step 之间虽然传输了 6 个张量，但其维度都比较小，所以这条边比 layer1 和 moving_average 之间的边（只传输了 4 个张量）还要细。当张量的维度无法确定时，TensorBoard 会使用最细的边来表示。比如 layer1 与 layer2 之间的边。

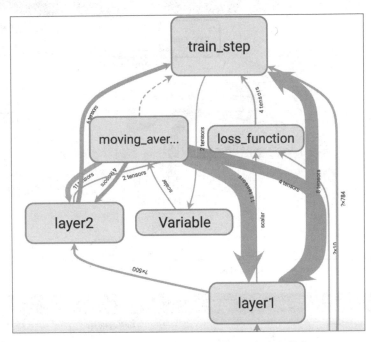

图 11-6　TensorBoard 可视化效果图中边上信息

TensorBoard 可视化效果图上另外一种边是通过虚线表示的，比如图 11-6 中所示的 moving_average 和 train_step 之间的边。虚边表达了计算之间的依赖关系，比如在程序中，通过 tf.control_dependencies 函数指定了更新参数滑动平均值的操作和通过反向传播更新变量的操作需要同时进行，于是 moving_average 与 train_step 之间存在一条虚边。

除了手动的通过 TensorFlow 中的命名空间来调整 TensorBoard 的可视化效果图，TensorBoard 也会智能地调整可视化效果图上的节点。TensorFlow 中部分计算节点会有比较多的依赖关系，如果全部画在一张图上会使可视化得到的效果图非常拥挤。于是 TensorBoard 将 TensorFlow 计算图分成了主图（Main Graph）和辅助图（Auxiliary nodes）

两个部分来呈现。TensorBoard 会自动将连接比较多的节点放在辅助图中，使得主图的结构更加清晰。

　　除了自动的方式，TensorBoard 也支持手工的方式来调整可视化结果。如图 11-7 所示，右键单击可视化效果图上的节点会弹出一个选项，这个选项可以将节点加入主图或者从主图中删除。左键选择一个节点并点击信息框下部的选项也可以完成类似的功能。图 11-7（b）展示了将 train_step 节点从主图中移出后的效果。注意 TensorBoard 不会保存用户对计算图可视化结果的手工修改，页面刷新之后计算图可视化结果又会回到最初的样子。

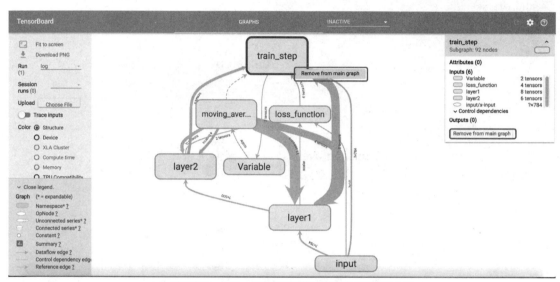

（a）手工将 TensorFlow 计算图可视化效果图中节点移出主图

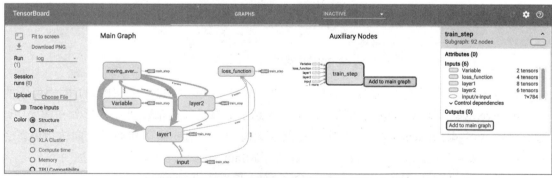

（b）手工将 TensorFlow 计算图可视化效果图中节点加入主图

图 11-7　手工将 TensorFlow 计算图可视化效果图中节点加入/移出主图

11.2.2　节点信息

除了展示 TensorFlow 计算图的结构，TensorBoard 还可以展示 TensorFlow 计算图上每个节点的基本信息以及运行时消耗的时间和空间。本节将进一步讲解如何通过 TensorBoard 展现 TensorFlow 计算图节点上的这些信息。TensorFlow 计算节点的运行时间都是非常有用的信息，它可以帮助更加有针对性地优化 TensorFlow 程序，使得整个程序的运行速度更快。使用 TensorBoard 可以非常直观地展现所有 TensorFlow 计算节点在某一次运行时所消耗的时间和内存。将以下代码加入 11.2.1 节中修改后的 mnist_train.py 神经网络训练部分，就可以将不同迭代轮数的每个 TensorFlow 计算节点的运行时间和消耗的内存写入 TensorBoard 的日志文件中。

```
with tf.Session() as sess:
    tf.global_variables_initializer().run()

    for i in range(TRAINING_STEPS):
        xs, ys = mnist.train.next_batch(BATCH_SIZE)

        # 每 1000 轮记录一次运行状态。
        if i % 1000 == 0:
            # 配置运行时需要记录的信息。
            run_options = tf.RunOptions(
                trace_level=tf.RunOptions.FULL_TRACE)
            # 运行时记录运行信息的 proto。
            run_metadata = tf.RunMetadata()
            # 将配置信息和记录运行信息的 proto 传入运行的过程，从而记录运行时每一个
            # 节点的时间、空间开销信息。
            _, loss_value, step = sess.run(
                [train_op, loss, global_step], feed_dict={x: xs, y_: ys},
                options=run_options, run_metadata=run_metadata)
            # 将节点在运行时的信息写入日志文件。
            train_writer.add_run_metadata(run_metadata, 'step%03d' % i)
            print("After %d training step(s), loss on training batch "
                "is %g." % (step, loss_value))
        else:
            _, loss_value, step = sess.run(
                [train_op, loss, global_step], feed_dict={x: xs, y_: ys})
```

运行以上程序，并使用这个程序输出的日志启动 TensorBoard，这样就可以可视化每个 TensorFlow 计算节点在某一次运行时所消耗的时间和空间。如图 11-8（a）所示，点击页面左侧的 Session runs 选项，这时就会出现一个下拉单，在这个下拉单中会出现所有通过 train_writer.add_run_metadata 函数记录的运行数据。如图 11-8（b）所示，选择一次运行后，

TensorBoard 左侧的 Color 栏中 Compute time 和 Memory 这两个选项将可以被选择。

（a）选择运行记录的页面　　　　　（b）选择完运行记录后 Color 栏多出来的选项

图 11-8　TensorBoard 运行记录选择界面

在 Color 栏中选择 Compute time 可以看到在这次运行中每个 TensorFlow 计算节点的运行时间。类似的，选择 Memory 可以看到这次运行中每个 TensorFlow 计算节点所消耗的内存。图 11-9 展示了在第 10000 轮迭代时，不同 TensorFlow 计算节点时间消耗的可视化效果图。图中颜色越深的节点表示时间消耗越大。从图 11-9 中可以看出，代表训练神经网络的 train_step 节点消耗的时间是最多的。通过对每一个计算节点消耗时间的可视化，可以很容易地找到 TensorFlow 计算图上的性能瓶颈，这大大方便了算法优化的工作。在性能调优时，一般会选择迭代轮数较大时的数据（比如图 11-9 中第 10000 轮迭代时的数据）作为不同计算节点时间/空间消耗的标准，因为这样可以减少 TensorFlow 初始化对性能的影响。

在 TensorBoard 界面左侧的 Color 栏中，除了 Compute time 和 Memory，还有 Structure 和 Device 两个选项。[①]在图 11-3 到图 11-7 中，展示的可视化效果图都是使用默认的 Structure 选项。在这个视图中，灰色的节点表示没有其他节点和它拥有相同结构。如果有两个节点的结构相同，那么它们会被涂上相同的颜色。图 11-10 展示了一个拥有相同结构节点的卷积神经网络可视化得到的效果图。在图 11-10 中，两个卷积层的结构是一样的，所以他们都被涂上了相同的颜色。最后，Color 栏还可以选择 Device 选项，这个选项可以根据 TensorFlow 计算节点运行的机器给可视化效果图上的节点染色。在使用 GPU 时，可以通过这种方式直观地看到哪些计算节点被放到了 GPU 上。具体如何使用 GPU 将在第 12 章介绍。

---

① XLA 还处于试验阶段，这里不做详细介绍。由于 TPU 只在谷歌内部使用，所以这里也不做介绍。

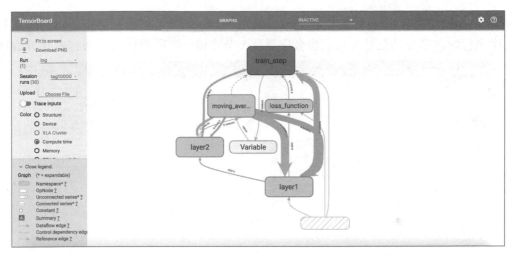

图 11-9　第 10000 轮迭代时不同 TensorFlow 计算节点时间消耗的可视化效果图

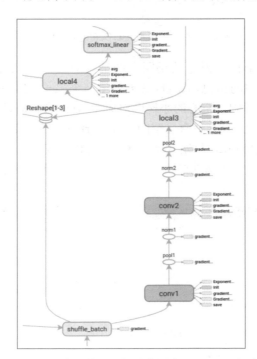

图 11-10　有相同结构节点的卷积神经网络计算图在 Structure 选项下的可视化效果图

当点击 TensorBoard 可视化效果图中的节点时，界面的右上角会弹出一个信息卡片显示这个节点的基本信息。如图 11-11 所示，当点击的节点为一个命名空间时，TensorBoard 展示的信息有这个命名空间内所有计算节点的输入、输出以及依赖关系。虽然属性（attributes）

也会展示在卡片中，但是在代表命名空间的属性下不会有任何内容。当 Session runs 选择了某一次运行时，节点的信息卡片上也会出现这个节点运行时所消耗的时间和内存等信息。

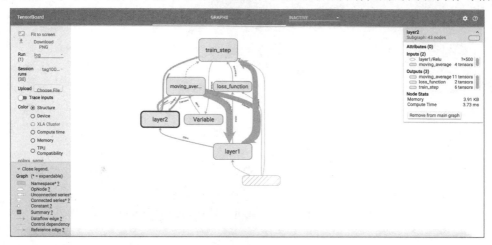

图 11-11　TensorFlow 命名空间在 TensorBoard 可视化效果图上的信息卡片

当点击的 TensorBoard 可视化效果图上的节点对应一个 TensorFlow 计算节点时，TensorBoard 也会展示类似的信息。图 11-12 展示了一个 TensorFlow 计算节点所对应的信息卡片。在 TensorBoard 页面中，空心的小椭圆对应了 TensorFlow 计算图上的一个计算节点，而一个矩形对应了计算图上的一个命名空间。TensorFlow 计算节点所对应的信息卡片中的内容和命名空间信息卡片相似，只是 TensorBoard 可以将 TensorFlow 计算节点的属性也展示出来。例如在图 11-12 中，属性栏下显示了选中的计算节点是在什么设备上运行的，以及运行这个计算时的两个参数。

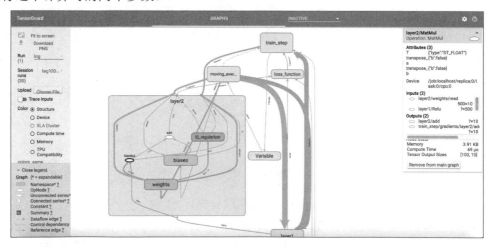

图 11-12　TensorFlow 计算节点在 TensorBoard 可视化效果图上的信息卡片

11.3　监控指标可视化

在 11.2 节中着重介绍了通过 TensorBoard 的 GRAPHS 可视化 TensorFlow 计算图的结构以及在计算图上的信息。TensorBoard 除了可以可视化 TensorFlow 的计算图，还可以可视化 TensorFlow 程序运行过程中各种有助于了解程序运行状态的监控指标。在本节中将介绍如何利用 TensorBoard 中其他栏目可视化这些监控指标。除了 GRAPHS 以外，TensorBoard 界面中还提供了 SCALARS、IMAGES、AUDIO、DISTRIBUTIONS、HISTOGRAMS 和 TEXT 六个界面来可视化其他的监控指标。以下程序展示了如何将 TensorFlow 程序运行时的信息输出到 TensorBoard 日志文件中。因为需要在变量定义时加上日志输出，所以这里先不共用 5.5 节中的 mnist_inference.py。

```
import tensorflow as tf
from tensorflow.examples.tutorials.mnist import input_data

SUMMARY_DIR = "/path/to/log"
BATCH_SIZE = 100
TRAIN_STEPS = 3000


# 生成变量监控信息并定义生成监控信息日志的操作。其中 var 给出了需要记录的张量，name 给
# 出了在可视化结果中显示的图表名称，这个名称一般与变量名一致。
def variable_summaries(var, name):
    # 将生成监控信息的操作放到同一个命名空间下。
    with tf.name_scope('summaries'):
        # 通过 tf.summary.histogram 函数记录张量中元素的取值分布。对于给出的图表
        # 名称和张量，tf.summary.histogram 函数会生成一个 Summary protocol
        # buffer。将 Summary 写入 TensorBoard 日志文件后，在 HISTOGRAMS 栏和
        # DISTRIBUTION 栏下都会出现对应名称的图表。和 TensorFlow 中其他操作类似，
        # tf.summary.histogram 函数不会立刻被执行，只有当 sess.run 函数明确调用这
        # 个操作时，TensorFlow 才会真正生成并输出 Summary protocol buffer。
        # 下文将更加详细地介绍如何理解 HISTOGRAMS 栏和 DISTRIBUTION 栏下的信息。
        tf.summary.histogram(name, var)

        # 计算变量的平均值，并定义生成平均值信息日志的操作。记录变量平均值信息的日志标签名
        # 为'mean/' + name，其中 mean 为命名空间，/是命名空间的分隔符。从图 11-14
        # 中可以看到，在相同命名空间中的监控指标会被整合到同一栏中。name 则给出了当前监
        # 控指标属于哪一个变量。
        mean = tf.reduce_mean(var)
        tf.summary.scalar('mean/' + name, mean)
        # 计算变量的标准差，并定义生成其日志的操作。
        stddev = tf.sqrt(tf.reduce_mean(tf.square(var - mean)))
        tf.summary.scalar('stddev/' + name, stddev)
```

```
# 生成一层全链接层神经网络。
def nn_layer(input_tensor, input_dim, output_dim,
              layer_name, act=tf.nn. relu):
    # 将同一层神经网络放在一个统一的命名空间下。
    with tf.name_scope(layer_name):
        # 声明神经网络边上的权重，并调用生成权重监控信息日志的函数。
        with tf.name_scope('weights'):
            weights = tf.Variable(tf.truncated_normal(
                [input_dim, output_dim], stddev=0.1))
            variable_summaries(weights, layer_name + '/weights')

        # 声明神经网络的偏置项，并调用生成偏置项监控信息日志的函数。
        with tf.name_scope('biases'):
            biases = tf.Variable(tf.constant(0.0, shape=[output_dim]))
            variable_summaries(biases, layer_name + '/biases')

        with tf.name_scope('Wx_plus_b'):
            preactivate = tf.matmul(input_tensor, weights) + biases
            # 记录神经网络输出节点在经过激活函数之前的分布。
            tf.summary.histogram(layer_name + '/pre_activations',
                                    preactivate)
        activations = act(preactivate, name='activation')

        # 记录神经网络输出节点在经过激活函数之后的分布。在图 11-17 中，对于 layer1，因
        # 为使用了 ReLU 函数作为激活函数，所以所有小于 0 的值都被设为了 0。于是在激活后
        # 的 layer1/activations 图上所有的值都是大于 0 的。而对于 layer2，因为没有使
        # 用激活函数，所以 layer2/activations 和 layer2/pre_activations 一样。
        tf.summary.histogram(layer_name + '/activations', activations)
        return activations

def main(_):
    mnist = input_data.read_data_sets("/path/to/mnist_data", one_hot=True)
    # 定义输入。
    with tf.name_scope('input'):
        x = tf.placeholder(tf.float32, [None, 784], name='x-input')
        y_ = tf.placeholder(tf.float32, [None, 10], name='y-input')

    # 将输入向量还原成图片的像素矩阵，并通过 tf.summary.image 函数定义将当前的图片信
    # 息写入日志的操作。
    with tf.name_scope('input_reshape'):
        image_shaped_input = tf.reshape(x, [-1, 28, 28, 1])
        tf.summary.image('input', image_shaped_input, 10)

    hidden1 = nn_layer(x, 784, 500, 'layer1')
    y = nn_layer(hidden1, 500, 10, 'layer2', act=tf.identity)
```

```
# 计算交叉熵并定义生成交叉熵监控日志的操作。
with tf.name_scope('cross_entropy'):
    cross_entropy = tf.reduce_mean(
        tf.nn.softmax_cross_entropy_with_logits(y, y_))
    tf.summary.scalar('cross entropy', cross_entropy)

with tf.name_scope('train'):
    train_step = tf.train.AdamOptimizer(0.001).minimize(cross_entropy)

# 计算模型在当前给定数据上的正确率,并定义生成正确率监控日志的操作。如果在 sess.run
# 时给定的数据是训练 batch,那么得到的正确率就是在这个训练 batch 上的正确率;如果
# 给定的数据为验证或者测试数据,那么得到的正确率就是在当前模型在验证或者测试数据上
# 的正确率。
with tf.name_scope('accuracy'):
    with tf.name_scope('correct_prediction'):
        correct_prediction = tf.equal(tf.argmax(y, 1), tf.argmax(y_, 1))
    with tf.name_scope('accuracy'):
        accuracy = tf.reduce_mean(
            tf.cast(correct_prediction, tf.float32))
    tf.summary.scalar('accuracy', accuracy)

# 和 TensorFlow 中其他操作类似, tf.summary.scalar、tf.summary.histogram
# 和 tf.summary.image 函数都不会立即执行,需要通过 sess.run 来明确调用这些函数。
# 因为程序中定义的写日志操作比较多,一一调用非常麻烦,所以 TensorFlow 提供了
# tf.summary.merge_all 函数来整理所有的日志生成操作。在 TensorFlow 程序执行
# 的过程中只需要运行这个操作就可以将代码中定义的所有日志生成操作执行一次,从而将所
# 有日志写入文件。
merged = tf.summary.merge_all()

with tf.Session() as sess:
    # 初始化写日志的 writer,并将当前 TensorFlow 计算图写入日志。
    summary_writer = tf.summary.FileWriter(SUMMARY_DIR, sess.graph)
    tf.global_variables_initializer().run()

    for i in range(TRAIN_STEPS):
        xs, ys = mnist.train.next_batch(BATCH_SIZE)
        # 运行训练步骤以及所有的日志生成操作,得到这次运行的日志。
        summary, _ = sess.run([merged, train_step],
                              feed_dict={x: xs, y_: ys})
        # 将所有日志写入文件,TensorBoard 程序就可以拿到这次运行所对应的运行信息。
        summary_writer.add_summary(summary, i)

    summary_writer.close()

if __name__ == '__main__':
    tf.app.run()
```

从以上程序可以看出，除了 GRAPHS 之外，Tensorboard 中的每一栏对应了 TensorFlow 中一种日志生成函数，表 11-1 总结了这个对应关系。

表 11-1　TensorFlow 日志生成函数与 TensorBoard 界面栏对应关系

TensorFlow 日志生成函数	TensorBoard 界面栏	展示内容
tf.summary.scalar	EVENTS	TensorFlow 中标量（scalar）监控数据随着迭代进行的变化趋势。图 11-15 中展示了当前模型在训练 bacth 上的正确率随着迭代进行的变化趋势
tf.summary.image	IMAGES	TensorFlow 中使用的图片数据。这一栏一般用于可视化当前使用的训练/测试图片。图 11-16 中展示了例程序在最后一轮训练时使用的图片
tf.summary.audio	AUDIO	TensorFlow 中使用的音频数据
tf.summary.text	TEXT	TensorFlow 中使用的文本数据
tf.summary.histogram	HISTOGRAMS, DISTRIBUTIONS	TensorFlow 中张量分布监控数据随着迭代轮数的变化趋势。下文将更加详细的介绍

运行以上样例程序并使用 11.1 节中介绍的方式启动 TensorBoard，可以看到如图 11-13 所示的界面。在这个页面上展示了样例程序中通过 tf.summary.scalar 函数生成的所有标量监控信息。和变量的命名空间类似，TensorBoard 也会根据监控指标的名称进行分组。图 11-14 中展示了将 "/.*/" 栏收起来之后的效果。可以看到，名称为 layer1 的栏目下有 4 组不同的监控指标。这 4 个不同的指标都以 layer1 开头，并通过斜线 "/" 划分不同的命名空间。不过和 TensorFlow 计算图可视化结果不同的是，SCALARS、IMAGES、AUDIO、TEXT、HISTOGRAMS 和 DISTRIBUTIONS 栏只会对最高层的命名空间进行整合，单击展开后将看到该命名空间下的所有监控指标。

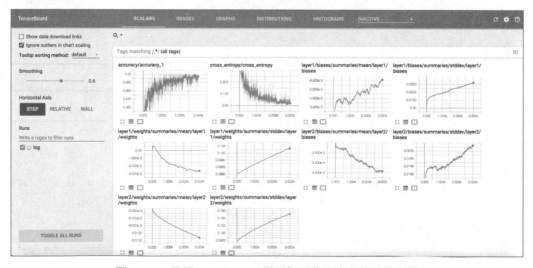

图 11-13　使用 TensorBoard 展示标量监控信息的默认页面

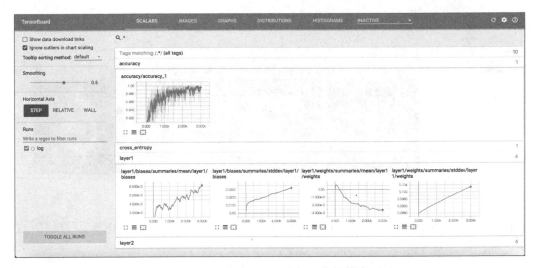

图 11-14　按命名空间整理的标量监控信息页面

在每一个监控指标的左下角有一个小方框"□"，单击这个方框可以得到放大后的图片。放大后的效果如图 11-15 所示。再单击一次这个小方框可以将放大后的图表缩小。在训练神经网络时，通过 TensorBoard 监控神经网络中变量取值的变化、模型在训练 batch 上的损失函数大小以及学习率的变化等信息可以更加方便地掌握模型的训练情况。

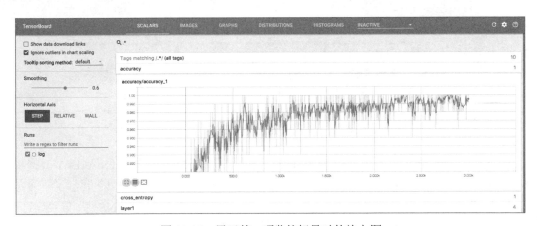

图 11-15　展开某一项监控标量时的放大图

图 11-16 展示了通过 TensorBoard 可视化当前轮训练使用的图像信息。通过这个界面可以大致看出数据随机打乱的效果。因为 TensorFlow 程序和 TensorBoard 可视化界面可以同时运行，所以从 TensorBoard 上可以实时看到 TensorFlow 程序中最新使用的训练或者测试图像。

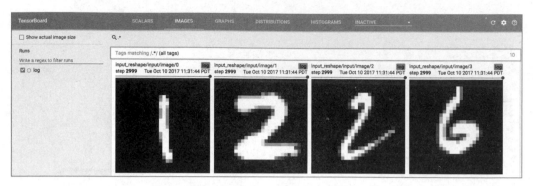

图 11-16　通过 TensorBoard 可视化训练图像

　　TensorBoard 的 DISTRIBUTIONS 一栏提供了对张量取值分布的可视化界面。通过图 11-17 这个界面，可以直观地观察到不同层神经网络中参数的取值变化。

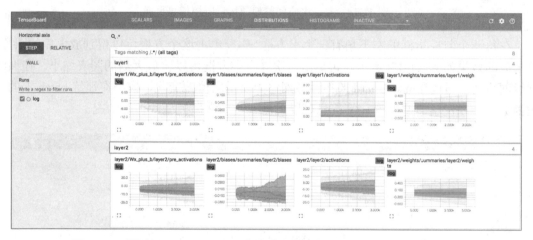

图 11-17　通过 TensorBoard 可视化张量取值分布 DISTRIBUTIONS 效果图

　　为了更加清晰地展示参数取值分布和训练迭代轮数之间的关系，TensorBoard 提供了 HISTOGRAMS 视图。图 11-18 展示了 HISTOGRAMS 的效果图，图 11-19 展示了一个放大之后的参数取值分布和迭代论述之间的关系。与 DISTRIBUTIONS 效果图不同，HISTOGRAMS 中不同轮数中参数的取值是通过不同的平面来表示的。比如在图 11-19 中，颜色越深的平面表示迭代轮数越小的取值分布，比如图 11-19 中最上面的比较尖的平面表示训练一轮之后的 bias 参数取值分布。因为 bias 是通过全 0 矩阵初始化的，于是在第一轮时取值都集中在 0 附近。图 11-19 中最前面比较浅的平面表示迭代轮数较大时的参数取值分布。从图 11-19 中可以看到 bias 的取值分布越来越接近平均分布。

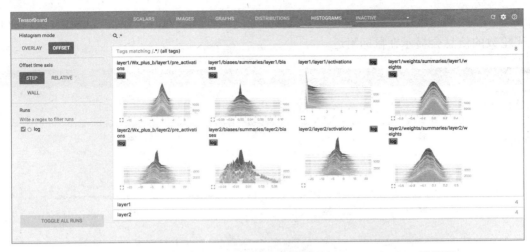

图 11-18　通过 TensorBoard 可视化张量取值分布 HISTOGRAMS 效果图

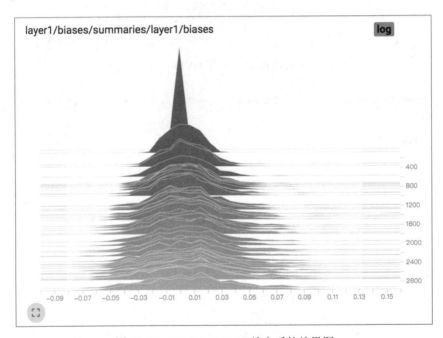

图 11-19　HISTOGRAMS 放大后的效果图

在 HISTOGRAMS 视图左侧有一个"OVERLAY"选项，选择之后可以看到类似图 11-20 和图 11-21 所示的效果。和默认的 OFFSET 视图类似，在 OVERLAY 视图中颜色越深的表示迭代轮数越小。但是从图 11-21 中可以看到，比较尖的曲线看上去颜色比较浅，而比较靠近平均分布的曲线反而比较深。这是因为有更多的曲线靠近平均分布，所以合在一起就

比较深了。如图 11-21 中所示，当把鼠标移到某一条曲线上时这一条曲线就会变黑，而且
迭代轮数的信息会显示在鼠标附近。

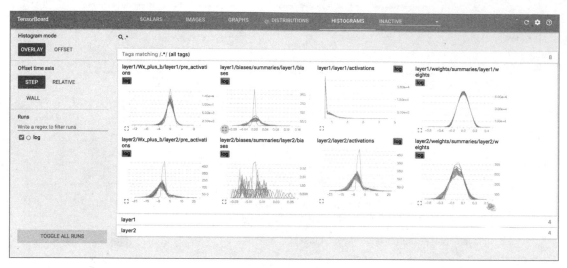

图 11-20　HISTOGRAMS 视图 OVERLAY 模式效果图

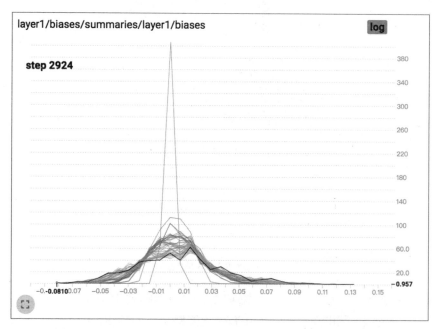

图 11-21　HISTOGRAMS 视图 OVERLAY 模式放大后的效果图

11.4　高维向量可视化

在第 6 章迁移学习一节介绍中过，在 ImageNet 上训练好的卷积神经网络模型的卷积层可以被看成是对图片进行特征提取的过程，那么这个特征提取结果的效果在没有可视化的情况下是不容易被直观判断的。类似地，第 9 章中介绍的单词向量也很难直观地了解其效果。为了更加直观的让大家了解这类 embedding 向量的效果，TensorBoard 提供了 PROJECTOR 界面来可视化高维向量之间的关系。PROJECTOR 界面可以非常方便地可视化多个高维向量之间的关系。比如在图像迁移学习中可以将一组目标问题的图片通过训练好的卷积层得到瓶颈层[①]，这些瓶颈层向量就是多个高维向量。如果在目标问题图像数据集上同一种类的图片在经过卷积层之后得到的瓶颈层向量在空间中比较接近，那么这样迁移学习得到的结果就有可能会更好。类似地，在训练单词向量时，如果语义相近的单词所对应的向量在空间中的距离也比较接近的话，那么自然语言模型的效果也有可能会更好。

为了更直观地介绍 TensorBoard PROJECTOR 的使用方法，本节将给出一个 MNIST 的样例程序。这个样例程序在 MNIST 数据上训练了一个简单的全连接神经网络。本节将展示在训练 100 轮和 10000 轮之后，测试数据经过整个神经网络得到的输出层向量通过 PROJECTOR 得到的可视化结果。为了在 PROJECTOR 中更好地展示 MNIST 图片信息以及每张图片对应的真实标签，PROJECTOR 要求用户准备一个 sprite 图像[②]和一个 tsv 文件给出每张图片对应的标签信息。以下代码给出了如何使用 MNIST 测试数据生成 PROJECTOR 所需要的这两个文件。

```
import matplotlib.pyplot as plt
import tensorflow as tf
import numpy as np
import os
from tensorflow.examples.tutorials.mnist import input_data

# PROJECTOR 需要的日志文件名和地址相关参数。
LOG_DIR = '/path/to/log'
SPRITE_FILE = 'mnist_sprite.jpg'
META_FILE = "mnist_meta.tsv"

# 使用给出的 MNIST 图片列表生成 sprite 图像。
def create_sprite_image(images):
    if isinstance(images, list):
        images = np.array(images)
```

---

① 关于瓶颈层的具体定义可以参考第 6 章。

② 所谓 sprite 图像就是将一组图片组合成一整张大图片，在图 11-22 中给出了一个样例。

```
        img_h = images.shape[1]
        img_w = images.shape[2]
        # sprite 图像可以理解成是所有小图片拼成的大正方形矩阵，大正方形矩阵中的每一个
        # 元素就是原来的小图片。于是这个正方形的边长就是 sqrt(n)，其中 n 为小图片的数量。
        m = int(np.ceil(np.sqrt(images.shape[0])))

        # 使用全 1 来初始化最终的大图片。
        sprite_image = np.ones((img_h*m, img_w*m))

        for i in range(m):
            for j in range(m):
                # 计算当前图片的编号。
                cur = i * m + j
                if cur < images.shape[0]:
                    # 将当前小图片的内容复制到最终的 sprite 图像。
                    sprite_image[i*img_h:(i+1)*img_h,
                                 j*img_w:(j+1)*img_w] = images[cur]

        return sprite_image

# 加载 MNIST 数据。这里指定了 one_hot=False，于是得到的 labels 就是一个数字，表示
# 当前图片所表示的数字。
mnist = input_data.read_data_sets("/path/to/MNIST_data",
                                  one_hot=False)
# 生成 sprite 图像。
to_visualise = 1 - np.reshape(mnist.test.images,(-1,28,28))
sprite_image = create_sprite_image(to_visualise)

# 将生成的 sprite 图像放到相应的日志目录下。
path_for_mnist_sprites = os.path.join(LOG_DIR, SPRITE_FILE)
plt.imsave(path_for_mnist_sprites,sprite_image,cmap='gray')
plt.imshow(sprite_image,cmap='gray')

# 生成每张图片对应的标签文件并写到相应的日志目录下。
path_for_mnist_metadata = os.path.join(LOG_DIR, META_FILE)
with open(path_for_mnist_metadata,'w') as f:
    f.write("Index\tLabel\n")
    for index,label in enumerate(mnist.test.labels):
        f.write("%d\t%d\n" % (index,label))
```

运行以上代码可以得到两个文件，一个是如图 11-22 所示的 MNIST 测试数据 sprite 图像，这个图像包含了所有的 MNIST 测试数据图像。另一个是 mnist_meta.tsv，下面给出了这个 tsv 文件的前面几行。可以看出，这个文件的第一行是每一列的说明，以后的每一行代表一张图片，在这个文件中给出了每一张图对应的真实标签。

```
Index    Label
0        7
1        2
2        1
3        0
4        4
5        1
6        4
7        9
8        5
9        9
```

图 11-22　使用 MNIST 测试数据生成的 sprite 图像

在生成好辅助数据之后，以下代码展示了如何使用 TensorFlow 代码生成 PROJECTOR 所需要的日志文件来可视化 MNIST 测试数据在最后的输出层向量。

```python
import tensorflow as tf
import mnist_inference
import os

# 加载用于生成 PROJECTOR 日志的帮助函数。
from tensorflow.contrib.tensorboard.plugins import projector
from tensorflow.examples.tutorials.mnist import input_data

# 和第 5 章中类似地定义训练模型需要的参数。这里我们同样是复用第 5 章中定义的
# mnist_inference 过程。
BATCH_SIZE = 100
LEARNING_RATE_BASE = 0.8
LEARNING_RATE_DECAY = 0.99
REGULARIZATION_RATE = 0.0001
TRAINING_STEPS = 10000              # 可以通过调整这个参数来控制训练迭代轮数。
MOVING_AVERAGE_DECAY = 0.99

# 和日志文件相关的文件名及目录地址。
LOG_DIR = '/path/to/log'
SPRITE_FILE = 'mnist_sprite.jpg'
META_FILE = "mnist_meta.tsv"
TENSOR_NAME = "FINAL_LOGITS"

# 训练过程和第 5 章给出来的基本一致，唯一不同的是这里还需要返回最后测试数据经过整个
# 神经网络得到的输出层矩阵（因为有多张测试图片，每张图片对应了一个输出层向量，所以
# 返回的结果是这些向量组成的矩阵）。
def train(mnist):
    # 输入数据的命名空间。
    with tf.name_scope('input'):
        x = tf.placeholder(
            tf.float32, [None, mnist_inference.INPUT_NODE],
            name='x-input')
        y_ = tf.placeholder(
            tf.float32, [None, mnist_inference.OUTPUT_NODE],
            name='y-input')
    regularizer = tf.contrib.layers.l2_regularizer(REGULARIZATION_RATE)
    y = mnist_inference.inference(x, regularizer)
    global_step = tf.Variable(0, trainable=False)

    # 处理滑动平均的命名空间。
    with tf.name_scope("moving_average"):
        variable_averages = tf.train.ExponentialMovingAverage(
            MOVING_AVERAGE_DECAY, global_step)
```

```
    variables_averages_op = variable_averages.apply(
        tf.trainable_variables())

# 计算损失函数的命名空间。
with tf.name_scope("loss_function"):
    cross_entropy = tf.nn.sparse_softmax_cross_entropy_with_logits(
        logits=y, labels=tf.argmax(y_, 1))
    cross_entropy_mean = tf.reduce_mean(cross_entropy)
    loss = cross_entropy_mean + tf.add_n(tf.get_collection('losses'))

# 定义学习率、优化方法及每一轮执行训练操作的命名空间。
with tf.name_scope("train_step"):
    learning_rate = tf.train.exponential_decay(
        LEARNING_RATE_BASE,
        global_step,
        mnist.train.num_examples / BATCH_SIZE, LEARNING_RATE_DECAY,
        staircase=True)

    train_step = tf.train.GradientDescentOptimizer(learning_rate)\
                    .minimize(loss, global_step=global_step)

    with tf.control_dependencies([train_step, variables_averages_op]):
        train_op = tf.no_op(name='train')

# 训练模型。
with tf.Session() as sess:
    tf.global_variables_initializer().run()
    for i in range(TRAINING_STEPS):
        xs, ys = mnist.train.next_batch(BATCH_SIZE)
        _, loss_value, step = sess.run(
            [train_op, loss, global_step], feed_dict={x: xs, y_: ys})

        if i % 1000 == 0:
            print("After %d training step(s), loss on training "
                "batch is %g." % (i, loss_value))

    # 计算 MNIST 测试数据对应的输出层矩阵。
    final_result = sess.run(y, feed_dict={x: mnist.test.images})

# 返回输出层矩阵的值。
return final_result

# 生成可视化最终输出层向量所需的日志文件。
def visualisation(final_result):
    # 使用一个新的变量来保存最终输出层向量的结果。因为 embedding 是通过 TensorFlow
```

```
# 中变量完成的①，所以 PROJECTOR 可视化的都是 TensorFlow 中的变量。于是这里需要
# 新定义一个变量来保存输出层向量的取值。
y = tf.Variable(final_result, name = TENSOR_NAME)
summary_writer = tf.summary.FileWriter(LOG_DIR)

# 通过 projector.ProjectorConfig 类来帮助生成日志文件。
config = projector.ProjectorConfig()
# 增加一个需要可视化的 embedding 结果。
embedding = config.embeddings.add()
# 指定这个 embedding 结果对应的 TensorFlow 变量名称。
embedding.tensor_name = y.name

# 指定 embedding 结果所对应的原始数据信息。比如这里指定的就是每一张 MNIST 测试
# 图片对应的真实类别。在单词向量中可以是单词 ID 对应的单词。这个文件是可选的，
# 如果没有指定那么向量就没有标签。
embedding.metadata_path = META_FILE

# 指定 sprite 图像。这个也是可选的，如果没有提供 sprite 图像，那么可视化的结果
# 每一个点就是一个小圆点，而不是具体的图片。
embedding.sprite.image_path = SPRITE_FILE
# 在提供 sprite 图像时，通过 single_image_dim 可以指定单张图片的大小。
# 这将用于从 sprite 图像中截取正确的原始图片。
embedding.sprite.single_image_dim.extend([28,28])

# 将 PROJECTOR 所需要的内容写入日志文件。
projector.visualize_embeddings(summary_writer, config)

# 生成会话，初始化新声明的变量并将需要的日志信息写入文件。
sess = tf.InteractiveSession()
sess.run(tf.global_variables_initializer())
saver = tf.train.Saver()
saver.save(sess, os.path.join(LOG_DIR, "model"), TRAINING_STEPS)

summary_writer.close()

# 主函数先调用模型训练的过程，再使用训练好的模型来处理 MNIST 测试数据，
# 最后将得到的输出层矩阵输出到 PROJECTOR 需要的日志文件中。
def main(argv=None):
    mnist = input_data.read_data_sets(
        "/path/to/MNIST_data", one_hot=True)
    final_result = train(mnist)
    visualisation(final_result)
```

---

① 具体可以参考第 8 章中介绍的单词向量实现方法。

```
if __name__ == '__main__':
    main()
```

运行以上代码就可以得到 PROJECTOR 所需要的所有日志文件。在 LOG_DIR 下启动 TensorBoard 就可以看到类似图 11-23 所示的效果图。从图 11-23（a）中可以看出，在 100 轮迭代之后，模型的分类效果不是很理想，所以图 11-23（a）上不同颜色的图片（代表不同的类别）混乱地挤在一起。但是当迭代 10000 轮之后从图 11-23（b）上可以明显地看出不同颜色的图片的区分度还是比较大的。

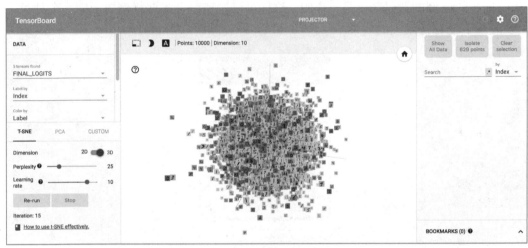

（a）使用 5.5 节给出的网络结构在训练 100 轮之后的结果

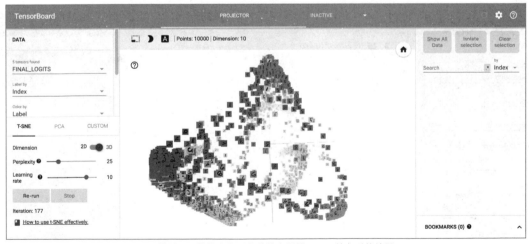

（b）使用 5.5 节给出的网络结构在训练 10000 轮之后的结果

图 11-23　使用 T-SNE 可视化得到的 MNIST 测试数据在最后输出层的向量

在 PROJECTOR 界面的左上角有三个选项，第一个"FINAL_LOGITS"选项是选择需要可视化的 Tensor，这里默认选择的是通过 ProjectorConfig 中指定的 tensor_name，也就是名为 FINAL_LOGITS 的张量。点开这个选项可以看到图 11-24 所示的结果。虽然 PROJECTOR 也可以可视化这些向量，但是在这个场景下意义不大。中间的"Label by"选项可以控制当鼠标移到一个向量上时鼠标附近显示的标签。比如这里选定的是"Index"，那么当鼠标移到某个点上之后显示的就是这个点对应的编号。最后"Color by"选项可以指定每一个小图片的背景颜色。图 11-23 中小图片的背景颜色都是根据标签选取的，所以拥有相同标签的样例的背景颜色是一样的。这样可以快速区分哪些样例属于同一个种类。图 11-25 展示了没有背景色的效果。

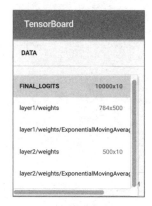

图 11-24　使用 TensorBoard PROJECTOR 可以可视化的其他 Tensor

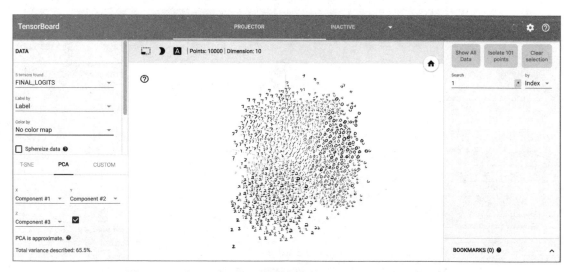

图 11-25　在"Color by"选项中选择"No color map"效果图

在 PROJECTOR 界面的左下角提供了不同的高维向量的可视化方法，目前主要支持的就是 T-SNE[①]和 PCA[②]。无论是 T-SNE 还是 PCA 都可以将一个高维向量转化成一个低维向量，并尽量保证转化后向量中的信息不受影响。因为篇幅的关系本书中不再详细介绍这些具体的算法。在 PROJECTOR 的右侧还提供了高亮功能。图 11-26 展示了搜索所有代表数字 3 的图片，可以看出所有代表数字 3 的图片都被高亮标出来了，而且大部分的图片都集中在一个比较小的区域，只有少数离中心区域比较远。通过这种方式可以很快地找到每个类别中比较难分的图片，加速错误案例分析的过程。

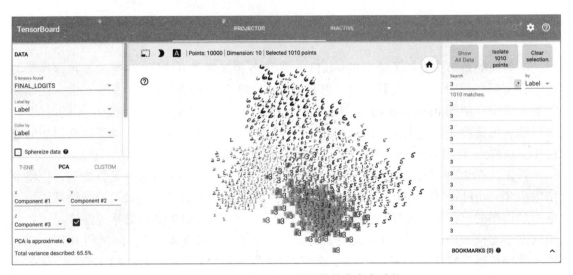

图 11-26　PROJECTOR 界面的搜索高亮功能

小结

在本章中介绍了 TensorFlow 的可视化工具 TensorBoard。TensorBoard 是 TensorFlow 自带的工具，不需要额外的安装过程。虽然 TensorBoard 和 TensorFlow 运行在不同的进程中，但是 TensorBoard 会实时读取 TensorFlow 程序输出的日志文件从而获取最新的 TensorFlow 程序运行状态。通过 TensorBoard，一方面可以更好地了解 TensorFlow 计算图的结构以及每个 TensorFlow 计算节点在运行时的时间以及内存消耗。另一方面也可以通过 TensorBoard 可视化神经网络模型训练过程中各种指标的变化趋势，直观地了解神经网络的训练情况。

---

① 关于 T-SNE 更多介绍可参考：https://en.wikipedia.org/wiki/T-distributed_stochastic_neighbor_embedding。
② 关于 PCA 更多介绍可参考：https://en.wikipedia.org/wiki/Principal_component_analysis。

第 12 章　TensorFlow 计算加速

在前面的章节中介绍了使用 TensorFlow 实现各种深度学习的算法。然而要将深度学习应用到实际问题中，一个非常大的问题在于训练深度学习模型需要的计算量太大。比如要将第 6 章中介绍的 Inception-v3 模型在单机上训练到 78%的正确率需要将近半年的时间[①]，这样的训练速度是完全无法应用到实际生产中的。为了加速训练过程，本章将介绍如何通过 TensorFlow 利用 GPU 或/和分布式计算进行模型训练。

首先，在 12.1 节中将介绍如何在 TensorFlow 中使用单个 GPU 进行计算加速，也将介绍生成 TensorFlow 会话（tf.Session）时的一些常用参数。通过这些参数可以使调试更加方便而且程序的可扩展性更好。然而，在很多情况下，单个 GPU 的加速效率无法满足训练大型深度学习模型的计算量需求，这时将需要利用更多的计算资源。为了同时利用多个 GPU 或者多台机器，12.2 节中将介绍训练深度学习模型的并行方式。然后，12.3 节将介绍如何在一台机器的多个 GPU 上并行化地训练深度学习模型。在这一节中也将给出具体的 TensorFlow 样例程序来使用多 GPU 训练模型，并比较并行化效率提升的比率。最后在 12.4 节中将介绍分布式 TensorFlow，以及如何通过分布式 TensorFlow 训练深度学习模型。在这一节中将给出具体的 TensorFlow 样例程序来实现不同的分布式深度学习训练模式。

12.1　TensorFlow 使用 GPU

TensorFlow 程序可以通过 tf.device 函数来指定运行每一个操作的设备，这个设备可以是本地的 CPU 或者 GPU，也可以是某一台远程的服务器。但在本节中只关心本地的设备。TensorFlow 会给每一个可用的设备一个名称，tf.device 函数可以通过设备的名称来指定执行运算的设备。比如 CPU 在 TensorFlow 中的名称为/cpu:0。在默认情况下，即使机器有多

---

① 数字出自谷歌官方技术博客 https://research.googleblog.com/2016/04/announcing-tensorflow-08-now-with.html。

个 CPU，TensorFlow 也不会区分它们，所有的 CPU 都使用/cpu:0 作为名称。而一台机器上不同 GPU 的名称是不同的，第 *n* 个 GPU 在 TensorFlow 中的名称为/gpu:n。比如第一个 GPU 的名称为/gpu:0，第二个 GPU 名称为/gpu:1，以此类推。

　　TensorFlow 提供了一个快捷的方式来查看运行每一个运算的设备。在生成会话时，可以通过设置 log_device_placement 参数来打印运行每一个运算的设备。以下程序展示了如何使用 log_device_placement 这个参数。

```
import tensorflow as tf

a = tf.constant([1.0, 2.0, 3.0], shape=[3], name='a')
b = tf.constant([1.0, 2.0, 3.0], shape=[3], name='b')
c = a + b
# 通过 log_device_placement 参数来输出运行每一个运算的设备。
sess = tf.Session(config=tf.ConfigProto(log_device_placement=True))
print sess.run(c)

'''
在没有 GPU 的机器上运行以上代码可以得到类似以下的输出：
Device mapping: no known devices.

add: (Add): /job:localhost/replica:0/task:0/cpu:0
b: (Const): /job:localhost/replica:0/task:0/cpu:0
a: (Const): /job:localhost/replica:0/task:0/cpu:0
[ 2.  4.  6.]
'''
```

　　在以上代码中，TensorFlow 程序生成会话时加入了参数 log_device_placement=True，所以程序会将运行每一个操作的设备输出到屏幕。于是除了可以看到最后的计算结果，还可以看到类似 "add: /job:localhost/replica:0/task:0/cpu:0" 这样的输出。这些输出显示了执行每一个运算的设备。比如加法操作 add 是通过 CPU 来运行的，因为它的设备名称中包含了/cpu:0。

　　在配置好 GPU 环境的 TensorFlow 中[①]，如果操作没有明确地指定运行设备，那么 TensorFlow 会优先选择 GPU。比如将以上代码在亚马逊（Amazon Web Services, AWS）的 g2.8xlarge 实例上运行时，会得到类似以下的运行结果。

```
Device mapping:
/job:localhost/replica:0/task:0/gpu:0 -> device: 0, name: GRID K520, pci bus
id: 0000:00:03.0
/job:localhost/replica:0/task:0/gpu:1 -> device: 1, name: GRID K520, pci bus
```

---

① 如何安装支持 GPU 的 TensorFlow 环境可以参考第 2 章。

```
id: 0000:00:04.0
/job:localhost/replica:0/task:0/gpu:2 -> device: 2, name: GRID K520, pci bus
id: 0000:00:05.0
/job:localhost/replica:0/task:0/gpu:3 -> device: 3, name: GRID K520, pci bus
id: 0000:00:06.0

add: (Add): /job:localhost/replica:0/task:0/gpu:0
b: (Const): /job:localhost/replica:0/task:0/gpu:0
a: (Const): /job:localhost/replica:0/task:0/gpu:0
[ 2.  4.  6.]
```

从以上输出可以看到在配置好 GPU 环境的 TensorFlow 中，TensorFlow 会自动优先将运算放置在 GPU 上。不过，尽管 g2.8xlarge 实例有 4 个 GPU，在默认情况下，TensorFlow 只会将运算优先放到/gpu:0 上。于是可以看见在以上程序中，所有的运算都被放在了/gpu:0 上。如果需要将某些运算放到不同的 GPU 或者 CPU 上，就需要通过 tf.device 来手工指定。以下程序给出了一个通过 tf.device 手工指定运行设备的样例。

```
import tensorflow as tf

# 通过 tf.device 将运算指定到特定的设备上。
with tf.device('/cpu:0'):
    a = tf.constant([1.0, 2.0, 3.0], shape=[3], name='a')
    b = tf.constant([1.0, 2.0, 3.0], shape=[3], name='b')

with tf.device('/gpu:1'):
    c = a + b

sess = tf.Session(config=tf.ConfigProto(log_device_placement=True))
print sess.run(c)

'''
在 AWS g2.8xlarge 实例上运行上述代码可以得到以下结果:
Device mapping:
/job:localhost/replica:0/task:0/gpu:0 -> device: 0, name: GRID K520, pci bus
id: 0000:00:03.0
/job:localhost/replica:0/task:0/gpu:1 -> device: 1, name: GRID K520, pci bus
id: 0000:00:04.0
/job:localhost/replica:0/task:0/gpu:2 -> device: 2, name: GRID K520, pci bus
id: 0000:00:05.0
/job:localhost/replica:0/task:0/gpu:3 -> device: 3, name: GRID K520, pci bus
id: 0000:00:06.0
```

```
add: (Add): /job:localhost/replica:0/task:0/gpu:1
b: (Const): /job:localhost/replica:0/task:0/cpu:0
a: (Const): /job:localhost/replica:0/task:0/cpu:0
[ 2.  4.  6.]
'''
```

在以上代码中可以看到生成常量 a 和 b 的操作被加载到了 CPU 上，而加法操作被放到了第二个 GPU "/gpu:1" 上。在 TensorFlow 中，不是所有的操作都可以被放在 GPU 上，如果强行将无法放在 GPU 上的操作指定到 GPU 上，那么程序将会报错。以下代码给出了一个报错的样例。

```
import tensorflow as tf

# 在 CPU 上运行 tf.Variable
a_cpu = tf.Variable(0, name="a_cpu")

with tf.device('/gpu:0'):
    # 将 tf.Variable 强制放在 GPU 上。
    a_gpu = tf.Variable(0, name="a_gpu")

sess = tf.Session(config=tf.ConfigProto(log_device_placement=True))
sess.run(tf.initialize_all_variables())

'''
运行以上程序将会报出以下错误：
tensorflow.python.framework.errors.InvalidArgumentError: Cannot assign a
device to node 'a_gpu': Could not satisfy explicit device specification
'/device:GPU:0' because no supported kernel for GPU devices is available.
Colocation Debug Info:
Colocation group had the following types and devices:
Identity: CPU
Assign: CPU
Variable: CPU
[[Node: a_gpu = Variable[container="", dtype=DT_INT32, shape=[], shared_
name="", _device="/device:GPU:0"]()]]
'''
```

不同版本的 TensorFlow 对 GPU 的支持不一样，如果程序中全部使用强制指定设备的方式会降低程序的可移植性。在 TensorFlow 的 kernel[①]中定义了哪些操作可以跑在 GPU 上。

---

① TensorFlow kernel 在 Github 的 https://github.com/tensorflow/tensorflow/tree/master/tensorflow/core/kernels 目录下。

比如可以在 variable_ops.cc 程序中找到以下定义。

```
# define REGISTER_GPU_KERNELS(type)                                 \
   REGISTER_KERNEL_BUILDER(                                          \
     Name("Variable").Device(DEVICE_GPU).TypeConstraint<type>("dtype"),\
     VariableOp);                                                    \
  …
TF_CALL_GPU_NUMBER_TYPES(REGISTER_GPU_KERNELS);
```

在这段定义中可以看到 GPU 只在部分数据类型上支持 tf.Variable 操作。如果在 TensorFlow 代码库中搜索调用这段代码的宏 TF_CALL_GPU_NUMBER_TYPES，可以发现在 GPU 上，tf.Variable 操作只支持实数型（float16、float32 和 double）的参数。而在报错的样例代码中给定的参数是整数型的，所以不支持在 GPU 上运行。为避免这个问题，TensorFlow 在生成会话时可以指定 allow_soft_placement 参数。当 allow_soft_placement 参数设置为 True 时，如果运算无法由 GPU 执行，那么 TensorFlow 会自动将它放到 CPU 上执行。以下代码给出了一个使用 allow_soft_placement 参数的样例。

```
import tensorflow as tf

a_cpu = tf.Variable(0, name="a_cpu")
with tf.device('/gpu:0'):
   a_gpu = tf.Variable(0, name="a_gpu")

# 通过 allow_soft_placement 参数自动将无法放在 GPU 上的操作放回 CPU 上。
sess = tf.Session(config=tf.ConfigProto(
   allow_soft_placement=True, log_device_ placement=True))
sess.run(tf.initialize_all_variables())

'''
运行上面这段程序可以得到以下结果：
Device mapping:
/job:localhost/replica:0/task:0/gpu:0 -> device: 0, name: GRID K520, pci bus
id: 0000:00:03.0
/job:localhost/replica:0/task:0/gpu:1 -> device: 1, name: GRID K520, pci bus
id: 0000:00:04.0
/job:localhost/replica:0/task:0/gpu:2 -> device: 2, name: GRID K520, pci bus
id: 0000:00:05.0
/job:localhost/replica:0/task:0/gpu:3 -> device: 3, name: GRID K520, pci bus
id: 0000:00:06.0
a_gpu: /job:localhost/replica:0/task:0/cpu:0
a_gpu/read: /job:localhost/replica:0/task:0/cpu:0
a_gpu/Assign: /job:localhost/replica:0/task:0/cpu:0
init/NoOp_1: /job:localhost/replica:0/task:0/gpu:0
```

```
a_cpu: /job:localhost/replica:0/task:0/cpu:0
a_cpu/read: /job:localhost/replica:0/task:0/cpu:0
a_cpu/Assign: /job:localhost/replica:0/task:0/cpu:0
init/NoOp: /job:localhost/replica:0/task:0/gpu:0
init: /job:localhost/replica:0/task:0/gpu:0
a_gpu/initial_value: /job:localhost/replica:0/task:0/gpu:0
a_cpu/initial_value: /job:localhost/replica:0/task:0/cpu:0

从输出的日志中可以看到在生成变量 a_gpu 时，无法放到 GPU 上的运算被自动调整到了 CPU 上（比
如 a_gpu 和 a_gpu/read），而可以被 GPU 执行的命令（比如 a_gpu/initial_value）依旧由
GPU 执行。
'''
```

虽然 GPU 可以加速 TensorFlow 的计算，但一般来说不会把所有的操作全部放在 GPU 上。一个比较好的实践是将计算密集型的运算放在 GPU 上，而把其他操作放到 CPU 上。GPU 是机器中相对独立的资源，将计算放入或者转出 GPU 都需要额外的时间。而且 GPU 需要将计算时用到的数据从内存复制到 GPU 设备上，这也需要额外的时间。TensorFlow 可以自动完成这些操作而不需要用户特别处理，但为了提高程序运行的速度，用户也需要尽量将相关的运算放在同一个设备上。

TensorFlow 默认会占用设备上的所有 GPU 以及每个 GPU 的所有显存。如果在一个 TensorFlow 程序中只需要使用部分 GPU，可以通过设置 CUDA_VISIBLE_DEVICES 环境变量来控制。以下样例介绍了如何在运行时设置这个环境变量。

```
# 只使用第二块 GPU（GPU 编号从 0 开始）。在 demo_code.py 中，机器上的第二块 GPU 的
# 名称变成/gpu:0，不过在运行时所有/gpu:0 的运算将被放在第二块 GPU 上。
CUDA_VISIBLE_DEVICES=1 python demo_code.py
# 只使用第一块和第二块 GPU。
CUDA_VISIBLE_DEVICES=0,1 python demo_code.py
```

TensorFlow 也支持在程序中设置环境变量，以下代码展示了如何在程序中设置这些环境变量。

```
import os

# 只使用第三块 GPU。
os.environ["CUDA_VISIBLE_DEVICES"] = "2"
```

虽然 TensorFlow 默认会一次性占用一个 GPU 的所有显存，但是 TensorFlow 也支持动态分配 GPU 的显存，使得一块 GPU 上可以同时运行多个任务。下面给出了 TensorFlow 动态分配显存的方法。

```
config = tf.ConfigProto()
```

```
# 让 TensorFlow 按需分配显存。

config.gpu_options.allow_growth = True

# 或者直接按固定的比例分配。以下代码会占用所有可使用 GPU 的 40% 显存。
# config.gpu_options.per_process_gpu_memory_fraction = 0.4
session = tf.Session(config=config, ...)
```

12.2 深度学习训练并行模式

TensorFlow 可以很容易地利用单个 GPU 加速深度学习模型的训练过程，但要利用更多的 GPU 或者机器，需要了解如何并行化地训练深度学习模型。常用的并行化深度学习模型训练方式有两种，同步模式和异步模式。本节中将介绍这两种模式的工作方式及其优劣。

为帮助读者理解这两种训练模式，本节首先简单回顾一下如何训练深度学习模型。图 12-1 展示了深度学习模型的训练流程图。深度学习模型的训练是一个迭代的过程。在每一轮迭代中，前向传播算法会根据当前参数的取值计算出在一小部分训练数据上的预测值，然后反向传播算法再根据损失函数计算参数的梯度并更新参数。在并行化地训练深度学习模型时，不同设备（GPU 或 CPU）可以在不同训练数据上运行这个迭代的过程，而不同并行模式的区别在于不同的参数更新方式。

图 12-2 展示了异步模式的训练流程图。从图 12-2 中可以看到，在每一轮迭代时，不同设备会读取参数最新的取值，但因为不同设备读取参数取值的时间不一样，所以得到的值也有可能不一样。根据当前参数的取值和随机获取的一小部分训练数据，不同设备各自运行反向传播的过程并独立地更新参数。可以简单地认为异步模式就是单机模式复制了多份，每一份使用不同的训练数据进行训练。在异步模式下，不同设备之间是完全独立的。

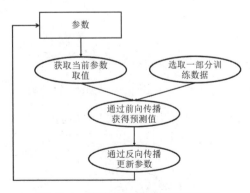

图 12-1　深度学习模型训练流程图

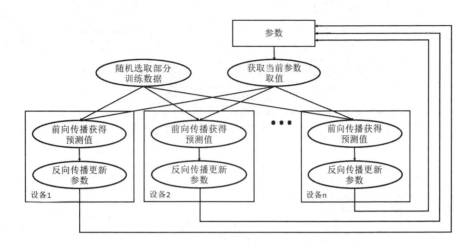

图 12-2　异步模式深度学习模型训练流程图

　　然而使用异步模式训练的深度学习模型有可能无法达到较优的训练结果。图 12-3 中给出了一个具体的样例来说明异步模式的问题。其中黑色曲线展示了模型的损失函数，黑色小球表示了在 t_0 时刻参数所对应的损失函数的大小。假设两个设备 d_0 和 d_1 在时间 t_0 同时读取了参数的取值，那么设备 d_0 和 d_1 计算出来的梯度都会将小黑球向左移动。假设在时间 t_1 设备 d_0 已经完成了反向传播的计算并更新了参数，修改后的参数处于图 12-3 中小灰球的位置。然而这时的设备 d_1 并不知道参数已经被更新了，所以在时间 t_2 时，设备 d_1 会继续将小球向左移动，使得小球的位置达到图 12-3 中小白球的地方。从图 10-3 中可以看到，当参数被调整到小白球的位置时，将无法达到最优点。

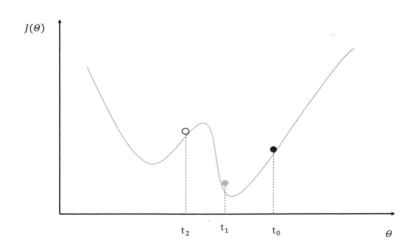

图 12-3　异步模式训练深度学习模型存在的问题示意图

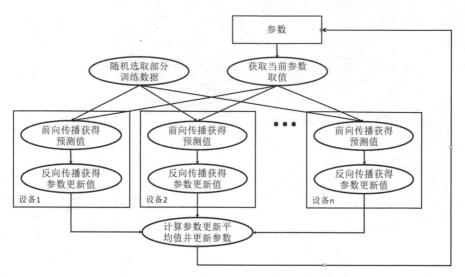

图 12-4　同步模式深度学习模型训练流程图

　　为了避免更新不同步的问题，可以使用同步模式。在同步模式下，所有的设备同时读取参数的取值，并且当反向传播算法完成之后同步更新参数的取值。单个设备不会单独对参数进行更新，而会等待所有设备都完成反向传播之后再统一更新参数。[①]图 12-4 展示了同步模式的训练过程。从图 12-4 中可以看到，在每一轮迭代时，不同设备首先统一读取当前参数的取值，并随机获取一小部分数据。然后在不同设备上运行反向传播过程得到在各自训练数据上参数的梯度。注意虽然所有设备使用的参数是一致的，但是因为训练数据不同，所以得到参数的梯度就可能不一样。当所有设备完成反向传播的计算之后，需要计算出不同设备上参数梯度的平均值，最后再根据平均值对参数进行更新。

　　同步模式解决了异步模式中存在的参数更新问题，然而同步模式的效率却低于异步模式。在同步模式下，每一轮迭代都需要设备统一开始、统一结束。如果设备的运行速度不一致，那么每一轮训练都需要等待最慢的设备结束才能开始更新参数，于是很多时间将被花在等待上。虽然理论上异步模式存在缺陷，但因为训练深度学习模型时使用的随机梯度下降本身就是梯度下降的一个近似解法，而且即使是梯度下降也无法保证达到全局最优值，所以在实际应用中，在相同时间内，使用异步模式训练的模型不一定比同步模式差。所以这两种训练模式在实践中都有非常广泛的应用。

---

① 不同的算法实现会有略微的区别。TensorFlow 也支持更加灵活的同步更新方式使计算不会因为某个设备的故障而被卡住。而且在同步模式下，TensorFlow 会保证没有设备能使用陈旧的梯度更新模型中的参数。

12.3　多 GPU 并行

在 12.2 节中介绍了常用的分布式深度学习模型训练模式。这一节将给出具体的 TensorFlow 代码，在一台机器的多个 GPU 上并行训练深度学习模型。因为一般来说一台机器上的多个 GPU 性能相似，所以在这种设置下会更多地采用同步模式训练深度学习模型。下面将给出具体的代码，在多 GPU 上训练深度学习模型解决 MNIST 问题。本节的样例代码将沿用 5.5 节中使用的代码框架，并且使用 5.5 节中给出的 mnist_inference.py 程序来完成神经网络的前向传播过程。以下代码给出了新的神经网络训练程序 mnist_multi_gpu_train.py。

```python
# coding=utf-8
from datetime import datetime
import os
import time

import tensorflow as tf
import mnist_inference

# 定义训练神经网络时需要用到的参数。
BATCH_SIZE = 100
LEARNING_RATE_BASE = 0.001
LEARNING_RATE_DECAY = 0.99
REGULARAZTION_RATE = 0.0001
TRAINING_STEPS = 1000
MOVING_AVERAGE_DECAY = 0.99
N_GPU = 2

# 定义日志和模型输出的路径。
MODEL_SAVE_PATH = "logs_and_models/"
MODEL_NAME = "model.ckpt"

# 定义数据存储的路径。因为需要为不同的 GPU 提供不同的训练数据，所以通过 placerholder
# 的方式就需要手动准备多份数据。为了方便训练数据的获取过程，可以采用第 7 章中介绍的
# Dataset 的方式从 TFRecord 中读取数据。于是在这里提供的数据文件路径为将 MNIST 训练
# 数据转化为 TFRecords 格式之后的路径。如何将 MNIST 数据转化为 TFRecord 格式在第 7
# 章中有详细介绍，这里不再赘述。
DATA_PATH = "output.tfrecords"

# 定义输入队列得到训练数据，具体细节可以参考第 7 章。
def get_input():
    dataset = tf.contrib.data.TFRecordDataset([DATA_PATH])
```

```
# 定义数据解析格式。
def parser(record):
    features = tf.parse_single_example(
        record,
        features={
            'image_raw': tf.FixedLenFeature([], tf.string),
            'pixels': tf.FixedLenFeature([], tf.int64),
            'label': tf.FixedLenFeature([], tf.int64),
        })

    # 解析图片和标签信息。
    decoded_image = tf.decode_raw(features['image_raw'], tf.uint8)
    reshaped_image = tf.reshape(decoded_image, [784])
    retyped_image = tf.cast(reshaped_image, tf.float32)
    label = tf.cast(features['label'], tf.int32)

    return retyped_image, label

# 定义输入队列。
dataset = dataset.map(parser)
dataset = dataset.shuffle(buffer_size=10000)
dataset = dataset.repeat(10)
dataset = dataset.batch(BATCH_SIZE)
iterator = dataset.make_one_shot_iterator()

features, labels = iterator.get_next()
return features, labels
```

```
# 定义损失函数。对于给定的训练数据、正则化损失计算规则和命名空间，计算在这个命名空间
# 下的总损失。之所以需要给定命名空间是因为不同的 GPU 上计算得出的正则化损失都会加入名为
# loss 的集合，如果不通过命名空间就会将不同 GPU 上的正则化损失都加进来。
def get_loss(x, y_, regularizer, scope, reuse_variables=None):
    # 沿用 5.5 节中定义的函数来计算神经网络的前向传播结果。
    with tf.variable_scope(tf.get_variable_scope(),
                           reuse=reuse_variables):
        y = mnist_inference.inference(x, regularizer)
    # 计算交叉熵损失。
    cross_entropy = tf.reduce_mean(
        tf.nn.sparse_softmax_cross_entropy_with_logits(
            logits=y, labels=y_))
    # 计算当前 GPU 上计算得到的正则化损失。
    regularization_loss = tf.add_n(tf.get_collection('losses', scope))
    # 计算最终的总损失。
    loss = cross_entropy + regularization_loss
```

```
        return loss

# 计算每一个变量梯度的平均值。
def average_gradients(tower_grads):
    average_grads = []

    # 枚举所有的变量和变量在不同 GPU 上计算得出的梯度。
    for grad_and_vars in zip(*tower_grads):
        # 计算所有 GPU 上的梯度平均值。
        grads = []
        for g, _ in grad_and_vars:
            expanded_g = tf.expand_dims(g, 0)
            grads.append(expanded_g)
        grad = tf.concat(grads, 0)
        grad = tf.reduce_mean(grad, 0)

        v = grad_and_vars[0][1]
        grad_and_var = (grad, v)
        # 将变量和它的平均梯度对应起来。
        average_grads.append(grad_and_var)
    # 返回所有变量的平均梯度，这个将被用于变量的更新。
    return average_grads

# 主训练过程。
def main(argv=None):
    # 将简单的运算放在 CPU 上，只有神经网络的训练过程放在 GPU 上。
    with tf.Graph().as_default(), tf.device('/cpu:0'):
        # 定义基本的训练过程
        x, y_ = get_input()
        regularizer = tf.contrib.layers.l2_regularizer(REGULARAZTION_RATE)

        global_step = tf.get_variable(
            'global_step', [], initializer=tf.constant_initializer(0),
            trainable=False)
        learning_rate = tf.train.exponential_decay(
            LEARNING_RATE_BASE, global_step,
            60000 / BATCH_SIZE, LEARNING_RATE_DECAY)

        opt = tf.train.GradientDescentOptimizer(learning_rate)

        tower_grads = []
        reuse_variables = False
        # 将神经网络的优化过程跑在不同的 GPU 上。
        for i in range(N_GPU):
            # 将优化过程指定在一个 GPU 上。
```

```
        with tf.device('/gpu:%d' % i):
            with tf.name_scope('GPU_%d' % i) as scope:
                cur_loss = get_loss(
                    x, y_, regularizer, scope, reuse_variables)
                # 在第一次声明变量之后，将控制变量重用的参数设置为 True。这样可以
                # 让不同的 GPU 更新同一组参数。
                reuse_variables = True
                grads = opt.compute_gradients(cur_loss)
                tower_grads.append(grads)

    # 计算变量的平均梯度。
    grads = average_gradients(tower_grads)
    for grad, var in grads:
        if grad is not None:
            tf.summary.histogram('gradients_on_average/%s' %
                var.op.name, grad)

    # 使用平均梯度更新参数。
    apply_gradient_op = opt.apply_gradients(
        grads, global_step=global_step)
    for var in tf.trainable_variables():
        tf.summary.histogram(var.op.name, var)

    # 计算变量的滑动平均值。
    variable_averages = tf.train.ExponentialMovingAverage(
        MOVING_AVERAGE_DECAY, global_step)
    variables_to_average = (
        tf.trainable_variables() +tf.moving_average_variables())
    variables_averages_op = variable_averages.apply(
        variables_to_average)
    # 每一轮迭代需要更新变量的取值并更新变量的滑动平均值。
    train_op = tf.group(apply_gradient_op, variables_averages_op)

    saver = tf.train.Saver()
    summary_op = tf.summary.merge_all()
    init = tf.global_variables_initializer()
    with tf.Session(config=tf.ConfigProto(
            allow_soft_placement=True,
            log_device_placement=True)) as sess:
        # 初始化所有变量并启动队列。
        init.run()
        summary_writer = tf.summary.FileWriter(
            MODEL_SAVE_PATH, sess.graph)

        for step in range(TRAINING_STEPS):
```

```
            # 执行神经网络训练操作，并记录训练操作的运行时间。
            start_time = time.time()
            _, loss_value = sess.run([train_op, cur_loss])
            duration = time.time() - start_time

            # 每隔一段时间输出当前的训练进度，并统计训练速度。
            if step != 0 and step % 10 == 0:
                # 计算使用过的训练数据个数。因为在每一次运行训练操作时，每一个GPU
                # 都会使用一个batch的训练数据，所以总共用到的训练数据个数为
                # batch 大小 × GPU 个数。
                num_examples_per_step = BATCH_SIZE * N_GPU

                # num_examples_per_step 为本次迭代使用到的训练数据个数，
                # duration 为运行当前训练过程使用的时间，于是平均每秒可以处理的训
                # 练数据个数为 num_examples_per_step / duration。
                examples_per_sec = num_examples_per_step / duration

                # duration 为运行当前训练过程使用的时间，因为在每一个训练过程中，
                # 每一个 GPU 都会使用一个batch的训练数据，所以在单个batch上的训
                # 练所需要时间为 duration / GPU 个数。
                sec_per_batch = duration / N_GPU

                # 输出训练信息。
                format_str = ('%s: step %d, loss = %.2f (
                    %.1f examples/sec; %.3f sec/batch)')
                print (format_str % (datetime.now(), step, loss_value,
                                    examples_per_sec, sec_per_batch))

                # 通过 TensorBoard 可视化训练过程。
                summary = sess.run(summary_op)
                summary_writer.add_summary(summary, step)

            # 每隔一段时间保存当前的模型。
            if step % 1000 == 0 or (step + 1) == TRAINING_STEPS:
                checkpoint_path = os.path.join(
                    MODEL_SAVE_PATH, MODEL_NAME)
                saver.save(sess, checkpoint_path, global_step=step)

if __name__ == '__main__':
    tf.app.run()
'''
```

在 AWS 的 g2.8xlarge 实例上运行上面这段程序可以得到类似下面的结果：

```
step 10, loss = 71.90 (15292.3 examples/sec; 0.007 sec/batch)
step 20, loss = 37.97 (18758.3 examples/sec; 0.005 sec/batch)
```

```
step 30, loss = 9.54 (16313.3 examples/sec; 0.006 sec/batch)
step 40, loss = 11.84 (14199.0 examples/sec; 0.007 sec/batch)
...
step 980, loss = 0.66 (15034.7 examples/sec; 0.007 sec/batch)
step 990, loss = 1.56 (16134.1 examples/sec; 0.006 sec/batch)
'''
```

在 AWS 的 g2.8xlarge 实例上运行以上代码可以同时使用 4 个 GPU 训练神经网络。图 12-5 显示了运行样例代码时不同 GPU 的使用情况。

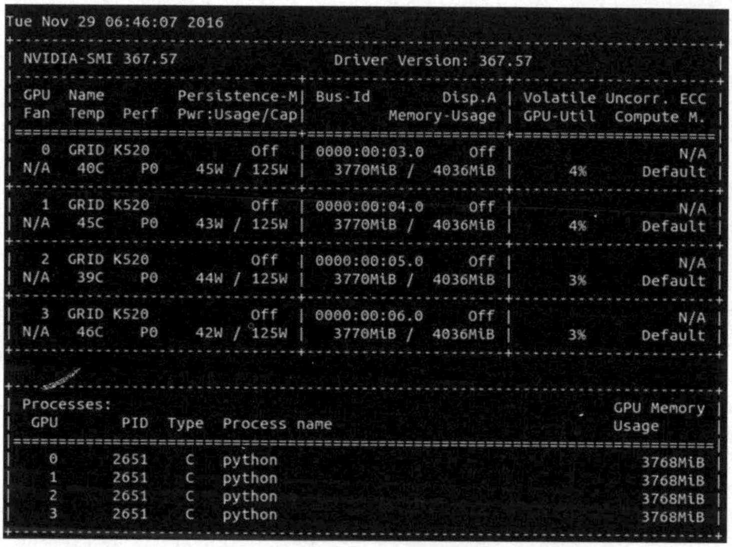

```
Tue Nov 29 06:46:07 2016
+------------------------------------------------------+
| NVIDIA-SMI 367.57                 Driver Version: 367.57                    |
|-------------------------------+----------------------+----------------------+
| GPU  Name        Persistence-M| Bus-Id        Disp.A | Volatile Uncorr. ECC |
| Fan  Temp  Perf  Pwr:Usage/Cap|         Memory-Usage | GPU-Util  Compute M. |
|===============================+======================+======================|
|   0  GRID K520           Off  | 0000:00:03.0     Off |                  N/A |
| N/A   40C    P0    45W / 125W |   3770MiB /  4036MiB |      4%      Default |
+-------------------------------+----------------------+----------------------+
|   1  GRID K520           Off  | 0000:00:04.0     Off |                  N/A |
| N/A   45C    P0    43W / 125W |   3770MiB /  4036MiB |      4%      Default |
+-------------------------------+----------------------+----------------------+
|   2  GRID K520           Off  | 0000:00:05.0     Off |                  N/A |
| N/A   39C    P0    44W / 125W |   3770MiB /  4036MiB |      3%      Default |
+-------------------------------+----------------------+----------------------+
|   3  GRID K520           Off  | 0000:00:06.0     Off |                  N/A |
| N/A   46C    P0    42W / 125W |   3770MiB /  4036MiB |      3%      Default |
+-------------------------------+----------------------+----------------------+

+-----------------------------------------------------------------------------+
| Processes:                                                       GPU Memory |
|  GPU       PID  Type  Process name                               Usage      |
|=============================================================================|
|    0      2651    C   python                                       3768MiB |
|    1      2651    C   python                                       3768MiB |
|    2      2651    C   python                                       3768MiB |
|    3      2651    C   python                                       3768MiB |
+-----------------------------------------------------------------------------+
```

图 12-5　在 AWS 的 g2.8xlarge 实例上运行 MNIST 样例程序时 GPU 的使用情况

因为在 5.5 节中定义的神经网络规模比较小，所以在图 12-5 中显示的 GPU 使用率不高。如果训练大型的神经网络模型，TensorFlow 将会占满所有用到的 GPU。

图 12-6 展示了通过 TensorBoard[①]可视化得到的样例代码 TensorFlow 计算图，其中节点上的颜色代表了不同的设备，比如黑色代表 CPU、白色代表第一个 GPU，等等。从图 12-5 中可以看出，训练神经网络的主要过程被放到了 GPU_0、GPU_1、GPU_2 和 GPU_3 这 4 个模块中，而且每一个模块运行在一个 GPU 上。对比图 12-5 中的 TensorFlow 计算图可视化结果和图 12-4 中介绍的同步模式分布式深度学习训练流程图可以发现，这两个图的结构是非常接近的。

① TensorBoard 在第 11 章中有详细介绍。

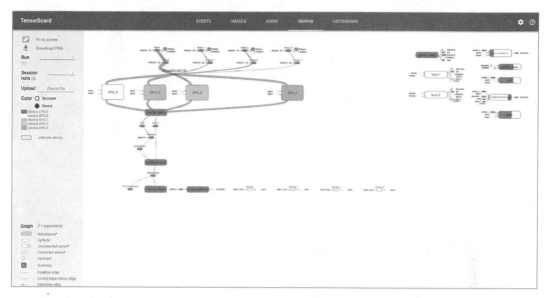

图 12-6　使用了 4 个 GPU 的 TensorFlow 计算图可视化结果

通过调整参数 N_GPU，可以实验同步模式下随着 GPU 个数的增加训练速度的加速比率。图 12-7 展示了在给出的 MNIST 样例代码上，训练速度随着 GPU 数量增加的变化趋势。从图 12-7 中可以看出，当使用两个 GPU 时，模型的训练速度是使用一个 GPU 的 1.92 倍。也就是说当 GPU 数量较小时，训练速度基本可以随着 GPU 的数量线性增长。图 12-8 展示了当 GPU 数量增多时，训练速度随着 GPU 数量增加的加速比。从图 12-8 中可以看出，当GPU 数量增加时，虽然加速比不再是线性，但 TensorFlow 仍然可以通过增加 GPU 数量有效地加速深度学习模型的训练过程。

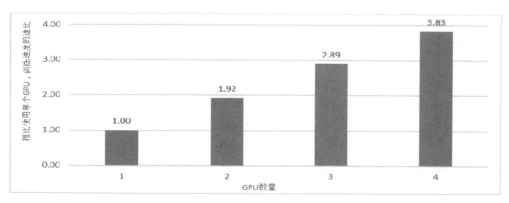

图 12-7　训练速度随着 GPU 数量增加的变化趋势
（此数据是通过 MNIST 样例代码在 AWS 的 g2.8xlarge 实例上测试得到的）

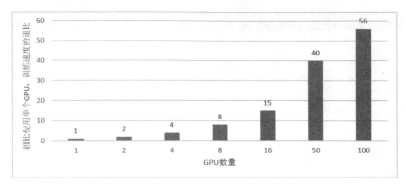

图 12-8　训练速度随着 GPU 数量增加的变化趋势，此数据来自谷歌官方的测试结果①

12.4　分布式 TensorFlow

通过多 GPU 并行的方式可以达到很好的加速效果。然而一台机器上能够安装的 GPU 有限，要进一步提升深度学习模型的训练速度，就需要将 TensorFlow 分布式运行在多台机器上。本节将介绍如何编写以及运行分布式 TensorFlow 的程序。首先，在 12.4.1 节中将介绍分布式 TensorFlow 的工作原理，并给出最简单的分布式 TensorFlow 样例程序。在这一节中也将介绍不同的 TensorFlow 分布式方式。然后，在 12.4.2 节中将给出两个完整的 TensorFlow 样例程序来同步或者异步地训练深度学习模型。

12.4.1　分布式 TensorFlow 原理

在 12.2 节中介绍了分布式 TensorFlow 训练深度学习模型的理论。本节将具体介绍如何使用 TensorFlow 在分布式集群中训练深度学习模型。以下代码展示了如何创建一个最简单的 TensorFlow 集群：

```
import tensorflow as tf
c = tf.constant("Hello, distributed TensorFlow!")
# 创建一个本地 TensorFlow 集群
server = tf.train.Server.create_local_server()
# 在集群上创建一个会话。
sess = tf.Session(server.target)
```

---

① 具体结果可以参考谷歌官方技术博客：https://research.googleblog.com/2016/04/announcing-tensorflow-08-now-with.html。更新的测试结果可以参考 Google 提供的性能测试 benchmark：https://www.tensorflow.org/performance/benchmarks。

```
# 输出 Hello, distributed TensorFlow!
print sess.run(c)
```

在以上代码中，首先通过 tf.train.Server.create_local_server 函数在本地建立了一个只有一台机器的 TensorFlow 集群。然后在该集群上生成了一个会话，并通过生成的会话将运算运行在创建的 TensorFlow 集群上。虽然这只是一个单机集群，但它大致反映了 TensorFlow 集群的工作流程。TensorFlow 集群通过一系列的任务（tasks）来执行 TensorFlow 计算图中的运算。一般来说，不同任务跑在不同机器上。最主要的例外是使用 GPU 时，不同任务可以使用同一台机器上的不同 GPU。TensorFlow 集群中的任务也会被聚合成工作（jobs），每个工作可以包含一个或者多个任务。比如在训练深度学习模型时，一台运行反向传播的机器是一个任务，而所有运行反向传播机器的集合是一种工作。

以上样例代码是只有一个任务的集群。当一个 TensorFlow 集群有多个任务时，需要使用 tf.train.ClusterSpec 来指定运行每一个任务的机器。比如以下代码展示了在本地运行有两个任务的 TensorFlow 集群。第一个任务的代码如下：

```
import tensorflow as tf
c = tf.constant("Hello from server1!")

# 生成一个有两个任务的集群，一个任务跑在本地 2222 端口，另外一个跑在本地 2223 端口。
cluster = tf.train.ClusterSpec(
    {"local": ["localhost:2222", "localhost: 2223"]})
# 通过上面生成的集群配置生成 Server，并通过 job_name 和 task_index 指定当前所启动
# 的任务。因为该任务是第一个任务，所以 task_index 为 0。
server = tf.train.Server(cluster, job_name="local", task_index=0)

# 通过 server.target 生成会话来使用 TensorFlow 集群中的资源。通过设置
# log_device_placement 可以看到执行每一个操作的任务。
sess = tf.Session(
    server.target, config=tf.ConfigProto(log_device_placement=True))
print sess.run(c)
server.join()
```

下面给出了第二个任务的代码：

```
import tensorflow as tf
c = tf.constant("Hello from server2!")

# 和第一个程序一样的集群配置。集群中的每一个任务需要采用相同的配置。
cluster = tf.train.ClusterSpec(
    {"local": ["localhost:2222", "localhost: 2223"]})
# 指定 task_index 为 1，所以这个程序将在 localhost:2223 启动服务。
server = tf.train.Server(cluster, job_name="local", task_index=1)
```

```
# 剩下的代码都和第一个任务的代码一致。
...
```

启动第一个任务后，可以得到类似下面的输出：

```
tensorflow/core/distributed_runtime/rpc/grpc_channel.cc:215]  Initialize
GrpcChannelCache for job local -> {0 -> localhost:2222, 1 -> localhost:2223}
tensorflow/core/distributed_runtime/rpc/grpc_server_lib.cc:316]    Started
server with target: grpc://localhost:2222
tensorflow/core/distributed_runtime/master.cc:209]  CreateSession  still
waiting for response from worker: /job:local/replica:0/task:1
tensorflow/core/distributed_runtime/master.cc:209]  CreateSession  still
waiting for response from worker: /job:local/replica:0/task:1
tensorflow/core/distributed_runtime/master_session.cc:998] Start master
session 67a422339d0b7833 with config: log_device_placement: true
Const: (Const): /job:local/replica:0/task:0/cpu:0
tensorflow/core/common_runtime/simple_placer.cc:872]              Const:
(Const)/job:local/replica:0/task:0/cpu:0
Hello from server1!
```

从第一个任务的输出中可以看到，当只启动第一个任务时，程序会停下来等待第二个任务启动，而且将持续输出 CreateSession still waiting for response from worker: /job:local/replica:0/task:1。当第二个任务启动后，可以看到从第一个任务中会输出 Hello from server1!的结果。第二个任务的输出如下：

```
tensorflow/core/distributed_runtime/rpc/grpc_channel.cc:215]  Initialize
GrpcChannelCache for job local -> {0 -> localhost:2222, 1 -> localhost:2223}
tensorflow/core/distributed_runtime/rpc/grpc_server_lib.cc:316]    Started
server with target: grpc://localhost:2223
tensorflow/core/distributed_runtime/master_session.cc:998] Start master
session 79bb86bd1f7ecf4f with config: log_device_placement: true
Const: (Const): /job:local/replica:0/task:0/cpu:0
tensorflow/core/common_runtime/simple_placer.cc:872]              Const:
(Const)/job:local/replica:0/task:0/cpu:0
Hello from server2!
```

值得注意的是第二个任务中定义的计算也被放在了设备/job:local/replica:0/task:0/cpu:0上。也就是说这个计算将由第一个任务来执行。从上面这个样例可以看到，通过 tf.train.Server.target 生成的会话可以统一管理整个 TensorFlow 集群中的资源。

和使用多 GPU 类似，TensorFlow 支持通过 tf.device 来指定操作运行在哪个任务上。比如将第二个任务中定义计算的语句改为以下代码，就可以看到这个计算将被调度到/job:local/replica:0/task:1/cpu:0 上面。

```
with tf.device("/job:local/task:1"):
```

```
c = tf.constant("Hello from server2!")
```

在以上样例中只定义了一个工作"local"。但一般在训练深度学习模型时，会定义两个工作。一个工作专门负责存储、获取以及更新变量的取值，这个工作所包含的任务统称为参数服务器（parameter server, ps）。另外一个工作负责运行反向传播算法来获取参数梯度，这个工作所包含的任务统称为计算服务器（worker）。下面给出了一个比较常见的用于训练深度学习模型的 TensorFlow 集群配置方法。

```
tf.train.ClusterSpec({
    "worker": [
        "tf-worker0:2222",
        "tf-worker1:2222",
        "tf-worker2:2222"
    ],
    "ps": [
        "tf-ps0:2222",
        "tf-ps1:2222"
    ]})①
```

使用分布式 TensorFlow 训练深度学习模型一般有两种方式。一种方式叫做计算图内分布式（in-graph replication）。使用这种分布式训练方式时，所有的任务都会使用一个 TensorFlow 计算图中的变量（也就是深度学习模型中的参数），而只是将计算部分发布到不同的计算服务器上。12.3 节中给出的使用多 GPU 样例程序就是这种方式。多 GPU 样例程序将计算复制了多份，每一份放到一个 GPU 上进行运算。但不同的 GPU 使用的参数都是在一个 TensorFlow 计算图中的。因为参数都是存在同一个计算图中，所以同步更新参数比较容易控制。在 12.3 节中给出的代码也实现了参数的同步更新。然而因为计算图内分布式需要有一个中心节点来生成这个计算图并分配计算任务，所以当数据量太大时，这个中心节点容易造成性能瓶颈。

另外一种分布式 TensorFlow 训练深度学习模型的方式叫计算图之间分布式（between-graph replication）。使用这种分布式方式时，在每一个计算服务器上都会创建一个独立的 TensorFlow 计算图，但不同计算图中的相同参数需要以一种固定的方式放到同一个参数服务器上。TensorFlow 提供了 tf.train.replica_device_setter 函数来帮助完成这一个过程，在 12.4.2 节中将给出具体的样例。因为每个计算服务器的 TensorFlow 计算图是独立的，所以这种方式的并行度要更高。但在计算图之间分布式下进行参数的同步更新比较困难。为了解决这个问题，TensorFlow 提供了 tf.train.SyncReplicasOptimizer 函数来帮助实现参数的同步更新。这让计算图之间分布式方式被更加广泛地使用。在 12.4.2 节中将给出使用计算图

---

① 注意这里给出的 tf-worker(i)和 tf-ps(i)都是服务器地址。

之间分布式的样例程序来实现异步模式和同步模式的并行化深度学习模型训练过程。

12.4.2 分布式 TensorFlow 模型训练

本节中将给出两个样例程序分别实现使用计算图之间分布式（Between-graph replication）完成分布式深度学习模型训练的异步更新和同步更新。第一部分将给出使用计算图之间分布式实现异步更新的 TensorFlow 程序。这一部分也会给出具体的命令行将该程序分布式的运行在一个参数服务器和两个计算服务器上，并通过 TensorBoard 可视化在第一个计算服务器上的 TensorFlow 计算图。第二部分将给出计算图之间分布式实现同步参数更新的 TensorFlow 程序。同步参数更新的代码大部分和异步更新相似，所以在这一部分中将重点介绍它们之间的不同之处。

异步模式样例程序

以下样例代码将仍然采用 5.5 节中给出的模式，并复用 5.5 节 mnist_inference.py 程序中定义的前向传播算法。以下代码实现了异步模式的分布式神经网络训练过程。

```
# coding=utf-8
import time
import tensorflow as tf
from tensorflow.examples.tutorials.mnist import input_data

import mnist_inference

# 配置神经网络的参数。
BATCH_SIZE = 100
LEARNING_RATE_BASE = 0.01
LEARNING_RATE_DECAY = 0.99
REGULARAZTION_RATE = 0.0001
TRAINING_STEPS = 20000
MOVING_AVERAGE_DECAY = 0.99

# 模型保存的路径。
MODEL_SAVE_PATH = "logs/log_async"
# MNIST 数据路径。
DATA_PATH = "path/to/mnist/data"

# 通过 flags 指定运行的参数。在 12.4.1 节中对于不同的任务（task）给出了不同的程序，
# 但这不是一种可扩展的方式。在这一节中将使用运行程序时给出的参数来配置在不同
# 任务中运行的程序。
FLAGS = tf.app.flags.FLAGS
```

```
# 指定当前运行的是参数服务器还是计算服务器。参数服务器只负责 TensorFlow 中变量的维护
# 和管理，计算服务器负责每一轮迭代时运行反向传播过程。
tf.app.flags.DEFINE_string('job_name', 'worker', ' "ps" or "worker" ')
# 指定集群中的参数服务器地址。
tf.app.flags.DEFINE_string(
    'ps_hosts', ' tf-ps0:2222,tf-ps1:1111',
    'Comma-separated list of hostname:port for the parameter server '
    'jobs. e.g. "tf-ps0:2222,tf-ps1:1111" ')

# 指定集群中的计算服务器地址。
tf.app.flags.DEFINE_string(
    'worker_hosts', ' tf-worker0:2222,tf-worker1:1111',
    'Comma-separated list of hostname:port for the worker jobs. '
    'e.g. "tf-worker0:2222,tf-worker1:1111" ')

# 指定当前程序的任务 ID。TensorFlow 会自动根据参数服务器/计算服务器列表中的端口号
# 来启动服务。注意参数服务器和计算服务器的编号都是从 0 开始的。
tf.app.flags.DEFINE_integer(
    'task_id', 0, 'Task ID of the worker/replica running the training.')

# 定义 TensorFlow 的计算图，并返回每一轮迭代时需要运行的操作。这个过程和 5.5 节中的主
# 函数基本一致，但为了使处理分布式计算的部分更加突出，本节将此过程整理为一个函数。
def build_model(x, y_, is_chief):
    regularizer = tf.contrib.layers.l2_regularizer(REGULARAZTION_RATE)
    # 通过和 5.5 节给出的 mnist_inference.py 代码计算神经网络前向传播的结果。
    y = mnist_inference.inference(x, regularizer)
    global_step = tf.contrib.framework.get_or_create_global_step()

    # 计算损失函数并定义反向传播过程。
    cross_entropy = tf.nn.sparse_softmax_cross_entropy_with_logits(
        logits=y, labels=tf.argmax(y_, 1))
    cross_entropy_mean = tf.reduce_mean(cross_entropy)
    loss = cross_entropy_mean + tf.add_n(tf.get_collection('losses'))
    learning_rate = tf.train.exponential_decay(
        LEARNING_RATE_BASE,
        global_step,
        60000 / BATCH_SIZE,
        LEARNING_RATE_DECAY)

    train_op = tf.train.GradientDescentOptimizer(learning_rate).minimize(
        loss, global_step=global_step)

    # 定义每一轮迭代需要运行的操作。
```

```
    if is_chief:
        # 计算变量的滑动平均值。
        variable_averages = tf.train.ExponentialMovingAverage(
            MOVING_AVERAGE_DECAY, global_step)
        variables_averages_op = variable_averages.apply(
            tf.trainable_variables())
        with tf.control_dependencies([variables_averages_op, train_op]):
            train_op = tf.no_op()
    return global_step, loss, train_op

def main(argv=None):
    # 解析 flags 并通过 tf.train.ClusterSpec 配置 TensorFlow 集群。
    ps_hosts = FLAGS.ps_hosts.split(',')
    worker_hosts = FLAGS.worker_hosts.split(',')
    cluster = tf.train.ClusterSpec(
        {"ps": ps_hosts, "worker": worker_hosts})
    # 通过 tf.train.ClusterSpec 以及当前任务创建 tf.train.Server。
    server = tf.train.Server(cluster,
                             job_name=FLAGS.job_name,
                             task_index=FLAGS.task_id)

    # 参数服务器只需要管理 TensorFlow 中的变量，不需要执行训练的过程。server.join()
    # 会一致停在这条语句上。
    if FLAGS.job_name == 'ps':
        with tf.device("/cpu:0"):
            server.join()

    # 定义计算服务器需要运行的操作。
    is_chief = (FLAGS.task_id == 0)
    mnist = input_data.read_data_sets(DATA_PATH, one_hot=True)

    # 通过 tf.train.replica_device_setter 函数来指定执行每一个运算的设备。
    # tf.train.replica_device_setter 函数会自动将所有的参数分配到参数服务器上，将
    # 计算分配到当前的计算服务器上。图 12-9 展示了通过 TensorBoard 可视化得到的第一个
    # 计算服务器上运算分配的结果。
    device_setter = tf.train.replica_device_setter(
        worker_device="/job:worker/task:%d" % FLAGS.task_id,
        cluster=cluster)

    with tf.device(device_setter):
        # 定义输入并得到每一轮迭代需要运行的操作。
        x = tf.placeholder(
            tf.float32, [None, mnist_inference.INPUT_NODE],
            name='x-input')
```

```
        y_ = tf.placeholder(
            tf.float32, [None, mnist_inference.OUTPUT_NODE],
            name='y-input')
        global_step, loss, train_op = build_model(x, y_, is_chief)

        hooks=[tf.train.StopAtStepHook(last_step=TRAINING_STEPS)]
        sess_config = tf.ConfigProto(allow_soft_placement=True,
                                     log_device_placement=False)

        # 通过 tf.train.MonitoredTrainingSession 管理训练深度学习模型的通用功能。
        with tf.train.MonitoredTrainingSession(
                master=server.target,
                is_chief=is_chief,
                checkpoint_dir=MODEL_SAVE_PATH,
                hooks=hooks,
                save_checkpoint_secs=60,
                config=sess_config) as mon_sess:
            print "session started."
            step = 0
            start_time = time.time()

            # 执行迭代过程。在迭代过程中 tf.train.MonitoredTrainingSession 会帮助
            # 完成初始化、从 checkpoint 中加载训练过的模型、输出日志并保存模型，所以
            # 以下程序中不需要在调用这些过程。tf.train.StopAtStepHook 会帮忙判
            # 断是否需要退出。
            while not mon_sess.should_stop():
                xs, ys = mnist.train.next_batch(BATCH_SIZE)
                _, loss_value, global_step_value = mon_sess.run(
                    [train op, loss, global_step], feed_dict={x: xs, y_: ys})

                # 每隔一段时间输出训练信息。不同的计算服务器都会更新全局的训练轮数，
                # 所以这里使用 global_step_value 得到在训练中使用过的 batch 的总数。
                if step > 0 and step % 100 == 0:
                    duration = time.time() - start_time
                    sec_per_batch = duration / global_step_value
                    format_str = "After %d training steps " +\
                                 "(%d global steps), loss on training " +\
                                 "batch is %g. (%.3f sec/batch)"
                    print format_str % (step, global_step_value, loss_value,
                                        sec_per_batch)

                step += 1

if __name__ == "__main__":
    tf.app.run()
```

假设上面代码的文件名为 dist_tf_mnist_async.py，那么要启动一个拥有一个参数服务器、两个计算服务器的集群，需要先在运行参数服务器的机器上启动以下命令：

```
python dist_tf_mnist_async.py \
--job_name='ps' \
--task_id=0 \
--ps_hosts='tf-ps0:2222'① \
--worker_hosts='tf-worker0:2222,tf-worker1:2222'
```

然后在运行第一个计算服务器的机器上启动以下命令：

```
python dist_tf_mnist_async.py \
--job_name='worker' \
--task_id=0 \
--ps_hosts='tf-ps0:2222' \
--worker_hosts='tf-worker0:2222,tf-worker1:2222'
```

最后在运行第二个计算服务器的机器上启动以下命令：

```
python dist_tf_mnist_async.py \
--job_name='worker' \
--task_id=1 \
--ps_hosts='tf-ps0:2222' \
--worker_hosts='tf-worker0:2222,tf-worker1:2222'
```

在启动第一个计算服务器之后，这个计算服务器就会尝试连接其他的服务器（包括计算服务器和参数服务器）。如果其他服务器还没有启动，则被启动的计算服务器会提示等待连接其他服务器。以下代码展示了一个预警信息。

```
tensorflow/core/distributed_runtime/master.cc:209]  CreateSession  still
waiting for response from worker: /job:worker/replica:0/task:1
```

不过这不会影响 TensorFlow 集群的启动。当 TensorFlow 集群中所有服务器都被启动之后，每一个计算服务器将不再预警。在 TensorFlow 集群完全启动之后，训练过程将被执行。图 12-9 展示了第一个计算服务器的 TensorFlow 计算图。从图 12-9 中可以看出，神经网络中定义的参数被放在了参数服务器上（图中浅灰色节点），而反向传播的计算过程则放在了当前的计算服务器上（图中的深灰色节点）。

---

① 这里 tf-ps0、tf-worker0 和 tf-worker1 都是服务器地址，如果在本地运行，可以使用 localhost:2222、localhost:2223、localhost:2224 代替。

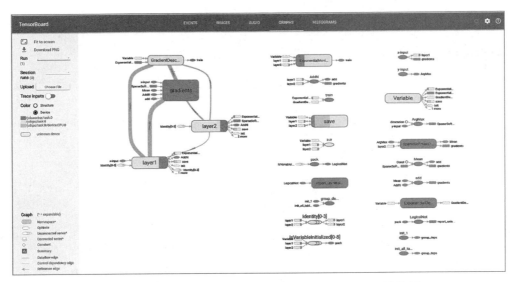

图 12-9　通过 TensorBoard 可视化的分布式 TensorFlow 计算图

在计算服务器训练神经网络的过程中，第一个计算服务器会输出类似下面的信息。

```
After 100 training steps (100 global steps), loss on training batch is
0.302718.  (0.039 sec/batch)
After 200 training steps (200 global steps), loss on training batch is
0.269476.  (0.037 sec/batch)
After 300 training steps (300 global steps), loss on training batch is
0.286755.  (0.037 sec/batch)
After 400 training steps (463 global steps), loss on training batch is
0.349983.  (0.033 sec/batch)
After 500 training steps (666 global steps), loss on training batch is
0.229955.  (0.029 sec/batch)
After 600 training steps (873 global steps), loss on training batch is
0.245588.  (0.027 sec/batch)
```

第二个计算服务器会输出类似下面的信息。

```
After 100 training steps (537 global steps), loss on training batch is
0.223165.  (0.007 sec/batch)
After 200 training steps (732 global steps), loss on training batch is
0.186126.  (0.010 sec/batch)
After 300 training steps (925 global steps), loss on training batch is
0.228191.  (0.012 sec/batch)
```

从输出的信息中可以看到，在第二个计算服务器启动之前，第一个计算服务器已经运行了很多轮迭代了。在异步模式下，即使有计算服务器没有正常工作，参数更新的过程仍可继续，而且全局的迭代轮数是所有计算服务器迭代轮数的和。

同步模式样例程序

和异步模式类似，下面给出的代码同样也是基于 5.5 节中给出的框架。该代码实现了同步模式的分布式神经网络训练过程。

```
# coding=utf-8
import time
import tensorflow as tf
from tensorflow.examples.tutorials.mnist import input_data

import mnist_inference

# 配置神经网络的参数。
BATCH_SIZE = 100
LEARNING_RATE_BASE = 0.01
LEARNING_RATE_DECAY = 0.99
REGULARAZTION_RATE = 0.0001
TRAINING_STEPS = 20000
MOVING_AVERAGE_DECAY = 0.99

MODEL_SAVE_PATH = "logs/log_sync"
DATA_PATH = "/path/to/mnist/data"

# 和异步模式类似的设置 flags。
FLAGS = tf.app.flags.FLAGS

tf.app.flags.DEFINE_string('job_name', 'worker', ' "ps" or "worker" ')
tf.app.flags.DEFINE_string(
    'ps_hosts', ' tf-ps0:2222,tf-ps1:1111',
    'Comma-separated list of hostname:port for the parameter server '
    'jobs. e.g. "tf-ps0:2222,tf-ps1:1111" ')
tf.app.flags.DEFINE_string(
    'worker_hosts', ' tf-worker0:2222,tf-worker1:1111',
    'Comma-separated list of hostname:port for the worker jobs. '
    'e.g. "tf-worker0:2222,tf-worker1:1111" ')
tf.app.flags.DEFINE_integer(
    'task_id', 0, 'Task ID of the worker/replica running the training.')

# 和异步模式类似的定义 TensorFlow 的计算图。唯一的区别在于使用
# tf.train.SyncReplicasOptimizer 函数处理同步更新。
def build_model(x, y_, n_workers, is_chief):
    regularizer = tf.contrib.layers.l2_regularizer(REGULARAZTION_RATE)
    y = mnist_inference.inference(x, regularizer)
```

```python
    global_step = tf.contrib.framework.get_or_create_global_step()

    cross_entropy = tf.nn.sparse_softmax_cross_entropy_with_logits(
        logits=y, labels=tf.argmax(y_, 1))
    cross_entropy_mean = tf.reduce_mean(cross_entropy)
    loss = cross_entropy_mean + tf.add_n(tf.get_collection('losses'))
    learning_rate = tf.train.exponential_decay(
        LEARNING_RATE_BASE,
        global_step,
        60000 / BATCH_SIZE,
        LEARNING_RATE_DECAY)

    # 通过 tf.train.SyncReplicasOptimizer 函数实现同步更新。
    opt = tf.train.SyncReplicasOptimizer(
        tf.train.GradientDescentOptimizer(learning_rate),
        replicas_to_aggregate=n_workers,
        total_num_replicas=n_workers)
    sync_replicas_hook = opt.make_session_run_hook(is_chief)
    train_op = opt.minimize(loss, global_step=global_step)

    if is_chief:
        variable_averages = tf.train.ExponentialMovingAverage(
            MOVING_AVERAGE_DECAY, global_step)
        variables_averages_op = variable_averages.apply(
            tf.trainable_variables())
        with tf.control_dependencies([variables_averages_op, train_op]):
            train_op = tf.no_op()

    return global_step, loss, train_op, sync_replicas_hook

def main(argv=None):
    # 和异步模式类似地创建 TensorFlow 集群。
    ps_hosts = FLAGS.ps_hosts.split(',')
    worker_hosts = FLAGS.worker_hosts.split(',')
    n_workers = len(worker_hosts)
    cluster = tf.train.ClusterSpec(
        {"ps": ps_hosts, "worker": worker_hosts})

    server = tf.train.Server(cluster,
                             job_name=FLAGS.job_name,
                             task_index=FLAGS.task_id)

    if FLAGS.job_name == 'ps':
        with tf.device("/cpu:0"):
            server.join()
```

```
is_chief = (FLAGS.task_id == 0)
mnist = input_data.read_data_sets(DATA_PATH, one_hot=True)

device_setter = tf.train.replica_device_setter(
    worker_device="/job:worker/task:%d" % FLAGS.task_id,
    cluster=cluster)

with tf.device(device_setter):
    x = tf.placeholder(
        tf.float32, [None, mnist_inference.INPUT_NODE],
        name='x-input')
    y_ = tf.placeholder(
        tf.float32, [None, mnist_inference.OUTPUT_NODE],
        name='y-input')
    global_step, loss, train_op, sync_replicas_hook = build_model(
        x, y_, n_workers, is_chief)

    # 把处理同步更新的 hook 也加进来。
    hooks=[sync_replicas_hook,
            tf.train.StopAtStepHook(last_step=TRAINING_STEPS)]
    sess_config = tf.ConfigProto(allow_soft_placement=True,
                                  log_device_placement=False)

    # 训练过程和异步一致。
    with tf.train.MonitoredTrainingSession(
            master=server.target,
            is_chief=is_chief,
            checkpoint_dir=MODEL_SAVE_PATH,
            hooks=hooks,
            save_checkpoint_secs=60,
            config=sess_config) as mon_sess:
        print "session started."
        step = 0
        start_time = time.time()

        while not mon_sess.should_stop():
            xs, ys = mnist.train.next_batch(BATCH_SIZE)
            _, loss_value, global_step_value = mon_sess.run(
                [train_op, loss, global_step], feed_dict={x: xs, y_: ys})

            if step > 0 and step % 100 == 0:
                duration = time.time() - start_time
                sec_per_batch = duration / global_step_value
                format_str = "After %d training steps (%d global " +\
```

```
                            "steps), loss on training " +\
                         " batch is %g. (%.3f sec/batch)"
                  print format_str % (step, global_step_value, loss_value,
                                      sec_per_batch)
              step += 1

if __name__ == "__main__":
    tf.app.run()
```

和异步模式类似，在不同机器上运行以上代码就可以启动 TensorFlow 集群。在第一个计算服务器上，可以看到与下面类似的输出。

```
After 100 training steps (49 global steps), loss on training batch is 1.60499.
(0.049 sec/batch)
After 200 training steps (99 global steps), loss on training batch is 1.10667.
(0.040 sec/batch)
After 300 training steps (149 global steps), loss on training batch is 0.968059.
(0.036 sec/batch)
After 400 training steps (230 global steps), loss on training batch is 0.833886.
(0.035 sec/batch)
After 500 training steps (330 global steps), loss on training batch is 0.846468.
(0.032 sec/batch)
```

第二个计算服务器的输出如下：

```
After 100 training steps (268 global steps), loss on training batch is 0.810314.
(0.035 sec/batch)
After 200 training steps (368 global steps), loss on training batch is 0.602304.
(0.032 sec/batch)
After 300 training steps (468 global steps), loss on training batch is 0.72167.
(0.031 sec/batch)
After 400 training steps (568 global steps), loss on training batch is 0.529358.
(0.030 sec/batch)
After 500 training steps (668 global steps), loss on training batch is 0.626258.
(0.030 sec/batch)
```

和异步模式不同，在同步模式下，global_step 差不多是两个计算服务器 local_step 的平均值。比如在第二个计算服务器还没有开始之前，global_step 是第一个服务器 local_step 的一半。这是因为同步模式要求收集 replicas_to_aggregate 份梯度才会开始更新（注意这里 TensorFlow 不要求每一份梯度来自不同的计算服务器）。同步模式不仅仅是一次使用多份梯度，tf.train.SyncReplicasOptimizer 的实现同时也保证了不会出现陈旧变量的问题。tf.train.SyncReplicasOptimizer 函数会记录每一份梯度是不是由最新的变量值计算得到的，如果不是，那么这一份梯度将会被丢弃。

小结

在本章中介绍了 TensorFlow 如何通过 GPU 或/和分布式集群的方式加速深度学习模型的训练过程。首先，12.1 节介绍了在 TensorFlow 中使用单个 GPU 加速计算的过程。TensorFlow 对于单个 GPU 的支持是非常方便的，几乎不需要任何的额外设置。TensorFlow 可以自动将计算优先分配到 GPU 上。这一节也介绍了如何使用 tf.device 函数来手动配置计算运行的设备。然后，在 12.2 节中详细介绍了训练深度学习模型的并行模式。这一节中介绍了同步模式和异步模型两种并行模式，并介绍了这两种模式各自的优缺点。接着，在 12.3 节中给出了通过 TensorFlow 实现了在一台机器的多个 GPU 上并行地训练深度学习模型。

最后，在 12.4 节中介绍了如何通过 TensorFlow 集群进一步加大训练深度学习模型的并行化程度。12.4.1 节介绍了 TensorFlow 集群的运行机制，并给出了启动简单 TensorFlow 集群的样例程序。这个小节中也介绍了 TensorFlow 集群的计算图内分布式方式和计算图之间分布式方式，并指出在海量数据下，使用计算图之间分布式方式的可扩展性更强。12.4.2 节给出了具体的 TensorFlow 代码，该代码通过计算图之间分布式方式实现了并行化深度学习模型训练的同步模式和异步模式。